السلوك التنظيمي
في منظمات الأعمـال

الأستاذ الدكتور
محمود سلمان العميان
أستاذ إدارة الأعمال
قسم إدارة الأعمال / كلية الأعمال
الجامعة الأردنية

نشر بدعم من الجامعة الأردنية
مقيّم ومحكّم علمياً من عمادة البحث العلمي في الجامعة الأردنية

دار وائل للنشر
الطبعة الخامسة
2010

رقم الايداع لدى دائرة المكتبة الوطنية : (2001/9/1809)
658.402
العميان ، محمود سلمان
السلوك التنظيمي في منظمات الأعمال / محمود سلمان العميان .
- عمان: دار وائل، 2001.
(424) ص
ر.إ. : (2001/9/1809)
الواصفات: منظمات أصحاب العمل / السلوك التنظيمي
* تم إعداد بيانات الفهرسة والتصنيف الأولية من قبل دائرة المكتبة الوطنية
ISBN 9957-11-221-x (ردمك)

* السلوك التنظيمي في منظمات الأعمال
* الأستاذ الدكتور محمود سلمان العميان
* الطبعــة الأولـى 2002
* الطبعــة الثانيـة 2004
* الطبعــة الثالثـة 2005
* الطبعــة الرابعـة 2008
* الطبعــة الخامسة 2010

* جميع الحقوق محفوظة للناشر

دار وائــل للنشر والتوزيع
* الأردن - عمان - شارع الجمعية العلمية الملكية - مبنى الجامعة الاردنية الاستثماري رقم (2) الطابق الثاني
هـاتف : 00962-6-5338410 - فاكس : 00962-6-5331661 - ص. ب (1615 - الجبيهة)
* الأردن - عمـان - وسـط البلد - مجمـع الفحيص التجـاري- هـاتف: 00962-6-4627627
www.darwael.com
E-Mail: Wael@Darwael.Com

الإهــداء

إلى زوجتي

وابنائي: وائل ونورس

وبناتي: نيفين، شيرين، ايناس

قائمة المحتويات

مقدمـة

يشهد العالم تحولات وتغيرات كثيرة في تركيب المجتمعات والمنظمات تمثلت بالنمو الاقتصادي السريع والتسارع التكنولوجي الهائل والخصخصة والعولمة ودخول كثير من الدول النامية مرحلة التصنيع واعتماد أسلوب التنمية والتطوير نحو مستقبل أفضل، وهذه التغيرات لم تحدث نتيجة لزيادة رأس المال أو استخدام التكنولوجيا في المنظمات فحسب، بل بالدرجة الأولى من خلال القوى البشرية العاملة في هذه المنظمات، فالعنصر البشري المؤهل والمدرب والكفؤ هو أهم عناصر الإنتاج.

وينظر إلى المنظمة على اعتبار أنها جهد جماعي لتحقيق هدف مشترك، وبالتالي تحتاج المنظمات على اختلاف أنواعها إلى العنصر البشري - تنظيم إنساني - من أجل توجيه أعمالها وتوفير الخدمات النفسية والمادية اللازمة لتحقيق الأهداف التنظيمية، ولكن تواجه منظمات الأعمال مشاكل وأزمات عديدة تتراوح من زيادة الكفاية الإنتاجية إلى زيادة التفاعل الإيجابي مع البيئة الاجتماعية التي تعمل بها تلك المنظمات.

وقد وجد أن العنصر الإنساني يلعب دوراً رئيسياً في جميع المجالات لحل تلك المشاكل، إذ أثبتت الدراسات والتجارب في المجتمعات المتقدمة أن القوى البشرية المؤهلة وطريقة سلوكها في بيئة العمل هي أداة الإبداع الرئيسية، وأداة التغيير والتطوير والتحسين، وأداة المنافسة الإيجابية مما أوجد الحاجة لدى الجميع من إداريين وأكاديميين وباحثين إلى الاهتمام المتزايد بدراسة السلوك الإنساني، وهذه الحاجة أعطت أهمية خاصة لدراسة السلوك التنظيمي وتحويل منظور المنظمات تجاه الفرد وعلاقته بالجماعة والبيئة التنظيمية الداخلية والبيئة الاجتماعية الخارجية. وأبرز مثال على ذلك نظام الإدارة اليابانية الذي يدور حول فلسفة إدارية وثقافة تنظيمية مؤداها خلق العامل السعيد في عمله من خلال تطبيق مبدأ "الرعاية الشمولية" وذلك برعاية شؤون الفرد العامل داخل المنظمة وخارجها .

يهدف هذا الكتاب إلى تعريف القارئ بطبيعة السلوك التنظيمي بجميع أبعاده وعناصره، وقد قسم الكتاب إلى سبعة أقسام في عشرين فصلاً على النحو التالي:

القسم الأول: ويشمل الفصلين الأول والثاني ويمثل **المدخل لدراسة موضوع السلوك التنظيمي** وذلك بالتعرف على مفهوم السلوك التنظيمي والافتراضات التي قام عليها والعلوم المختلفة التي ساعدت العلماء والباحثين في دراسة السلوك الإنساني في منظمات الأعمال، وكذلك استعراض النظريات الإدارية المختلفة من

إسلامية وغربية ويابانية وكورية من حيث نشأتها وتطورها وفلسفتها وارتباطها بأبعاد السلوك التنظيمي على المستوى الفردي والجماعي والتنظيمي والبيئي.

القسم الثاني: ويشمل الفصول من الثالث إلى التاسع ويمثل **البعد الفردي في السلوك التنظيمي** إذ يستعرض العوامل والمتغيرات المؤثرة على سلوك الفرد في بيئة العمل، فهو يتناول الإدراك ومحدداته، والاتجاهات وعلاقتها بالسلوك التنظيمي، ودراسة القيم الإنسانية وإمكانية تغييرها، والشخصية وخصائصها ومحدداتها ونظرياتها، والتعلم ونظرياته وأساليب التعزيز المختلفة وأثر ذلك في مجال السلوك التنظيمي، وكذلك التطرق إلى ضغط العمل والإحباط من حيث المصادر والأسباب والنتائج المترتبة على كل من الفرد والمنظمة وطرق العلاج.

القسم الثالث: ويشمل الفصل العاشر المعنون بـ: " السلوك الجماعي في المنظمات"، ويمثل **البعد الجماعي في السلوك التنظيمي**، وهو يتناول دراسة الجماعات التنظيمية من جميع جوانبها من حيث مفهوم الجماعة، خصائص الجماعات، الجماعات الرسمية وغير الرسمية، هيكلية الجماعة، ودراسة تكوين الجماعات، المعايير الجماعية، أهمية الجماعة غير الرسمية إلى التنظيم الرسمي، ودوافع الجماعة في التأثير على سلوك الفرد، أدوات تأثير الجماعة على الفرد، وحركية الجماعة من خلال سلوك الفرد داخل الجماعة والسلوك بين الجماعات في المنظمة.

القسم الرابع: ويشمل الفصول من الحادي عشر إلى الخامس عشر ويمثل **البعد المنظمي في السلوك التنظيمي**، ويتضمن الهيكل التنظيمي من حيث التعريف والعوامل المؤثرة على تصميمه ومراحل التصميم وأشكال تقسيم الهياكل التنظيمية وإعاده الهيكلية، كذلك دراسة الاتصال الإداري من حيث عناصر عملية الاتصال ووسائله وأنماطه وأتجاهاته وطرق زيادة فعاليته، والقيادة الإدارية من حيث المفهوم والمصادر والأساليب والنظريات، والتطرق إلى موضوع الدافعية والحفز الإنساني من حيث الحاجات وعملية الحفز ونظريات الحفز، وأخيراً دراسة المناخ التنظيمي والثقافة التنظيمية والوقوف على مفهوم المناخ التنظيمي وأبعاده وعناصره، ومفهوم الثقافة التنظيمية وخصائصها والمحافظة عليها.

القسم الخامس: ويشمل الفصل السادس عشر المعنون بـ: "البيئة التنظيمية"، ويمثل **البعد البيئي في السلوك التنظيمي**، ويتطرق هذا البعد إلى البيئة الاجتماعية والخارجية التي تعيش فيها المنظمة من حيث مفهوم البيئة وأهمية التعرف عليها من قبل المديرين، وتصنيفاتها وعناصرها وعدم التأكد البيئي والعلاقة بين المنظمة وبيئتها الخارجية، واستراتيجيات المنظمة في التعامل مع البيئة الخارجية.

القسم السادس: ويشمل الفصول من السابع عشر- إلى التاسع عشر- ويتضمن دراسة **التغيير والتطوير التنظيمي** من حيث مفهومه وأبعاده وأهدافه وطرق تطبيقه في المنظمات وأسباب مقاومته وأساليب احتواء مقاومته من قبل المنظمات، كذلك دراسة **الصراع التنظيمي** من حيث المفهوم، والأسباب والمراحل والخصائص وأسلوب إدارته وأخيراً **الإبداع التنظيمي** بالتطرق إلى حاجة المنظمات إلى الإبداع، ومصادره ومعوقاته والبيئة التنظيمية للمنظمات المبدعة.

القسم السابع: ويشمل الفصل العشرين بعنوان: "**مستقبل السلوك التنظيمي**"، ويمثل نظرة مستقبلية إلى السلوك التنظيمي في التنبؤ بالمستقبل على ضوء قراءة الحاضر والإطلاع على مجرياته، إذ أن هناك الكثير من التغيرات والتحولات والظواهر التي تسود عالم اليوم ويمكن أن تنعكس مستقبلاً على منظمة المستقبل بما فيها من أبعاد السلوك التنظيمي مثل أزمة الطاقة وما تمثله من نضوب أو نقص في المواد الخام، ودور البيئة الاجتماعية المتزايد بما تمثله من قيم وعادات وتقاليد وأعراف، وزيادة الكثافة السكانية، والتحول نحو الديمقراطية سواء من ناحية اجتماعية أو تنظيمية، واتساع قاعدة الثقافة والتعليم في المجتمع بما في ذلك الطبقة العاملة في المنظمات، والتقدم التكنولوجي وتعاظم قوة النقابات العمالية في مجال العمل، وزيادة تدخل الدولة في شؤون المجتمع بما في ذلك منظمات الأعمال... إلخ.

وأخيراً، أتقدم بجزيل الشكر إلى عمادة البحث العلمي في الجامعة الأردنية التي قامت بدعم نشر هذا الكتاب.

المؤلف

الفصل الأول

مفهوم السلوك التنظيمي
The Concept of Organizational Behavior

- تعريف السلوك التنظيمي
- العوامل المتفاعلة في السلوك التنظيمي
- الجوانب النظرية في السلوك التنظيمي
- السلوك التنظيمي وعلاقته بالعلوم السلوكية

تعريف السلوك التنظيمي:[1]

يـــرى ســـــيزلاقي ووالاس (Szilagyi & Wallace) أن الســــلوك التنظيمـــــي هـــو "الاهتمام بدراسة سلوك العاملين بالوحدات التنظيمية المختلفة واتجاهاتهم وميولهم وادائهـم، فـالمنظمات والجماعات الرسمية تؤثر في ادراكات العاملين ومشاعرهم وتحركاتهم، كما تؤثر البيئة في المنظمات البشرية وأهدافها...الخ

ويعتقد Mitchell ان مجال السـلوك التنظيمـي يغطـي جـانبين رئيسـين، هـما: أسـباب السـلوك الإنساني كأفراد وكجماعات، وكيفية استخدام هذه المعلومات لمساعدة الأفراد على أن يصبحوا أكثر انتاجيـة ورضاء في منظمات العمل.

ويحلل Cummings مجال السلوك التنظيمي وأبعاده الرئيسية، ويرى أنها تحتوي عـلى العوامـل التالية: (1) التأكيـد عـلى تأسيس العلاقـات السـببية، (2) الـولاء والتعهـد للتغيـير. (3) الاهـتمام الإنسـاني بالأفراد. (4) الاهتمام بالفعاليات التنظيمية. (5) استخدام البحوث والأساليب العلمية.

كما يرى Davis أن مصطلح السلوك التنظيمي Organizational Behavior يطبـق بشـكل واسـع على تفاعل العنصر البشري من خلال جميع أنواع المنظمات، مثل : الأعمال التجاريـة، الأعـمال الحكوميـة، المـدارس، مـنظمات الخـدمات العامـة، وأيـنما يحـل الأفـراد مشـاركين بعضـهم الـبعض الآخـر في شكل رسمي لتحقيق أهداف معينة. لذلك هناك تفاعل الأفراد والتقنية والهيكل التنظيمي.

ويضـيف Davis أن هـذه العنـاصر الثلاثـة تتـأثر بالنظـام الاجتماعـي الخـارجي (البيئـة العامـة)، ويوصـف هـذا التفاعـل للعنـاصر الأربعـة وهــي :الأفـراد، التقنيـة،

(1) ناصر محمد العديلي، السلوك الإنساني والتنظيمي منظور كلي مقارن، الرياض: معهد الإدارة العامة، 1995، ص 9-11.

الهيكـل التنظيمـي، والبيئـة العامـة، بأنـه السلوك التنظيمـي. ويوضـح الشكـل رقـم (1) عناصر السلوك التنظيمي.

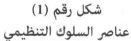

شكل رقم (1)
عناصر السلوك التنظيمي

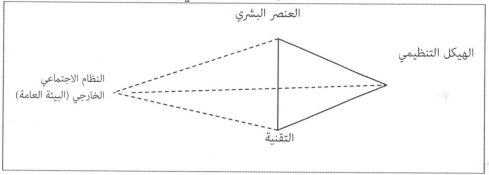

العنصر البشري

الهيكل التنظيمي

النظام الاجتماعي
الخارجي (البيئة العامة)

التقنية

المصدر: Davis, K., Human Behavior at Work, New York: McGraw-Hill, 1997.

ومن وجهة النظر الادارية يؤكد ديفز Davis أن المديرين يتحملون مسـؤولية كبـيرة مـن حيـث استفادتهم من السلوك التنظيمي، فهم الذين يتخذون القرارات التي تؤثر في الكثـير مـن العـاملين لـديهم، ويمثل المديرون بشكل جوهري النظام الاداري، وفي السلوك التنظيمي يكون دورهم التوحيد ما بين النظام الاجتماعي (النظام الانساني) والنظام التقني، وذلك لتحسين علاقات الافراد في المنظمات.

ويرى الطحيح أن مجال السلوك التنظيمي من المجالات الحديثة التي تطرق لها الباحثون في مجـال الإدارة. وتبرز أهمية هذا المجال باعتبـاره مـدخلا يجمـع بـين النظريـة والتطبيق، فهو لا يقتصرـ علـى مجرد استخلاص المياديء والأسس العلمية المرتبطة بسلوك الأفراد والجماعات داخل المنظمات، ولكنـه يمتـد الى تـوفير

مجموعة من الأدوات والأساليب العلمية التطبيقية التي يمكن استخدامها في علاج المشكلات التنظيمية الإدارية.

ويعتقد العديلي أن السلوك الإنساني والتنظيمي هو " المحاولة الشاملة لفهم سلوك العاملين في المنظمة أو المنشأة، سواء كانوا أفرادا أو جماعات صغيرة أو أفرادا كثيرين كوحدة شاملة ومتكاملة، وكذلك تفاعل هذه المنظمة مع بيئتها الخارجية - المؤثرات والعوامل السياسية والاقتصادية والتقنية والاجتماعية والثقافية والحضارية - ومع سلوك العاملين بها وما يحملونه من مشاعر واتجاهات ومواقف ودوافع وتوقعات وجهود وقدرات ...الخ. وبمعنى أدق يعني السلوك الإنساني والتنظيمي تفاعل المتغيرات الإنسانية (سلوك الإنسان) مع المتغيرات التنظيمية (سلوك المنظمة أو مكان العمل والعوامل الأخرى المؤثرة).

والهدف من دراسة السلوك الإنساني والتنظيمي - كما يرى العديلي - هو تحسين الأداء والإنتاجية والفعالية الإدارية والرضاء الوظيفي للعاملين، وذلك لإنجاز الأهداف المشتركة والمرغوبة للموظف كفرد وللمنظمة التي يعمل بها - سواء كانت هذه المنظمة حكومية أو خاصة مثل الشركات وغيرها - وذلك لتحقيق أهداف المجتمع ككل.

العوامل المتفاعلة في السلوك التنظيمي:

ان دراسة السلوك الإنساني والتنظيمي يتطلب بيان المتغيرات الإنسانية والتنظيمية التي تتداخل وتتفاعل معا ونتيجة لهذا التفاعل يبرز سلوك الأفراد في منظمات الأعمال. فالسلوك التنظيمي هو عملية تواصل للسلوك.

ويعتبر السلوك الإنساني والسلوك التنظيمي في الحقيقة أساسيات نفسية واجتماعية تتفاعل معا، فعملية سلوك وتصرفات الأفراد في المنظمة مرتبطة ببعض العوامل والجوانب النفسية والاجتماعية، ويطلق على العوامل النفسية العوامل

الداخلية وعلى العوامل الاجتماعية العوامل الخارجية حيث تتفاعل العوامل النفسية مع العوامل الاجتماعية وينتج عن هذا التفاعل سلوك الفرد والمنظمة. والشكل رقم (2) يوضح عملية التفاعل بين العوامل النفسية والعوامل الاجتماعية.

شكل رقم (2)

العوامل المتفاعلة في السلوك الانساني والتنظيمي

بعض العوامل الداخلية (النفسية)	بعض العوامل الخارجية (الاجتماعية)
(سلوك الفرد في المنظمة)	(سلوك الفرد خارج المنظمة)
- القدرة على التعلم	- الضغوط
- الدافع	- نظام الحوافز (المكافآت)
- الادراك	- درجة الثقة
- المواقف والاتجاهات	- تماسك الجماعة
- العواطف	- درجة الضوضاء
- الاحباطات والعوائق	- العوامل الاجتماعية
- القيم	- الاجراءات والأنظمة

المصدر **Dubran, Foundation of Organizational Behavior, New York: University press. 1978, P 18**

أشرنا آنفاً إلى أن العوامل النفسية تتفاعل مع العوامل الاجتماعية وينتج عنها سلوك معين للأفراد العاملين في المنظمات، وهذا السلوك ليس إيجابيا بالضرورة فقد يكون سلوكاً سلبياً. ومن الأمثلة على السلوك الإيجابي للأفراد العاملين في المنظمة: زيادة الإنتاجية وتنمية المهارات والرضا الوظيفي والأداء العالي، ومن الأمثلة على السلوك السلبي زيادة معدل دوران العمل، وعدم الرضا وانخفاض الإنتاجية والإحباط.

الجوانب النظرية في السلوك التنظيمي:

كما هو معروف لدينا أن تفاعل عوامل البيئة الداخلية والخارجية وانعكاس تأثيرها على الأفراد العاملين في المنظمة سواء كان تأثيراً سلبياً أو إيجابياً فان تلك العوامل تؤدي إلى ظهور أنشطة جديدة وأنماط سلوكية جديدة، ولا بد للإدارة من التعرف على طبيعة هذا السلوك وفهمه من اجل السيطرة والتحكم فيه من خلال عملية البحث والدراسة. يقول اندرو دي سيزلاقي ومارك جي والاس: " ان السلوك التنظيمي هو ما يتعلق بدراسة سلوك واتجاهات وأداء العاملين وتأثيرات البيئة على المنظمة ومواردها البشرية وأهدافها وكذلك تأثيرات العاملين على المنظمة وفاعليتها". وبسبب الاهتمام بالسلوك التنظيمي برز العديد من النظريات التي قامت بتفسيره وضبطه وتوجيهه، ويمكن ذكر بعض هذه النظريات [1]:

1-النظرية السلوكية Behavioral Theory

تقدم هذه النظرية تفسيرات مختلفة للسلوك عن ما قدمته النظريات الأخرى، حيث تنظر هذه النظرية إلى الأنماط السلوكية للأفراد بأنها لا تنشأ لوجود دوافع داخلية في الفرد، وإنما تكون ناتجة بسبب بعض المنبهات الحسية والحركية التي تؤدي إلى تحريك بعض الأفعال مما ينتج أنماطاً سلوكية مختلفة.

2-نظرية الرشد Rationality of Man

تقول هذه النظرية ان الإنسان يمتلك قدرة ممتازة من الرشدانية في تحديد واختيار أنماطه السلوكية، فهو يختار أنماطه السلوكية بما يتناسب مع موارده وممتلكاته بالمنهجية التي يعتبرها ملائمة وفقا لتخيلاته وتصوراته، والإنسان يبذل جهده وطاقته حتى يشبع أهدافه ويحققها بأكبر قدر ممكن.

---

(1) موسى اللوزي، التطوير التنظيمي: أساسيات ومفاهيم حديثة، الطبعة الأولى، عمان: دار وائل للنشر، 1999. ص61-63

3-نظرية التحليل النفسي Psychoanalytic Theory

يقسم عالم النفس فرويد صاحب هذه النظرية السلوك لدى الإنسان إلى قسمين: غريزة الحياة وغريزة الموت. إن غريزة الحياة تتعلق بالأفعال الإيجابية التي يقوم بها الإنسان، في حين تتعلق غريزة الموت بالأفعال العدوانية الناشئة عن الإنسان فالأفراد الذين يعيشون في مجتمعات تسودها المعايير والقواعد سواء كانت سلوكية أم اجتماعية فان غريزة الموت لدى الأفراد ستزول وتنتهي.

4-نظرية جشطالت Gestalt Theory

تقول هذه النظرية ان البيئة التي يعيش فيها الإنسان تتكون من مجموعة عناصر متداخلة فيما بينها وإذا حصل تغيير على هذه العناصر فإنها ستؤدي إلى حالة من عدم التوازن مما يحقق حالة من القلق والتوتر. فعندما يفكر الإنسان بهذا المنطق فانه سيجري عمليات دراسة وبحث لكي يسلك سلوكا معيناً حتى يخفف التوتر والقلق لديه.

5-نظرية السلوك الغريزي والإبدال[1] Instinct Behavior & Sublimation

تشير هذه النظرية إلى ان الإنسان يؤدي أعمالاً كثيرة ولكن بطريقة فطرية (غريزية) وهذه الأعمال تأخذ بالتغيير والارتقاء. فيقول ماكدوجال بان هذه الغرائز تتغير من حيث المثيرات، حيث تفقد طبيعتها الغريزية الفطرية وتستبدلها بمثيرات أخرى. و الغرائز الفطرية تتغير وتسمو إلى الارتقاء والتطور بشكل اكثر تنظيما من اجل إشباع رغبات الأفراد من جانب، ومواكبة المجتمع ومبادئه من جانب آخر.

---

(1) كامل المغربي، السلوك التنظيمي، مفاهيم وأسس سلوك الفرد والجماعة في التنظيم، الطبعة الثانية، عمان: دار الفكر للنشر والتوزيع، 1994 - 1995 ص 36-38.

6-النظرية الوجودية Existential Theory

تشير هذه النظرية إلى ان الإنسان يبحث عن وجود له في الحياة لان بيئته الاجتماعية والاقتصادية والسياسية متغيرة وبشكل مستمر ويترتب على هذا التغيير متطلبات جديدة. وتركز هذه النظرية على تحليل لوجود الفرد في عالم يسوده التعقيد في كافة جوانب الحياة.

السلوك التنظيمي وعلاقته بالعلوم السلوكية الأخرى(1):

1-علم النفس Psychology

هو علم دراسة سلوك الإنسان. فعلم النفس يقدم معلومات عن كيفية تفكير الفرد، والعوامل المساعدة للتعلم والإدراك، وتعدد الدوافع والحاجات الإنسانية، والتي تساعد على معرفة مفهوم السلوك الإنساني بمختلف مظاهره الاجتماعية.

وعلم النفس أيضا يدرس العلاقات الوظيفية بين سلوك الأفراد والمؤثرات غير الإنسانية. ويستطيع المدير أن يستفيد من المعارف الأساسية التي يقدمها علم النفس والتي تتركز في فهم حاجات الأفراد ورغباتهم، ومعرفة دوافع العمل عندهم، وبالتالي يستطيع المدير ان يضع البرامج التحفيزية الفعالة التي تؤثر عليهم.

يتفق علماء النفس على أن الدافعية، من العوامل الأساسية المحددة للسلوك، حيث تشير الدافعية إلى العمليات الذهنية التي تدفع إلى السلوك المعني، ويدرس علماء النفس الدافعية باحثين عن تفسير القوة التي تدفع الناس لفعل ما.

ومن الجدير بالذكر ان علم النفس يتضمن دراسات تخصصية عديدة منها على سبيل المثال : علم النفس الاجتماعي وعلم النفس التقني وغيرهما من العلوم.

(1) علي السلمي، السلوك التنظيمي، القاهرة مطبعة جامعة القاهرة، 1980 ص53-63.

2- علم النفس الاجتماعي   Social Psychology

يعنى هذا العلم بدراسة كافة جوانب السلوك الفردي. ومـن هـذا المنطلـق فـإن تعريـف علـم النفس الاجتماعي هو العلم الذي يبحث في سلوك الفرد في المجتمع.

وفي الحقيقة ان السلوك الفردي هو نتيجة التفاعل المستمر بين تفكير الفرد ودوافعـه ورغباتـه وعواطفه. وبهذا يستمد علم النفس الاجتماعي من علم النفس العام الأسس والمبادئ الضـرورية لدراسـة تلك الخصائص الفردية. فعلم النفس العام يقدم لنا معلومـات عـن كيفيـة تفكيـر الفـرد والعوامـل التـي تساعده على التعلم والإدراك، والحاجـات الإنسانية وهـذه جميعهـا تسـاعد عـلى فهـم السـلوك الإنسـاني. ويعود تاريخ علم النفس الاجتماعي إلى عهد الفلاسفة الأقدمين حـين حـاول أفلاطـون في "الجمهوريـة " وارسطو في " السياسة " ان يقدما وجهات نظرهما عن دور الفرد في المجتمع.

إن علم النفس الاجتماعي يتجاوز نطاق الإطار السيكولوجي للفرد إلى الأمـاكن الاجتماعيـة التـي يعيش فيها الإنسان ويتأثر بها سلوكه، وبالتالي لا بد مـن دراسـة المظـاهر السـيكولوجية الأساسـية في ضـوء المؤثرات الاجتماعية الكثيرة التي تسـاعد في تنميـة وتشكيل الشخصية الإنسـانية، فعلـم النـفس الاجتماعي ينظر إلى الفرد والمجتمع في آن واحد.

وهناك اتجاهات مختلفة في البحث في علم النفس الاجتماعي:

الاتجاه الأول: يدعو إلى ان فهم السلوك الاجتماعي للإنسان لا يتم إلا مـن خـلال دراسـة وفهـم التصرفات الظاهرة في المواقف الاجتماعية.

الاتجاه الثاني: ويدعو أصحاب هذا الاتجاه إلى ضرورة دراسة الـدوافع والاتجاهـات، والقـيم، والإدراك وأيـة عمليات أخرى تؤثر على سيكولوجية سلوك الإنسان.

الاتجاه الثالث: يدعو هذا الاتجاه إلى الاهتمام بدراسة الصفات الشخصية التي تتكون نتيجة الخبرة والتجربة على مدى زمني طويل.

3- علم الاجتماع   Sociology

يتكون علم الاجتماع من مجموعة معارف علمية عن العلاقات الإنسانية في مجتمع ما، وبالتالي فهو يهتم بالفرد في سلوكه وعلاقاته مع الأفراد الآخرين. ويرتكز البحث والدراسة في علم الاجتماع على التفاعل الإنساني.

يحاول علم الاجتماع تكوين نظام متكامل من المعرفة عن طبيعة العلاقات الإنسانية، وبالتالي دراسة المعلومات عن العلاقات الإنسانية التي تساعد في تفسير السلوك الإنساني، ويأخذ هذا السلوك مظاهر وأشكالا مختلفة معتمدا على العادات والتقاليد والقيم التي تنمو وتبرز في حياة الأفراد في جماعات. وبما ان السلوك الإنساني يعتمد على العادات والتقاليد والقيم فان علم الاجتماع يهتم بدراسة تلك الجوانب لمعرفة مدى تأثيرها على حياة الأفراد الجماعية في الحياة، ويسهم كذلك في تفسير كيفية عمل التنظيمات الكبيرة سواء كانت رسمية أو غير رسمية وكيف تنشأ النظم الاجتماعية وتتطور.

وقد تفرعت دراسات عن هذا العلم مثل علم الاجتماع الصناعي الذي يهتم بدراسة العوامل الاجتماعية في الصناعة ومدى تأثيرها على سلوك الأفراد. ونجد علم الاجتماع الريفي الذي يدرس المجتمعات الريفية.

4-علم الأنثروبولوجيا (علم الإنسان) Anthropology

إن المجال الذي يبحث فيه علم الانثروبولوجيا الأساسي هو تفسير الحضارات ودراسة تطورها. ويعرف علم الانثروبولوجيا بأنه العلم الذي يبحث في طبيعة الإنسان وجوهره وفي الأصول والتطور الثقافي والمادي والسمات العرقية والعادات الاجتماعية ومعتقدات الإنسان.

واهم مفهوم في علم الانثروبولوجيا هو مفهوم الثقافة والتي تشير إلى طريقة الحياة لمجتمع معين. وهذه الطريقة في الحياة تتضمن الكثير من أشكال السلوك التي تعتبر أفعالاً عادية ومتوقعة لأفراد هذا المجتمع. ومن الطبيعي وجود أفراد مختلفين في المجتمع من حيث انماطهم السلوكية إلا انه يمكن إيجاد عامل مشترك في السلوك في مجتمع ما يمثل أحد أشكال الثقافة في المجتمع، فعلم الانثروبولوجيا يوضح المحيط الحضاري للسلوك واثر الثقافات على سلوك الأفراد والجماعات، مما سهل فهم هذا السلوك والتنبؤ به.

وفي النهاية يلاحظ ان للعلوم السلوكية أثراً كبيراً في مجال السلوك التنظيمي إذ أنها وفرت مرجعا أساسيا يساعد على استخدام الأسلوب العلمي، فروح البحث شملت مجال السلوك التنظيمي. إن العلوم السلوكية تشير إلى العلوم الاجتماعية الرئيسية وهي علم النفس وعلم النفس الاجتماعي وعلم الاجتماع وعلم الانثروبولوجيا (علم الانسان). وهناك معياران لاعتبار أي علم على انه من العلوم السلوكية وهما: أولاً: أن يكون موضوع البحث هو السلوك الإنساني. ثانياً: استخدام الأسلوب العلمي في البحث.

الفصل الثاني

النظريات الإدارية والسلوك التنظيمي

Management Theories And Organizational Behavior

- مفهوم النظرية
- نظرية الإدارة في الإسلام
- النظريات الغربية
- المدرسة التقليدية
- نظرية الإدارة العلمية
- نظرية المبادئ الإدارية
- نظرية البيروقراطية
- مدرسة العلاقات الإنسانية
- المدرسة السلوكية
- مدرسة النظم
- نظام الإدارة اليابانية
- نظام الإدارة الكورية.

مفهوم النظرية:

تعرف النظرية بأنها "مجموعة من الفرضيات أو المبادئ التي توضع لشرح ظاهرة ما، وعن طريق هذا الشرح يمكن الحصول على نظرة واضحة ومتناسقة عن الموضوع المعين". فالنظرية أداة من أدوات العلم والمعرفة، وتؤدي عدة وظائف منها:

1. تقدم النظرية نظاما فكريا يمكن على أساسه تنظيم الظواهر وتصنيفها وإيجاد العلاقات بينها.
2. تلخص النظرية الحقائق المتاحة عن ظاهرة معينة وفق منطق معين.
3. تعمل النظرية على التنبؤ بالحقائق وأشكال السلوك التنظيمي للظاهرة.
4. تشير النظرية إلى مواطن الضعف أو القصور بالمعرفة الإنسانية في مجال اختصاصها.
5. تعتبر النظرية دليل العمل الميداني الذي يجب أن يتجاوز التوثيق إلى وضع برامج عمل لحل مشاكل قائمة.

وتنقسم النظريات إلى قسمين: نظرية وصفية Descriptive Theory ونظرية معيارية أو مثالية Normative Theory. فالأولى تهدف إلى وصف جزئيه من الواقع المعاش واستخلاص مبادئ وأسس ثابتة تفلسف الواقع. وهذا النوع محدود الهدف قليل الفائدة. أما النوع الثاني من النظريات فهو النظريات التي تحدد نموذجاً معيناً للسلوك البشري وتقوم بشرحه وتتوسع في بسطه لإقناع الآخرين به كفلسفة للحياة المثالية. أنها نظريات مثالية تتسامى بالواقع إلى وضع مثالي من حيث أنها تقرر ما يجب أن تكون عليه الأوضاع الحياتية.

إن أغلب نظريات الإدارة من النوع الثاني وتحاول تحديد سلوك مثالي للمنظمات وللسلوك البشري داخل تلك المنظمات. وعلى الرغم من أن أية نظرية لا

بد أن تشتمل على نظرة مثالية تسعى إلى تحقيقها، إلا أن مدى قرب تلك النظرية من التطبيق العملي يعتمد على ما تحتويه من مبادئ وأسس. وهذا هو المحك الذي يجعل النظرية جديرة بالقبول والاقتناع والتطبيق.

وبما أن أية نظرية إدارية تهدف إلى تفسير السلوك البشري داخل المنظمات وما يعترض الوصول إلى ذلك السلوك من صعوبات تسعى لتذليلها لكي تكون نظرية مقنعة وممكنة التطبيق، إلا أن نجاح النظرية الإدارية يعتمد على مدى اتساع مواعينها لتفسير السلوك الإداري ومدى مقدرتها على مناقشة تلك المتغيرات التي تؤثر في السلوك البشري داخل المنظمات تأثيراً مباشراً وفعالاً. وهذه الخاصية هي التي تميز نظرية عن أخرى. ويلاحظ علماء الإدارة أن أغلب النظريات التي تتناول المشكلة الإدارية داخل المنظمات كانت ولا تزال نظريات جزئية، بمعنى أنها تركز على دراسة وتحليل جانب واحد أو جانبين فقط من جوانب المشكلة الإدارية، وتقترح على ضوء ذلك التحليل الجزئي حلاً فلسفياً تراه الحل الأمثل الواجب اتباعه لفهم سلوك المنظمات وحل مشاكلها وإصلاح سيرها وأدائها.

ويلاحظ علماء الإدارة أن علم الإدارة لا يزال يفتقر إلى النظرية الشمولية التي تقدم حلاً عالمياً عريضاً لمشاكل مجتمع معين. والرأي الذي عليه الإجماع أن الوصول إلى نظرية شمولية عامة في الإدارة يتوقف على اعتبار المنظمة جزءاً من المجتمع كله، وعلى محاولة الوصول إلى فلسفة إدارية على ضوء مبادئ وقيم وتراث ذلك المجتمع - ذلك أن الإدارة جزء من المجتمع تتأثر بما يجري فيه من تراث واتجاهات وقيم سلوكية. وكذلك فإن النظرية الإدارية الشمولية هي في الواقع نظرية اجتماعية تنظر إلى الإدارة كجزء منفتح Open Sub-System من النظام الاجتماعي العام Social System. من هذا المنطلق فإن النظرية الإدارية الشمولية مرتبطة بالبيئة الاجتماعية تتأثر بها وتؤثر فيها، ولا يمكن أن تنفصم عن النظرية الاجتماعية التي يدين بها مجتمع معين. وإن فشل أغلبية النظريات الإدارية على

الساحة الإدارية المعاصرة ترجع أسبابه إلى أن منظري تلك النظريات أخفقوا بدرجات متفاوتة في اعتبار الإدارة نظاماً فرعياً من النظام الاجتماعي العام في الوقت المعين الذي نظروا فيه نظرياتهم[1].

نتطرق إلى نظريات المنظمة المطروحة على الساحة الإدارية وهي: نظرية الإدارة في الإسلام، والنظريات الغربية، ونظام الإدارة اليابانية ونظام الإدارة الكورية.

نظرية الإدارة في الإسلام: Islamic Management Theory

يرجع الاهتمام بدراسة الفكر الإسلامي في مجالاته المختلفة إلى حركة اليقظة الفكرية التي قادها منذ أواخر القرن الماضي رواد الإصلاح الاجتماعي الإسلامي. وكانت باكورة ثمار هذه الحركة قد ظهرت في اهتمام بعض كتاب العرب والمسلمين والمستشرقين بدراسة الحضارة الإسلامية بنظمها السياسية والاقتصادية والاجتماعية، وكان منهجها في غالب الأمر منهجاً تاريخياً وصفيّاً، ولم تتعرض للفكر الإداري إلا جزئياً. ولم تبدأ مرحلة البحث التحليلي الذي يعني بمناقشة الفكر الإداري الإسلامي وتفسيره ومقارنته بالفكر الإداري المعاصر إلا في العقد السادس من هذا القرن.

وتتميز نظرية الإدارة في الإسلام بالخصائص التالية[2]:

1. **إدارة ذات كفاءة وجدارة.**

يستمد الإسلام تشريعاته من القرآن الكريم والسنة النبوية. ولقد بينت العديد من الآيات والأحاديث مكانة الكفاءة والجدارة في العمل التي لابد من توفرها في الفرد المسلم. قال تعالى في سورة القصص: "إن خير من استأجرت القوي الأمين".

(1) أحمد إبراهيم أبو سن، الإدارة في الإسلام، جامعة الإمارات العربية، دبي: المطبعة العصرية، 1981، ص 153-168.

(2) محمد مهنا العلي، الإدارة في الإسلام، الطبعة الأولى، الرياض: الدار السعودية للنشر والتوزيع، 1985، ص 110-139.

قال الرسول عليه الصلاة والسلام: "المؤمن القوي خير من المؤمن الضعيف". وقال: "من ولي من أمر المسلمين شيئاً فولى رجلاً وهو يجد من هو أصلح منه فقد خان الله ورسوله".

2. **إدارة أخلاقية.**

يحث الإسلام على الأخلاق وحُسن معاملة الآخرين. ولقد كان الرسول مثالاً حيّاً لسمو الخلق، فكان صادقاً في لهجته وأميناً في معاملته ونبيلاً في إنسانيته. قال تعالى في سورة القلم: "وإنك لعلى خلق عظيم". قال الرسول عليه السلام: "انما بعثت لأتمم مكارم الأخلاق". وقال : "وخالق الناس بخلق حسن".

3. **إدارة شورية.**

لقد بلغ من اهتمام الإسلام بالشورى ان أصبحت ركناً من أركان الحكم والإدارة في الإسلام. قال تعالى في سورة الشورى: "والذين استجابوا لربهم وأقاموا الصلاة وأمرهم شورى بينهم ومما رزقناهم ينفقون". وقال تعالى في سورة آل عمران: "ولو كنت فظاً غليظ القلب لانفضوا من حولك، فاعف عنهم واستغفر لهم، وشاورهم في الأمر، فإذا عزمت فتوكل على الله، إن الله يحب المتوكلين". قال الرسول صلى الله عليه وسلم: "ما خاب من استخار، ولا ندم من استشار". وقال: "المستشار مؤتمن".

4. **إدارة تهتم بالحاجات النفسية والروحية والمادية للإنسان.**

تستند الإدارة في الإسلام في تعاملها مع العامل بأن له احتياجات روحية ونفسية ومادية تقيم بينها الموازنة بحيث لا يطغى أحدها على الآخر. قال تعالى في سورة الاسراء: "ولقد كرمنا بني آدم". وقال تعالى في سورة القصص: "وابتغ فيما أتاك الله الدار الآخرة، ولا تنسى نصيبك من الدنيا". قال الرسول عليه الصلاة السلام: "إن لنفسك عليك حقاً، وإن لبدنك عليك حقاً". وقال: "أعطوا الأجير أجره قبل أن يجف عرقه".

5. **إدارة ذات مسؤولية رعوية وسلطة مطاعة.**

تقترن كل من السلطة والمسؤولية بالإدارة ويعبر عنها في الإسلام بالمسؤولية الرعوية والسلطة المطاعة، ويحددها الإسلام في الكثير من الآيات الكريمة والأحاديث الشريفة. قال تعالى في سورة النساء: "يا أيها الذين آمنوا أطيعوا الله وأطيعوا الرسول وأولي الأمر منكم". وقال الرسول عليه الصلاة والسلام: "كلكم راع وكلكم مسؤول عن رعيته". قال: "على المرء السمع والطاعة فيما أحبه وكره إلا أن يؤمر بمعصية. فإذا أمر بمعصية فلا سمع ولا طاعة". وقال: "لا طاعة لمخلوق في معصية الخالق".

6. **إدارة ذات رقابة ذاتية.**

الرقابة هي إحدى الوظائف الإدارية، ويقصد بها إلتزام العامل بالطريق القويم الواجب سلوكه في أدائه لعمله. والرقابة على أنواع منها مباشرة (خارجية) ورقابة ذاتية (ضمنية). والإسلام نمى الرقابة الذاتية التي تعني رقابة الفرد المسلم على سلوكه وضبطه وفق تعاليم الشريعة الإسلامية، باعتبار أن العمل في الإسلام عبادة وأن الإنسان يسعى لمرضاة الخالق الذي يعلم السر والعلن قبل مرضاة الرئيس الذي يلاحظ فقط ظواهر الأمور[1]. قال تعالى في سورة الاعلى: "إنه يعلم الجهر وما يخفى". قال الرسول صلى الله عليه وسلم: "ما عُبِدَ الله بمثل عمل صالح". وقال: "أعبد الله كأنك تراه، فإن لم تكن تراه فإنه يراك". وقال: "إن الله يحب إذا عمل أحدكم عملاً أن يتقنه".

---

(1) Mahmoud S. Al-Faleh and Belmont F. Haydel, "Islamic Management and Western Management Thought: Acomparative Study". International Academy of Business Discipline (U.S.A), Business Research Yeardook, Vol. 1, 1994, pp. 185-191.

7. **إدارة شمولية.**

تمتاز الإدارة في الإسلام بالشمول والإحاطة بكل النظم والأساليب والمبادئ الإدارية. ومثال ذلك تشجيع روح المبادأة والابتكار والتفكير، وتأكيد مبدأ المساواة بين الجميع والعمل بروح الفريق الواحد. قال تعالى في سورة آل عمران: "الذين يذكرون الله قياماً وقعوداً وعلى جنوبهم، ويتفكرون في خلق السماوات والأرض، ربنا ما خلقت هذا باطلاً". قال الرسول عليه السلام: "الناس سواسية كأسنان المشط". وقال: "المسلمون كالبنيان المرصوص يشد بعضه بعضاً".

8. **إدارة عالمية.**

هذه النظرية عالمية وليست قومية. بمعنى أنها لا تعرف الحدود الإقليمية ولا القوميات العنصرية، بل تصلح لأي مجتمع وأي قومية تعتنق الإسلام. من هذا المنطلق ولكونها نظرية عالمية فلابد أن تكون شاملة تصلح لكل زمان ومكان. قال تعالى في سورة سبأ: "وما أرسلناك إلا كافة للناس بشيراً ونذيراً".

9. **إدارة عقائدية.**

فهي نظرية عقائدية، بمعنى أنها تتبع فلسفة ومبادئ ربانية جاء بها الإسلام لينظم بها كل أوجه الحياة من عبادة وسياسة واقتصاد واجتماع وإدارة ..إلخ.

قال تعالى في سورة آل عمران: "ومن يبتغ غير الإسلام ديناً فلن يقبل منه وهو في الآخرة من الخاسرين".

وتجدر الاشارة الى أن تفاصيل النظرية الادارية لم تردْ في القرآن الكريم الا أن فيه من المبادئ والقواعد الاساسية العامة ما يمكّن المنظرين في شتى مناحي الحياة من تحديد التفاصيل وتعديلها كلما دعت الضرورة لذلك، مقتدين ومهتدين بالقاعدة الشرعية في الا يكون هناك تعارض بين الاجتهاد والنصوص الشرعية الواردة في القرآن والسنة.

النظريات الغربية: Western Theories

إن التطور العلمي للسلوك التنظيمي لم يظهر في العالم الغربي إلا في بداية القرن العشرين. وفيما يلي نماذج النظريات الغربية التي حاولت تفسير السلوك الإنساني منذ العشرينات إلى الآن وهي:

1. المدرسة الكلاسيكية.

2. مدرسة العلاقات الإنسانية.

3. المدرسة السلوكية.

4. مدرسة النظم.

أولاً: المدرسة الكلاسيكية The Classical School

ويقصد بها النظرية القديمة التي تفسر السلوك الإنساني. وباختلاف نماذجها فإنها افترضت أن الأفراد كسالى وغير قادرين على تنظيم وتخطيط العمل وغير عقلانيين وأنهم انفعاليون، ولذلك فإنهم غير قادرين على أداء أعمالهم بصورة سليمة وفعالة. ومن هنا بدأت افتراضات هذه النماذج الكلاسيكية تؤمن بضرورة فرض نموذج رشيد عقلاني وقوي على العاملين وذلك للسيطرة والتحكم في السلوك داخل المنظمات.

وتشتمل النظرية الكلاسيكية على ثلاثة اتجاهات فكرية هي:

أ. نظرية الإدارة العلمية.

ب. نظرية المبادئ الإدارية.

ج. نظرية البيروقراطية.

أ- نظرية الإدارة العلمية Scientific Management Theory

إن أصحاب هذه النظرية هم أول من فكروا علمياً في تفسير سلوك العامل في المنظمة وفي كيفية حفزه من أجل مزيد من العطاء والبذل. ولكن منطلقهم لم

يكن البحث في تحسين أحوال الفرد الاجتماعية وزيادة راتبه وتوفير حريته الفردية وديمقراطية الإدارة في المنظمة، وإنما كان منطلقهم مناقشة مشاكل الإنتاجية، وكيفية رفع إنتاجية الفرد العامل لكي تزدهر في النهاية الأيدلوجية الرأسمالية التي تعتمد على زيادة الإنتاج مع قلة التكلفة كمعيار لنجاحها.

ولقد أدت نظرتهم نحو زيادة الإنتاج إلى اعتبار العامل أداة من أدوات الإنتاج. وعليه فلكي يتمكن الفرد من إعطاء أقصى طاقته الإنتاجية فلا بد أن تهتم الإدارة بتدريبه على العمل وأن تراقبه بواسطة المشرفين مع حفزه مادياً ومعاقبته إذا قصر في إنتاج الكمية المطلوبة منه.

ولقد تبلورت فلسفة الإدارة العلمية في كتاب فردريك تيلر (Fredrick Taylor) بعنوان "مبادئ الإدارة العلمية" كالتالي:

1. أن يتم تنظيم العمل في المنظمة بين الإدارة والعمال. وتضطلع الإدارة بمهام الوظائف الإدارية من تخطيط وتنظيم وتوجيه ورقابة، ومن أجور وتعيين الأفراد، وتدريبهم ... إلخ بينما يضطلع العمال بأداء وتنفيذ المهام الموكلة لهم.

2. وجود طريقة مثلى للعمل One best way of doing the work ويتعين على الإدارة اكتشاف تلك الطريقة وتعليمها للعاملين لاتباعها في أداء مهامهم وأعمالهم.

3. تجزئة وظيفة الفرد إلى أجزاء صغيرة، وضرورة معرفة أنسب الطرق لأداء كل مهمة.

4. أن يتم اختيار الفرد للعمل في المنظمة بطريقة تناسب العمل، بمعنى تطبيق قاعدة: "وضع الشخص المناسب في المكان المناسب".

5. إن الفرد العامل مخلوق رشيد واقتصادي. بمعنى أهمية الحوافز المادية للفرد ويمكن دفعه للأداء من خلالها، ولكي يصل إلى أقصى إنتاجيته يصبح لزاماً على الإدارة أن تزيد أجره كلما زادت إنتاجيته.

6. إن الفرد العامل لا يهتم بأهداف المنظمة التي يعمل فيها، وإنما ينحصر ـ كل اهتمامه في كفاية حاجته الفسيولوجية المادية.

7. إن الفرد يحتاج إلى التدريب لتحسين مستوى عمله ورفع إنتاجيته، ويحتاج إلى الإشراف الدقيق المباشر حتى لا يتهرب من العمل أو يبطئ فيه.

وبعد ذلك قام الزوجان فرانك وليليان جلبرث بمحاولات تسمى (دراسات الوقت والحركة)، وهي تلك الدراسات التي تقوم ببحث أنواع الحركات التي يؤديها العامل في عمله ووقت كل حركة. وقد تبين من تحليل هذه الحركات أن بعضها يمكن حذفه والبعض الآخر يمكن دمجه أو اختصاره، أو إعادة ترتيب الحركات بالشكل الذي يؤدي إلى أداء أسرع وأسهل. ومن هنا يمكن القول أن أسرع الطرق في أداء العمل ليس في كل الأحوال أكفأها.

الخلاصة أن الإدارة العلمية ركزت على ضرورة التخصص في العمل، وحسن الاختيار والتدريب للعاملين، وأنه يمكن السيطرة على سلوك الأفراد داخل أعمالهم من خلال تصميم مثالي موحد للوظائف ولأداء العمل ومن خلال الحوافز المادية.[1]

لقد وجهت انتقادات عديدة إلى نظرية الإدارة العلمية أهمها:

1. أنها نظرية جزئية جعلت جل اهتمامها الفرد العامل واتخذته عنصراً رئيسياً في تحليلها للعملية الإدارية المرتكزة على زيادة الإنتاج ورفع الكفاءة. وأغفلت أثر العناصر الأخرى في زيادة الإنتاج كالجماعات العمالية الصغيرة والنقابات التي ينتمي إليها العامل اجتماعياً والتي تؤثر في حماسه للعمل أو تقاعسه عنه.

2. أغفلت العنصر ـ الإنساني في نظرتها للعامل، بمعنى أن فلسفتها نحو الإنسان هي أنه مخلوق اقتصادي لا يفكر إلا في زيادة دخله المادي. وافترضت هذه

---

(1) أحمد ماهر، السلوك التنظيمي، الإسكندرية: المكتب العربي الحديث، 1986، ص 17-37.

الفلسفة أن الأجر اليومي والأجر الإضافي اللذين يعطيان للعامل المجد هما الأساس في حفزه للعمل، وأغفلت أن الإنسان له جوانب نفسية واجتماعية وبيئية لا يقل تأثيرها في إنتاجيته عن تأثير الحـافز المادي.

3. اقتصرت في نقاشها على ما يجري داخل المنظمة دون الاهتمام بمـا يجـري في البيئـة الاجتماعيـة مـن تأثير على سلوك الأفراد العاملين.

ولذلك فقد فشلت هذه النظرية في التفسير الصحيح لسلوك العامل داخل منظمتـه. ولعـل أكـبر دليل على ذلك ما حدث بالنسبة لفردريك تيلر من تحقيقـات ومسـاءلة مـن الكـونغرس الأمريكي بعـد أن قامت نقابات العاملين بمظاهرات احتجاج على فلسفة تيلر في تسيير المنظمات الصناعية الأمريكية واتهمته النقابات باحتقار إنسانية العامل وإهمال عواطفه ومشاعره.

ب- نظرية المبادئ الإدارية Administrative Principles Theory

من أشهر روادها هنري فايول (Henry Fayol). وتفترض هذه النظرية أن السيطرة عـلى السـلوك الإنساني تتأتى من خلال وضع ضوابط محددة للأداء، ومـن خـلال العمليـة الإداريـة مـن تخطيـط وتنظيـم وتوجيه ورقابة. ولقد لاحظ فايول أن الإدارة شيء مشترك في جميـع النشـاطات الإنسـانية، كـما لاحـظ أن جميع النشاطات تتطلب - بدرجات متفاوتة - القيام بوظائف خمس أساسية وهي: التخطيط والتنظيـم وإصدار الأوامر والتنسيق والرقابة. لذلك فإن المعرفة بهذه الوظائف تعود بالمنفعة على كل فرد الأمر الذي يستدعي تدريسها في المعاهد والجامعات.

لقد وضع فايول أربعة عشر مبدأ يمكن من خلالها الاضطلاع بأنشطة الإدارة وهي:

1- تقسيم العمل Division of Work

يؤدي هذا المبدأ إلى تحقيق الكفاية وينطبق على الوظائف الإدارية والفنية.

2- السلطة والمسؤولية Authority and Responsibility

السلطة هي الحق في إصدار الأوامر وتلقي الطاعة مـن الآخـرين، أمـا المسـؤولية فهـي مقـدار المساءلة الناجمة عن التمتع بحق إصدار الأوامر.

3- النظام Discipline

يعني الالتزام بالأنظمة التنظيمية وعدم الإخلال بـالأوامر وهـذا يسـتلزم وجـود رؤسـاء قـديرين لفرض النظام.

4- وحدة الأمر Unity of Command

يعني أن يتلقى الفرد أوامر من رئيس واحد تفادياً للازدواجية في إصدار الأوامر.

5- وحدة التوجيه Unity of Direction

إن النشاطات ذات الهدف الواحد يجب أن تنظم بحيث تصاغ في خطـة واحـدة وتشـكل وحـدة تنظيمية يديرها مسؤول واحد. والفرق بين هذا المبدأ ومبدأ وحدة الأمر أن مبـدأ وحـدة التوجيـه يتعلـق بالتنظيم الإداري بينما مبدأ وحدة الأمر يتعلق بالأفراد العاملين.

6- خضوع المصلحة الشخصية للمصلحة العامة:

Subordination of Individual Interest to General Interest

عندما تتعارض الأهداف الشخصية للأفراد مع الأهداف التنظيمية فإن الأهداف العامة للمنظمـة ينبغي أن تأتي في ترتيب متقدم.

7- مبدأ المكافأة والتعويض Remuneration of Personnel

يجب أن تكون مكافآت الأفراد وأجورهم عادلة بحيث تحقق الرضى الوظيفي لهم.

8- المركزية Centralization

تعني المركزية تركيز السلطة بيد الرؤساء، بينما اللامركزية هي تشتيت السلطة. ويتوقف مدى اتباع المركزية واللامركزية على الموقف مثل طبيعة عمل المنظمة وحجمها. ويجب أن يكون الهدف الاستغلال الأنسب لطاقات العاملين.

9- تدرج السلطة Scalar Chain

تسلسل السلطة من أعلى إلى أسفل الهرم التنظيمي بحيث يكون حجم السلطة أقل كلما تدرجنا إلى أسفل الهيكل التنظيمي.

10- الترتيب Order

يعني وضع كل شيء في مكانه الصحيح والمناسب سواء كان مادياً أم بشرياً، وهذا يوفر الاستخدام الأمثل لموارد المنظمة.

11- المساواة في المعاملة Equity

توفير معاملة عادلة لجميع العاملين في المنظمة لضمان الولاء التنظيمي لهم.

12- الاستقرار الوظيفي Stability of Tenture of Personnel

المحافظة على الأفراد الأكفاء في المنظمة والحد من دوران العمل وتسرب العمالة.

13- المبادأة Initiative

ينبغي تشجيع العاملين على الابتكار والتفكير الخلاق لاستنباط وسائل وطرق لتطوير العمل وتحسين الأداء.

14- روح الفريق أو التعاون   Esprit de Corps

أهمية العمل الجماعي وأهمية الاتصالات الفعالة بين الجماعة في سبيل إنجاز الأعمال والوصول إلى الأهداف.

ج- نظرية البيروقراطية   Bureaucratic Theory

يفترض النموذج البيروقراطي أن الاعتبارات الموضوعية والعقلانية غير متوفرة في أداء العمل مما يجعل الاعتبارات الشخصية هي السائدة. ولقد انعكس ذلك على تفسير النموذج البيروقراطي لكيفية السيطرة على السلوك الإنساني داخل المنظمات حيث يتم ذلك من خلال وجود نظام صارم للقواعد والإجراءات.

ولقد عالج عالم الاجتماع الألماني ماكس فيبر (Max Weber) النظرية البيروقراطية كنظام عقلاني يتناسب مع المجتمع الصناعي في العالم الغربي. وقد أثبت فيبر بعض الخصائص الأساسية للنظام البيروقراطي في المنظمات المدنية والعسكرية والدينية والصناعية التي يحتويها المجتمع الغربي والتي لا غنى لأي منظمة عنها. وهذه الخصائص هي:

1. التخصص وتقسيم العمل أساس الأداء الناجح للأعمال والوظائف.

2. التسلسل الرئاسي ضروري لتحديد العلاقات بين الرؤساء ومرؤوسيهم.

3. سيطرة الأنظمة والقواعد المكتوبة لتحديد واجبات العاملين وحقوقهم.

4. وجود نظام للإجراءات لتحديد أسلوب التصرف في ظروف العمل المختلفة.

5. الصلة بين الأفراد رسمية وغير شخصية وتعتمد على ما تحدده القوانين واللوائح لضمان الموضوعية في التعامل.

6. اختيار العاملين وترقيتهم يعتمد على الجدارة الفنية في العمل.

إن المبادئ الآنفة الذكر ليس فيها ما يعيبها، إلا أنه عند التطبيق نجـد أن العـاملين يخافون مـن التصرف لأن المشكلة محل التصرف لم تتم تغطيتها بواسطة قاعدة أو إجراء. كـما قـد نجـد الـبعض غـير مستعد للمبادأة والابتكار بتصرف جديد لأن ذلك قد يتعارض أو يكسر قاعدة مـن قواعـد المنظمة ولهـذا تبدأ عيوب النظام البيروقراطي في الظهور ومن أهمها:

1. تضخم الأعباء الروتينية.

2. عدم اعتناء الأفراد بمصالح المنظمة وإنما ينصب اهتمامهم على استيفاء الإجراءات.

3. شعور العاملين بأنهم يعاملون كالآلات وانتقال نفس الشعور لمن يتعامل معهم.

4. تؤدي الإجراءات والقواعد إلى تشابه في شكل السلوك وتوحده ثم إلى تحجره مما يزيد الأداء صعوبة.

5. الاعتماد الصارم على القواعد والإجراءات يقضي على روح المبادأة والابتكار والنمو الشخصي.

وأخيراً، رغم هذه المآخذ فإن النظام البيروقراطي الذي وضعه فيبر قد تحـدى الـزمن وأثبـت أنـه قابل للتطبيق على مستوى العالم كله.

ثانيا: مدرسة العلاقات الإنسانية   Human Relations School

من روادهـا التـون مـايو (Elton Mayo) ولقد جـاءت كـرد فعـل لنظرية الإدارة العلميـة. تفـترض مدرسـة العلاقـات الإنسانية بـأن الإنسـان مخلـوق اجتماعـي يسـعى إلى علاقـات أفضـل مـع الآخرين، وأن أفضل سمة إنسانية جماعية هي التعاون وليس التنافس. وبناءً عليه انعكس ذلك على كيفيـة تفسـير السلوك الإنساني والتنبؤ بـه والتحكم فيـه، فالفرد في المنظمة يتفاعـل مـع المجموعـة التي يعمل معها ويتأثر في سلوكه بآرائها ومعتقداتها. وإن شعور الفرد بانتمائه للجماعـة هـو الـذي

يحفزه للبذل والعطاء، وأن إشباع حاجاته الاجتماعية قبل المادية هو الأساس في تحفيزه للعمل.

ومن هذا المنطلق تغيرت استراتيجية النظرية الإدارية لدى مدرسة العلاقات الإنسانية نحو تفسير سلوك الفرد في المنظمة، فأصبح اهتمام دعاتها يتركز على دراسة الحاجات الاجتماعية والنفسية للفرد العامل، وتزايد الاهتمام بمشاعر الأفراد وزاد التركيز على الحوافز الجماعية باعتبارها المحرك الأساسي لقدرات العاملين لزيادة الإنتاج في المنظمة.

ولقد دعت مدرسة العلاقات الإنسانية إلى اعتراف الإدارة بالجماعات الصغيرة داخل المؤسسة، ودعت إلى تحسين أساليب القيادة لدى المشرفين ومراقبي العمال وإلى أن يتعاطفوا بصورة أفضل مع العاملين وأن يناقشوا معهم مشاكلهم الاجتماعية والأسرية، وأن يشعروهم بالاهتمام بهم كشركاء في العمل لا كأجراء.

كما أوضحت هذه النظرية أن للعاملين أهدافاً وتطلعات قد تختلف عن أهداف المنظمة وقد تتعارض معها، لذلك فإنه يصبح لزاماً على الإدارة أن تناقش هذه الأهداف والتطلعات مع العاملين وأن تسعى إلى تحقيقها عن طريق تفويض بعض السلطة إلى العاملين وإشراكهم في اتخاذ القرارات التي تهمهم. عند ذلك يشعر العاملون بإنسانيتهم وكرامتهم، وهذا الشعور في حد ذاته يحفزهم لمزيد من الإنتاج والعطاء.

لقد نجحت مدرسة العلاقات الإنسانية في تشخيص وتحليل عوامل ومتغيرات جديدة مؤثرة على سلوك الفرد في المنظمة. ولقد أثبتت الدراسات الميدانية والعملية أهمية تلك المتغيرات في دراسة السلوك الإنساني والعملية الإدارية، ولكنها رغم ذلك، واجهت انتقادات عديدة أهمها:

1. على الرغم من اهتمام دعاة هذه المدرسة بالعوامل الإنسانية والحوافز الجماعية للفرد العامل إلا أن فسلفتهم لم تأت بجديد. فقد ظلت مشاكل الإنتاجية هي المحور الذي تدور فيه نظرية العلاقات الإنسانية، بمعنى أن هدف الاعتراف بالتنظيمات غير الرسمية للعاملين وتحسين القيادة ورفع الروح المعنوية للعمال هي وسائل تستخدمها الإدارة لزيادة الإنتاج، وفي حين أن فلسفة الإدارة العلمية كانت تقوم على تدريب العامل وتحفيزه مادياً لكي يزيد من إنتاجيته، فإن فلسفة مدرسة العلاقات الإنسانية كانت تقوم على أن الاعتراف بالجماعات العمالية الصغيرة وبتغيير أسلوب الإشراف والقيادة للعمال من أسلوب الشدة والعنف إلى الأسلوب الإنساني الرقيق هما أساس رفع إنتاجية العامل. فظلت هذه المدرسة تدعو الإداريين إلى تغيير أسلوب تعاملهم مع العمال ليصبح أسلوب الإقناع الظاهري والتلطف معهم بديلاً عن أسلوب التسلط الذي كان سائداً. وهذا يعني أن مدرسة العلاقات الإنسانية غيرت النظرة للإداري من كونه رأسمالياً كما كان في فلسفة الإدارة العلمية إلى كونه رأسمالياً متطوراً وحدثياً يسعى إلى زيادة إنتاجية العمال عن طريق الإقناع الظاهري بدلاً من الأسلوب التسلطي.

2. اهتمت هذه المدرسة بالجانب الاجتماعي والمعاملة الحسنة للعامل واعتبرت ذلك هو المتغير الأساسي لزيادة الإنتاجية، وأهملت التنظيم الرسمي للمنظمة والجوانب الفنية كعوامل هامة في العملية الإدارية. ولم تناقش علاقة السلطة بين الإدارة والعمال، بل افترضت أن أي نزاع في السلطة بين العمال والإدارة ما هو إلا ظاهرة مرضية وغير صحية، ولن تحدث إذا ظل الإداريون يعاملون العمال معاملة إنسانية حسنة، وإذا ظلت قنوات الاتصال مفتوحة بين الإدارة والعمال مما يؤدي إلى الانسجام بين رغبات العاملين وأهداف المنظمة.

3. أهملت المؤثرات البيئية على المنظمة ولم تستطع تصور حقيقة التنظيم كاملة كنظام فرعي يتأثر بالبيئة الاجتماعية ويؤثر فيها، بل ظل اهتمامها بالفرد العامل داخل المنظمة ولم تناقش أثر البيئة الاجتماعية على المنظمة، فظلت نظرية جزئية في نظرتها.

ثالثاً: المدرسة السلوكية   The Behavioral Theory

نتيجة للعيوب التي ظهرت في نظرية العلاقات الإنسانية، حاول بعض العلماء تطويرها بالشكل الذي يسمح باستخدام كل الجوانب السلوكية للأفراد لإعطاء تفسيرات أكثر دقة للأداء الناجح في الأعمال. فبينما ركزت نظرية العلاقات الإنسانية على الاهتمام بمشاعر الناس لدرجة المبالغة، فإن النظريات الحديثة تحاول أن تعطي تفسيرات واقعية مع الاعتراف بالجوانب الإيجابية والسلبية لكل من سلوك الإدارة والأفراد حتى يمكنها استخدام كل الطاقات السلوكية للأفراد في أعمالهم. ومن رواد هذه النظرية كريس ارجرس، ودوجلاس مكريغر، ورنسس ليكرت، وابراهام ماسلو، وفردريك هرزبرغ، الذين أسسوا نظرياتهم نحو الفرد العامل على أنه:

1. ليس سلبياً بطبعه ولا يكره العمل بل يحبه لأنه مصدر رضى نفسي له.

2. لديه القدرة على تحمل المسؤولية ويسعى إليها.

3. لديه قدر من الحماس والدافعية الذاتية للعمل والأداء المميز. ويمكن للمنظمات الاستفادة من هذه الرغبة في العمل والإنجاز وذلك بتوفير أعمال وظروف مواتية لإبراز طاقات العمل والإنجاز.

4. يسعى أن يكون ناضجاً وناجحاً في عمله، ويبرز طاقاته لكي يشعر بالكمال والنجاح وذلك إذا كان العمل مصمماً ومهيئاً ومساعداً على النجاح.

5. يرغب في الاستقلالية بالعمل ويكره الرقابة الكثيفة والمباشرة من جانب الرؤساء والمشرفين.

6. يسعى لتحقيق تقابل وتماثل بين أهدافه الشخصية وأهداف المنظمة التي يعمل بها، فإن لم يكن هناك تعارض انطلقت الطاقات النفسية والقدرات الفردية لتحقيق هذه الأهداف.

7. لديه حاجات مادية وغير مادية. فالبعض تسيطر عليه الحاجات المادية، والبعض الآخر تسيطر عليه الحاجات غير المادية (المعنوية والاجتماعية والنفسية). وعلى العموم يبدأ الفرد بمحاولة إشباع حاجاته المادية الأولية ثم الحاجات غير المادية. وإن قيام المنظمة بمساعدة الفرد في إشباع حاجاته يساعد في إبراز طاقاته إلى أبعد حد.

ولذلك فقد طالب دعاة هذه النظريات باستراتيجية جديدة نحو الفرد العامل مضمونها:

1. أنه على الإدارة أن تكون إدارة مشاركة واستشارية.

2. إشراك الأفراد في اتخاذ القرارات بحيث تكون قرارات جماعية وليست فردية.

3. تلبية الاحتياجات النفسية لدى الأفراد.

4. وضع الثقة في الأفراد لتوجيههم نحو أهداف المنظمة بدلاً من فرض السيطرة والرقابة المتشددة عليهم.

5. الاعتقاد بأن الرقابة الذاتية للفرد على نفسه هي أفضل أنواع الرقابة.

6. المرونة في تصميم العمل مما يتيح للأفراد الحرية لإبراز طاقاتهم ولابتكارهم الشخصي.

7. وضع أنظمة لتفويض السلطات وتنمية المهارات في ممارسة السلطة المفوضة.

وعلى ضوء ما سبق يمكن إيراد الملاحظات التالية:

1. بالرغم من أن المدرسة السلوكية تقدم مجموعة من المبادئ التي أثبتت التجارب أنها ناجحة إلا أنـه مـا زالت هناك عناصر أخرى في العملية الإدارية وفي المنظمات لم تُغطها هذه النظرية. إذ اهتمت بالجوانب السلوكية وأغفلت العمليات الإدارية والتنظيمية.

2. بالرغم من النظرة التفاؤلية للإنسان والتعامل مع جوانبه الإيجابية، فقد بقيت هذه النظرية عـاجزة عن إيجاد جوانب محددة أو أسلوب معين يمكن اعتماده لعلاج مشكلة التوفيق بين رغبات وأهداف الأفراد العاملين، وغايات وأهداف الإدارة.

رابعاً: مدرسة النظم   The Systems School of Management

تعتبر هذه النظرية من أحدث النظريات في عالم الإدارة، وقد استمدت هذه النظرية من كتابـات علماء الاجتماع. وتتميز بتأكيدها علـى اعتبـار النظـام System أدق وحدة يمكن أن تكون إطاراً علميـاً للدراسة الموضوعية، فالمجتمع هو وحدة أو نظام عام General System يتكون من وحدات أصغر – Sub Systems تكون كل واحدة منها نظاماً بذاتها، وهذه هي الأنظمة السياسية والاجتماعية والإدارية.

ويعتبر النظام الإداري (المنظمة) Administrative System نظامـاً مفتوحـاً يتفاعـل مـع الوحدات الأخرى في المجتمع، فيأخـذ منهـا ويعطيهـا ويتبـادل معهـا المعلومـات والطاقـة والمـواد والقوى البشرية. ويتكون النظام الإداري من عناصر مترابطة فرعية هي النظام الفني (Technical Sub – System)، والمعلومات (Information Sub – System) والقوى البشريـة – Human Sub) (System، والنظام الاقتصادي المـالي (Economic and Financial Sub – System). ويشبه أنصـار هـذه النظريـة المنظمـة بالآلـة مـن حيـث تـرابط أجزائهـا بعضـها بـبعض. ويتوقـف

-49-

نشاط هذه الآلة على قدرة أجزائها وعلى الطاقة الإنتاجية الكافية فيها ونوعية الوقود والصيانة والعناية البيئية المتوفرة لها. ومن ثم فإن نتاج المنظمة يتوقف على طبيعة تنظيمها وعناصرها الداخلية وعلى ما تقدمه البيئة الخارجية لها من إمكانيات مادية وبشرية وسياسية ومعنوية، لذلك فإن الدراسة التحليلية لواقع المنظمة يتناول وفقاً لنظرية النظم العناصر الأساسية التالية:

1- المدخلات: Input

وتشمل دراسة كافة الإمكانيات والطاقات التي تدخل المنظمة من البيئة الاجتماعية والسياسية الخارجية.

2- العملية الإدارية: Process

وتعني مجموعة النشاطات التي تتم داخل المنظمة من تخطيط وتنفيذ واتخاذ للقرارات وتعامل الأفراد لتحويل المدخلات إلى مخرجات.

3- المخرجات: Output

وتشمل دراسة كافة ما يخرج من المنظمة من منجزات تتمثل في السلع المنتجة أو الخدمات المقدمة على اختلافها لمجتمع المستهلكين وإلى الفئات المنتفعة من تلك الخدمات.

4- التغذية العكسية (التغذية الراجعة): Feedback

وتعني كافة عمليات الاتصال التراجعي المتبادل بين المخرجات والبيئة الخارجية وما تحدثه فيها من آثار إيجابية أو سلبية تحدد وتكيف حجم ونوعية المدخلات.

وهكذا تتفاعل العناصر الأساسية الأربعة الآنفة الذكر بطريقة تلقائية دون انقطاع أو توقف في أي منظمة. وقد يصعب الوقوف على طبيعة هذا التفاعل بصورة مباشرة أو بالعين المجردة، إلا أن آثار هذا التفاعل ونتائجه يمكن أن تدرك

بالمنطق وبالتحليل العملي لمدى تقدم المنظمة وتطورها، أو مـدى تـدهورهـا وانحطاطها الـذي يـؤدي إلى موتها البطيء، نتيجة عدم تفاعل البيئة الخارجية معها تفاعلاً إيجابياً يمـدها بالمـدخلات وبالتأييد الأدبي والسياسي والاقتصادي.

ويمكن إجمال فوائد نظرية النظم في مجال الإدارة بما يلي:

1. أتاحت للباحثين في علم الإدارة النظرة الكلية الشاملة في إدارة المنظمة. فالباحـث يجب أن ينظـر إلى الإدارة كنظام مفتـوح (Open System) الأمـر الـذي سيمكنه مـن رؤية عناصر المشكلة الإدارية المختلفة من قيود سياسية واجتماعية وفنية وبشرية، ومدى تفاعل كـل هـذه العناصر مـع البيئـة الخارجية التي تمد المنظمة بالمدخلات الضرورية لاستمراريتها. فنظرية النظم إذن هي محاولة هادفة لتكوين نظرية شاملة (Grand Theory) تنظر إلى النظام الإداري كنظام فرعي من النظام الاجتماعي العام يتفاعل معه ويؤثر فيه ويتأثر به بشكل مستمر.

2. تجعل الفكر الإداري حساساً وواعياً لأهمية العناصر المختلفة المكونة للعملية الإدارية داخـل المنظمـة من تخطيط وتنظيم وتوظيف وتوجيه ورقابة ومتابعة، ومن تكنولوجيا وعناصر فنيـة واقتصاديـة ... الخ.

3. تساعد الإداريـين علـى فهـم سـير المنظمـة وتركـز اهتمامهم عـلى القوى الاجتماعيـة والاقتصـادية والتكنولوجية والحضارية التي تحيط بالمنظمة وتؤثر على تفاعلها، وتزيل عن الإدارة الفهم التقليدي الذي كان ينظر إلى الإدارة باعتبارها مبادئ ثابتة واجبة التطبيق في كـل موقف وكـل بيئة، وتوسـع مداركه إلى أن كل شيء نسبي يتأثر بالبيئـة والظروف، وأن نظريـة الطريقـة المـثلى (The one best way) لعلاج الأمور قد برهنت على عدم جدواها.

4. لقد أدت إلى ثورة إدارية بـدأت في أواخـر السـتينات وبدايـة السـبعينات ولا تـزال متأججـة جعلـت المفكرين يعيدون النظر في كثير من المسلمات الإدارية التقليدية والسلوكية علـى حـد سـواء، فيـما يتعلق بمبادئ التنظيم الإداري وأساليب القيادة الإدارية والدوافع والحوافز. ومن هنا ظهرت إلى الوجود نظريات كثيرة استمدت قوتها من نظرية النظم، منها على سـبيل المثـال النظريـة الظرفيـة أو الموقفيـة (The Contigency Theory) والتـي تـرى أنـه لا يوجـد أسـلوب مثـالي للقيـادة الإداريـة والتحفيز، وأن كل موقف من المواقف وطبيعة العمل والعاملين في المنظمة هي التي تحدد الأسلوب الإداري المناسب.

الخلاصة:

على ضوء استعراض النظريات الإدارية الغربية الآنفة الذكر، يمكن إيراد الملاحظات التالية:

1. لقد سعت هذه النظريات إلى شرح وفهم العملية الإدارية في المنظمة وعلى مستوى المجتمع بأكمله. ويمكن القول إن أغلب هذه النظريات قد أخفقت في مهمتها لأسباب تتعلق بمنهجها الـذي اختطتـه وبفلسفتها التي حددتها بناءً على ذلك المنهج. لقد كانت هـذه النظريـات جزئيـة المنحـى والنظـرة، فكثير منها لم يهتم إلا بدراسة ما يجري داخل المنظمة دون أن يتطرق إلى المتغيرات البيئية التي تؤثر تأثيراً قوياً على ما يجري داخل المنظمة، وهذا قصور شديد في تلك النظريات.

2. إنها وهي تحلل المنظمات اهتمت بجزئية صغيرة؛ بما يجري داخل المنظمة وأغفلت الجزئيات الأخرى. فالمدرسة التقليدية مثلاً اهتمت بمشكلة الإنتاجية والحفز المادي ولم تراع المتغيرات النفسية والاجتماعيـة التي تؤثر في حفز العامل نحو مزيد مـن البـذل والعطـاء. ومدرسـة العلاقـات الإنسـانية، وإن نجحـت

جزئياً في تشخيص وتحليل العوامل والمتغيرات الإنسانية والسلوكية إلا أنها أغفلت العوامل والمتغيرات الفنية والرسمية والبيئية، فأخفقت في علاج السلوك التنظيمي. وتتابعت بعدها نظريات وافتراضات كثيرة عن السلوك التنظيمي والإنساني في المنظمة ولكنها جميعها لم توفق إلى نظرية شاملة تعالج العلاقات الداخلية والخارجية البيئية للمنظمة.

3. وإذا كان ثمة استثناء لبعض النظريات التي وفقت إلى حد ما في شرح السلوك التنظيمي والعملية الإدارية في المنظمة فإن مدرسة النظم وهي نظرية منهجية وصفية نجحت في إبراز أهمية النظرة الشاملة، ودراسة المنظمة باعتبارها نظاماً فرعياً يعمل في إطار النظام الاجتماعي الكبير ويتأثر بما يجري في المجتمع من وضع سياسي واقتصادي واجتماعي وثقافي، ويؤثر في المجتمع بقدر ما يقدم من بذل وعطاء مقبول لدى المجتمع. وبذلك فهي أقرب إلى اعتبارها نظرية شاملة من غيرها من النظريات الإدارية المعاصرة.

نظام الإدارة اليابانية: Japanese Management System

لقد أقدم الباحثون والكتاب على مناقشة التجربة اليابانية في الإدارة في مختلف الجوانب بشكل واسع. فبينما لجأ بعض الباحثين إلى الافتراض بأن المميز الرئيسي للإدارة اليابانية يرجع إلى أسلوب التركيز على تنمية العنصر البشري، يؤكد الكاتبان Pascale and Athos أن سبب النجاح الحقيقي يكمن في التركيز على نتائج التشغيل طويلة المدى.

وفي الجانب الآخر يوضح البعض أن سر ذلك النجاح يكمن في تفهم عملية اتخاذ القرار. هذا ويعزو بعض الدارسين سبب النجاح الياباني إلى الممارسات الإدارية المختصة المتمثلة في تطبيق أسلوب حلقات الجودة. وأشار باحثون آخرون إلى أن التقدم التكنولوجي هو العامل الرئيسي ـ خلف فاعلية التجربة اليابانية، وهناك اتجاه آخر مشابه لمثل هذا المفهوم الأخير الذي يعزو سبب النجاح الياباني إلى

استخدام إدارة تصنيع متطورة مع التركيز على تطبيقات دقيقة لمراقبة الجودة والنوعية[1]. وهناك من يرى بأن الأسلوب الياباني يمثل نوعاً من التكيف الاجتماعي للمنظمة مع القيم السائدة في المجتمع الياباني وما يمتاز به من استقرار سياسي وتماسك اجتماعي واعتناق مبدأ الجهد الجماعي التعاوني كأسلوب حياة، وقدرة على التقليد والمحاكاة ومجاراة الآخرين.

خصائص الإدارة اليابانية[1]:

1. مبدأ التوظيف مدى الحياة

لقد استقر العرف في اليابان على أن العامل الذي يعين في منظمة ما يبقى فيها لحين بلوغه سن التقاعد. ولا يتم الاستغناء عن العامل الياباني من المنظمة التي يعمل فيها إلا لأسباب جوهرية كتدهور حالته الصحية، أو اتخاذ إجراءات تأديبية بحقه أو بناء على رغبته الشخصية في ترك العمل.

إن هذا الأسلوب المتميز في إدارة القوى العاملة يوفر الاستقرار الوظيفي للعاملين ويعمق ولاء الموظف لمنظمته، ويعزز انتماءه إليها.

2. البطء في التقييم والترقية

لقد جرى العرف في المنظمات اليابانية على تقييم أداء الفرد العامل بغرض الترقية بعد مضي عشر سنوات على تعيينه. وتعتمد فلسفة هذا الأسلوب في التقييم على أساس أن الأداء الجيد للعامل لا يظهر في السنوات الأولى لتعيينه. وبالرغم

---

(1) عبد الله عبد القادر نصير: "تجربة الإدارة اليابانية وقابلية التحويل إلى المؤسسات السعودية". مجلة الإداري، معهد الإدارة العامة، مسقط، العدد: 40، 1990، ص 21-22.

(1) عمر وصفي العقيلي وآخرون، وظائف منظمات الأعمال، عمان: دار زهران للنشر والتوزيع، 1996، ص 37-44.

من أن هذا الأسلوب في التقييم قد يكون محبطاً للعاملين إلا أنهم يتقبلونه كأسلوب عمل بسبب توفر الأمن الوظيفي لهم.

3. المشاركة في اتخاذ القرارات

تتخذ القرارات في المنظمات اليابانية من خلال أسلوب جماعي حيث يشترك الأفراد المتأثرون بالقرار في اتخاذه طبقاً إلى ما يسمى بأسلوب (Ringi System). وعادة تقدم خطة المشروع أو القرار من قبل الأفراد بأسفل الهيراركية التنظيمية، وبعد ذلك يتم تمريرها عبر المستويات المختلفة ذات الصلة بموضوع الخطة لتقييمها أو تعديلها، ثم تتم مناقشتها على مستوى الإدارة العليا. فإذا ما كان هناك إجماع تام من جانب الأفراد المهتمين بموضوع الخطة يقوم الرئيس بالموافقة عليها لتكون قراراً رسمياً واجب التطبيق. لقد أثبتت الدراسات أن القرارات الجماعية أكثر موضوعية وفاعلية من القرارات الانفرادية أو القرارات المفروضة بحكم المركز أو السلطة.

4. المسؤولية الجماعية

إن من أبرز خصائص الإدارة اليابانية التأكيد على روح الجماعة والعمل كفريق واحد. وهذا يعني سيطرة روح الفريق على روح الفردية، ومع ذلك فالروح الفردية مرغوبة إذا كانت تعمل وفقاً لفلسفة وروح الجماعة وذلك بعدم معارضتها لروح الفريق.

إن تقسيم العمل في المنظمات اليابانية يعتمد أسلوب الجماعة (Group) في توزيع المهام والصلاحيات حيث ينتمي كل فرد في المنظمة إلى جماعة عمل واحدة أو أكثر خلال فترة عمله في المنظمة. ومعنى ذلك أن عضوية الفرد في جماعة ما لا تكون ثابتة طوال الوقت بل تتغير من حين إلى آخر لتوطيد عرى الألفة والتعاون مع أكبر عدد ممكن من العاملين في المنظمة. هذا ويسند لكل جماعة مهمة معينة تسعى الجماعة من خلالها إلى إنجاز هذه المهمة ، والعمل على تطوير العمل

وزيادة إنتاجيته. وتقاس إنتاجية العامل الياباني على أساس الجهد الجماعي وليس الجهد الفردي، وتمنح المكافآت التشجيعية للعاملين كنسبة من صافي الأرباح في نهاية العام، وعلى ذلك فإنه من مصلحة كل عامل وكل جماعة أن تبذل قصارى جهدها بغية زيادة الانتاج وتطويره لأن زيادة الإنتاجية وزيادة الدخل يعودان بالنفع العام على جميع العاملين وليس على فئة محددة منهم.

5. الرعاية الشمولية

تتميز الإدارة اليابانية برعاية أفرادها داخل المنظمة وخارجها، كحل مشاكل الأفراد العائلية وتعليم أبنائهم ورعايتهم صحياً وتقديم المساعدات المالية لهم، وتأمين أمورهم المعيشية من إسكان والقيام بنشاطات اجتماعية وغيرها من رعاية النواحي غير الرسمية مما يؤدي إلى حفظ التوازن العاطفي والنفسي للعاملين. وتقوم الإدارة اليابانية بهذه النشاطات على اعتبار أن ما يحصل للفرد من ضغوط خارجية يؤثر على أدائه في المنظمة.

لقد بينت الدراسات أن المنظمة اليابانية تضفي على نفسها السمة العائلية، فهي عبارة عن تجمع بشري متآلف أقرب إلى العائلة الممتدة، على خلاف ما هو سائد في المجتمعات الغربية حيث تسود الفردية والقيم المادية. ويتم من خلال الرعاية الشمولية غرس حب الولاء والانتماء في نفوس العاملين باعتبارهم أسرة واحدة، في منظمة ينتمون إليها بروابط أسرية متينة، إلى جانب أن هذه المنظمة توفر للعاملين فيها الاحترام والتقدير، كما توفر لهم معظم حاجاتهم المادية من مأكل وملبس ومأوى، وكذلك حاجاتهم المعنوية من حب وتقدير واحترام وانتماء.

6. المسارات الوظيفية غير المتخصصة

تتميز الإدارة اليابانية بإتاحة الفرصة للعاملين في المنظمات اليابانية للتنقل بين مختلف الوظائف في المستوى الإداري الواحد، بهدف إعطاء كل عامل فرصة التعرف على المهارات والصعوبات لدى زملاء العمل، مما يعزز تقديره لهم وتعاونه معهم. إضافة إلى ذلك فإن هذا الأسلوب يسهل عملية إحلال أي موظف مكان موظف آخر من نفس المستوى في حالة المرض أو الغياب، كما يسهل عملية التعاون في إنجاز المهمات في حالة مواجهة ضغط عمل في أقسام المنظمة.

7. الرقابة الذاتية

تعتمد الإدارة اليابانية أسلوب الرقابة الضمنية أو الذاتية بحيث يراقب الفرد العامل نفسه بنفسه بدلاً من الرقابة الخارجية المباشرة من قبل الرؤساء. ويعكس هذا الأسلوب الرقابي ثقة الرؤساء بمرؤوسيهم مما يؤدي إلى رفع معنوياتهم وزيادة إنتاجيتهم. ويتعين على المرؤوسين لممارسة هذا النوع من الرقابة فهم فلسفة الإدارة ورسالة المنظمة وثقافتها التنظيمية التي تتضمن القيم والتقاليد والأعراف، وكذلك الإحاطة بالإجراءات المطلوب اتخاذها لتحقيق الأهداف الاستراتيجية والتكتيكية والتشغيلية.

نظرية ز : Theory Z

وضع وليم اوتشي ـ (William Ouchi) نظرية Z في بداية الثمانينات (1981). وقد لاحظ في دراسته تفوق إنتاجية المؤسسات اليابانية في أمريكا على المؤسسات الأمريكية بالرغم من تفوق الأخيرة في عناصر الإنتاج من رأس المال وعدد العاملين ... الخ. وقد عزا أوتشي سر التفوق الياباني إلى الأسلوب الإداري في المنظمات اليابانية، لذلك يرى أنه يتعين على المؤسسات الأمريكية لحل مشكلة الإنتاجية التعلم من اليابانيين كيفية إدارة العنصر البشري. فالإدارة اليابانية تدور حول فلسفة مؤداها خلق العامل السعيد في عمله.

يرى أوتشي أن نظرية Z تقوم على ثلاثة أعمدة [1]:

أ- الثقة:

تعتمد المنظمات اليابانية مبدأ الثقة من منطلق أن الثقة والإنتاجية عنصران تربطهما علاقة طردية، بمعنى أنه كلما زادت الثقة بالعامل زادت إنتاجيته. وتنمو هذه الثقة من خلال المصارحة والمشاركة والتعاون بين العاملين على كافة المستويات الإدارية، وكذلك بين المنظمات والنقابات العمالية والمؤسسات الحكومية.

ب- الألفة والمودة:

يتميز المجتمع الياباني بالتماسك الاجتماعي وما يتضمنه من علاقات اجتماعية ومودة متبادلة بين أعضاء الأسرة الواحدة. وانعكس ذلك على المنظمات اليابانية حيث ينظر العامل الياباني إلى صاحب المنظمة باعتباره رب أسرة يعمل في كنفه، في جو من الألفة والمودة تسوده العلاقات الإنسانية المبنية على الاحترام المتبادل والتقدير والانسجام.

ج- الحذق أو المهارة:

وتعني مهارة الإشراف حيث يتوجب على المشرف التعرف على أحوال العاملين وأنماط سلوكهم ومهاراتهم مما يمكنه من تكوين فرق عمل متجانسة تحت إشرافه تكون قادرة على التعاون وتحقيق مستويات أعلى من الإنتاجية. كما تمكنه هذه المعرفة من بث روح التعاون والثقة بين مرؤوسيه.

---

(1) William Ouchi, Theory Z: How American Business Can Meet The Japanese Challenge. Boston: Addison – Wesely, 1981.

ومن جهة أخرى تتمثل السمات الرئيسية لنظرية Z في الآتي(1):

1. الوظيفة طويلة الأمد.

2. المسارات الوظيفية معتدلة التخصص.

3. القرارات بالمشاركة.

4. المسؤولية فردية.

5. التقييم غير رسمي مع عدم اللجوء إلى التقييم الدوري.

6. اتباع أسلوب الترقية البطيئة.

7. الاهتمام الشمولي بالعاملين.

لقد بيّن أوتشي أن اتباع المعايير اليابانية في تصميم المنظمات يستوجب خلق البيئة المناسبة لهذا النوع من التنظيم والبدء بتطبيقه في المستويات الإدارية العليا أولاً حتى تكون القدوة الحسنة لباقي المستويات الإدارية.

الخلاصة:

تميزت الإدارة اليابانية بتجربة ذات طابع فريد، فعندما توظف العامل باعتباره موظفاً دائماً فإن الإدارة تعمد إلى تطوير نوع من الرقابة الذاتية التي تعتمد مبدأ الولاء الاجتماعي وتبني فلسفة المنظمة التي يعمل فيها. وبالرغم من أن عملية تطوير الولاء الاجتماعي وتبني فلسفة المنظمة عملية بطيئة، فإن نتائجها تتبدى في هياكل تنظيمية تتميز بالمرونة واللامركزية وتدني درجة الرسمية، على خلاف النظم البيروقراطية التي تفرضها النظريات الإدارية الغربية.

---

(1) Mahmoud S. Al-Faleh, "The Japanese Management: Lessons for Arab Business Managers". Dirasat, Vol. 17 A, No. 3, 1995, p. 25.

إن تحركات العاملين اليابانيين تميل إلى التحرك الأفقي وليس التحرك العمودي أو المستويات الإدارية الهيراركية. وبدلاً من التأكيد على الترقية العمودية (السلم الوظيفي) فإن الموظف الياباني ينتقل من وظيفة إلى أخرى في نفس المستوى الإداري مما يساعد في اكتساب العديد من المهارات، كما يساعد في تسهيل عملية إحلال أي موظف مكان أي موظف آخر من نفس المستوى الإداري في حالة غيابه أو استقالته.

ويساعد هذا النظام على خلق جيل من الموظفين العامين (غير المتخصصين) مما يشجع روح الفريق وبناء القنوات غير الرسمية للاتصالات التي تساعد على التنسيق بين النشاطات المختلفة لمختلف الوحدات الإدارية.

إن عملية اتخاذ القرارات في المنظمات اليابانية ليست على نمط المشاركة في المنظمات الغربية التي تتم من خلال اللجان والمفاوضات بين الإداريين ومرؤوسيهم، فالإداريون اليابانيون يتشاورون بطريقة غير رسمية مع كل المعنيين أو الذين يطالهم تأثير هذه القرارات، وعندما يصبح هؤلاء جميعاً على علم بمشروع القرار، يطلب منهم اتخاذ القرار بصورة رسمية، ونتيجة للمشاورات غير الرسمية فإن القرار المتخذ يقر من كافة الجهات المعنية باعتباره قراراً جماعياً. إن العامل الرئيسي ـ في هذا الأسلوب لاتخاذ القرارات عائد إلى أن كافة المعنيين بالقرار يكونون على علم مسبق به، وأن آراءهم حوله تكون قد أعطيت فرصتها للسماع والمناقشة، كما أن الطريقة اليابانية تركز في تنظيم العمل على أساس الجماعات وليس على الأساس الفردي، وعليه فإن المسؤولية تصبح جماعية أيضاً.

إن الموظف الياباني يقيّم بناء على معادلة متعددة المعايير وليس بناء على معيار الإنجاز أو الإنتاجية كما هو الحال في المنظمات الغربية. وتكون هذه التقاييم متباعدة الفترات وليست سنوية أو دورية كما هو الحال بالنسبة للعاملين في العالم الغربي. إن التقييم الدوري ضروري حيث تكون درجة مرونة الانتقال من منظمة

إلى أخرى عالية، أما الوظيفة مدى الحياة فلا تحتاج إلى مثل هـذا النظام مـن التقيـيم الـدوري السـنوي. ويشتمل نظام التقييم الياباني على معايير القدرة على التعايش مع الآخرين والقدرة على لعـب دور العضو في فريق العمل.[1]

تعتبر المنظمات اليابانية العنصر البشري من أهم وأغلى مـا لـديها ولـذلك فإنهـا تعمـل عـلى تعظيـم قدرات العاملين فيها لمواجهة كافة المتغيرات الداخلية والخارجية للارتقاء بمعدلات الأداء. ويعتبر التـدريب من أهم الموضوعات التي تركز عليها الإدارة اليابانية، لذا تقدم معظم المنظمات أسـاليب تـدريب متنوعـة منها التدريب داخل العمل (On-the-Job Training) أو خارج العمل (Off-the-Job Training). كما تقوم بعض المؤسسات باستعمال أسلوب الإرشاد والتوجيه وذلك بتخصيص موظف يكون بمثابـة مرشـد لمتابعـة وتوجيه العاملين الجدد، وذلك بإرشادهم إلى أسلوب العمل الأمثل، وتنمية قدراتهم وتشكيل سـلوكهم بمـا يتفق مع فلسفة الشركة وأهدافها. كذلك تستعمل الشركات أسلوب النقل وتحريك الأفراد بهدف إكسابهم خبرة عامة حول طبيعة أعمال الإدارات المختلفة للشركة لإعدادهم للعمـل القيـادي في المسـتقبل، وكـذلك بغرض تمكينهم في الأعمال التي تتواءم مع قدراتهم. كما ترسل بعض الشركات الكبـيرة موظفيهـا للعمـل في الشركات الصغيرة والمتوسطة الحجم والتي تقوم بتزويد الشركات الكبيرة بحاجاتها مـن الأجـزاء والمكونـات، وذلك بغرض التعرف على أنماط العمل فيها وكيفية مواجهة المشاكل التي تواجهها.[2]

(1) حنا نصر الله وآخرون، مبادئ في العلوم الإدارية: الأصول والمفاهيم المعاصرة. عمان: دار زهران للنشرـ والتوزيـع، 1999، ص 64-73.

(2) جمال الدين الخازندار، "تأثير القيم الثقافية على الكفاءة الإدارية في كوريا واليابان والولايات المتحـدة: دراسـة مقارنـة". مجلة الإداري، معهد الإدارة العامة، مسقط، العدد: 56، 1994، ص 123-150.

وأخيراً وضع أوتشي منهجاً للإدارة أسماه "نظرية Z" يمثل تطويراً للنموذج الياباني في الإدارة يتلاءم مع القيم والثقافة الأمريكية. وبذلك أثبت اليابانيون أنه بقدر ما لديهم من قدرة على استيراد ما هو خارجي وأقلمته حسب القيم والثقافة اليابانية، فإن لديهم أيضاً قدرة على تصدير ما لديهم من أساليب ونماذج إدارية وأقلمتها حسب القيم والثقافة الخارجية كنظرية Z والقيم والثقافة الأمريكية.

نظام الإدارة الكورية: Korean Management System

خرجت كوريا الجنوبية منهارة اقتصادياً وسياسياً من الحرب الأهلية الكورية التي وقعت ما بين 1950-1953، وحققت ما يسمى بـ "المعجزة الاقتصادية". فالتقدم السريع قد حظي باهتمام الاقتصاديين والصناعيين والإداريين داخل وخارج كوريا الجنوبية لمعرفة الدوافع والأسباب وراء نجاح الشركات الكورية التي تدار من خلال عقيدة إدارية وقيم ثقافية تأثرت بأساليب ونظم العمل اليابانية وبالنظام الإداري الأمريكي.

تشترك كوريا الجنوبية واليابان في كثير من الخصائص الثقافية التي هي وليدة النفوذ الصيني في كلا البلدين في الماضي. فالكوريون واليابانيون ينظرون لشؤونهم الداخلية وعلاقاتهم بالعالم الخارجي بمنظور الفلسفة الصينية وبصفة خاصة الكنفوشسية. إضافة إلى ذلك تطبيق النظام الإداري الياباني بكوريا خلال فترة الاحتلال الياباني لشبه الجزيرة الكورية والتي امتدت من عام 1910 وحتى نهاية الحرب العالمية الثانية، وخلال تلك الفترة تركت الإدارة اليابانية بصماتها الواضحة على الإدارة الكورية. وبالرغم من تشابه الأخيرة مع نظام الإدارة اليابانية توجد اختلافات بين النظامين. لذلك سنتعرض إلى أهم خصائص الإدارة الكورية.

خصائص الإدارة الكورية:[1]

1. التوظيف مدى الحياة

إن التوظيف مدى الحياة مفهوم تقليدي بنظام الإدارة الكورية. فالعامل الـذي يلتحـق بإحـدى المنظمات يضمن العمل بها مدى الحياة وحتى سـن التقاعـد، ونـادراً مـا يحـدث أن تقـوم المنظمة بإنهاء خدمات العاملين في أوقات الكساد والأزمات. ومع ذلك فإن بعض المنظمـات تقـوم بإنهـاء خدمات بعض الموظفين إذا ثبت لديها أنهم غير جديرين بشغل الوظائف التي يشغلونها.

2. روح الفردية

إن روح الجماعة أو الفريق Team Spirit شعار قوي بالإدارة الكوريـة حيـث يـتم التأكيـد علـى العمل من خلال الفريق الواحد المتضامن. وعلى الرغم من ذلك فإن المـنظمات الكوريـة لا تهمـل الـروح الفردية من منطلق اقتناعها بأهميتها في الإبـداع وقدرتهـا علـى تحقيق الأهـداف المرسـومة. فالطموحـات الفردية المنبثقة عن الروح الفردية قد تصطدم ببعض المفاهيم التقليدية كمفهوم التوظيف مـدى الحيـاة ونظام الترقية، ونتيجة لتلك الطموحات فإن الفرد قد يترك العمل وينتقل إلى منظمة أخرى إذا كانت تقدم له مزايا أكثر من المزايا التي تقدمها لـه منظمتـه الأولى. وكذلك إذا شعر الفـرد بأنـه يعمـل في وظيفـة لا تتناسب مع قدراته ومؤهلاته وطموحاته. كما أنه في حالة عدم ترقي الفرد فإنه قد ينتقل للعمـل بمنظمة أخرى.

---

(1) جمال الدين الخازندار، "تأثير القيم الثقافية على الكفاءة الإدارية في كوريا واليابان والولايات المتحـدة: دراسـة مقارنـة"، مجلة الإداري، مسقط: معهد الإدارة العامة. العـدد: 56، 1994، ص 123-150، جمـال الـدين الخازنـدار، "خصائص الإدارة في الشركات الكورية"، مجلة الإداري، مسقط: معهد الإدارة العامة، العدد: 40، 1990، ص 73-97.

3. المركزية في اتخاذ القرارات

المركزية سمة من سمات التنظيم في المنظمات الكورية، فعملية اتخاذ القرارات تتركز في مستويات الإدارة العليا. كما أن القرارات الرئيسية يجب أن تخضع لموافقة الإدارة العليا، ومع ذلك تطرح بعض المواقف للنقاش من قبل العاملين بالإدارات الوسطى والتنفيذية على نحو مشابه للنظام الياباني (Ringi System) ولكن تبقى السلطة الفعلية في يد الإدارة العليا.

4. القيادة الأبوية

إن نمط القيادة بالإدارة الكورية هو نمط استبدادي أبوي وتعتبر المنظمة امتداداً لمفهوم الأسرة. ومن الطبيعي أن يظهر مثل هذا النمط القيادي في ظل التنظيم المركزي، كما أن نطاق القيادة التسلطية يزداد في ظل ايجابية المرؤوسين تجاه تصرف القائد. ومن جهة أخرى، تتأثر القيادة الإدارية بالقيم الإدارية السائدة في المنظمات الكورية، فمعظم المديرين يركزون على تنمية جو التآلف بين العاملين، ومن هنا يسير أسلوب اتخاذ القرارات وفقاً لنمط القيادة التوجيهية - التآلفية وذلك للمحافظة على حسن العلاقات مع المرؤوسين والحفاظ على استقرار العمل وتوازنه.

5. السلطة والبناء غير الرسمي

لا تتركز السلطة فقط في المستويات الإدارية العليا بالمنظمات الكورية، وإنما غالباً في أيدي مجموعة من المديرين. وتركيز السلطة بهذا الشكل ينطلق من واقع تلك المنظمات والتي لا ينفصل ملاكها عن إدارتها، وبالتالي تلعب الأسرة المالكة للمنظمة دوراً كبيراً في تحريك إدارة المنظمة. ومن الملاحظ أن أصحاب المنظمات الكورية يميلون إلى تعيين مديرين وأفراد يضمنون ولاءهم وإخلاصهم لإدارة المنظمة، وغالباً ما يتم اختيار هؤلاء الأفراد على أساس القرابة أو المنطقة الجغرافية أو التخرج من نفس المدرسة أو الجامعة.

6. سيطرة الأخلاق الكنفوشيسية في العمل

دخلت الثقافة الكنفوشيسية إلى شبه الجزيرة الكورية في القرن الخامس الميلادي عن طريق الصين حينما كانت الأخيرة مسيطرة على الأجزاء الشمالية الشرقية من شبه الجزيرة الكورية. وطبقاً للفلسفة الكنفوشيسية فإن العلاقة بين الرئيس والمرؤوس تحكمها مبادئ العدالة والأخلاق. إن مثل هذه المبادئ تؤثر على السلوك التنظيمي والإداري، كما تؤثر على الاتصالات والعلاقات الاجتماعية للأفراد، فالملاحظ أن المرؤوس يظهر ولاءً كبيراً للرئيس أو المنظمة، ويقوم الرئيس في المقابل بمعاملة المرؤوس معاملة طيبة والعمل على مساعدته.

7. قيم الأسرة

في ظل الكنفوشيسية فإن علاقات أفراد الأسرة بعضهم ببعض تعتمد على دور الأب، حيث أن الأب صاحب السلطة الوحيد في الأسرة، وعندما يكون الأب قوياً فإن ذلك يؤدي إلى إحداث توازن وتآلف بين أفراد الأسرة. ومن ناحية أخرى على رب الأسرة أن يرعى أسرته مقدماً إليها كل الخير. وتنطبق مثل تلك العلاقة على المنظمات الكورية، فصاحب المنظمة أو مالكها يعتبر بمثابة الأب وعلى المرؤوس طاعته واحترامه والوثوق به، وعلى المالك أو الرئيس الوفاء بمطالب المرؤوسين.

8. نظام التعاقب والإرث التقليدي

ينطبق مفهوم الأسرة في الثقافة التقليدية الكورية على مجال الأعمال. فالابن الأكبر في الأسرة هو المسؤول الأول عن الأسرة وإليه ترجع جميع الشؤون والأصول المالية للأسرة. وبالنسبة للمنظمات الكورية بعد وفاة مؤسس المنظمة يتولى الابن الأكبر إدارتها، بينما بقية الأشقاء الأقل سناً يتولون مناصب إدارية متقدمة في المنظمة وفقاً لأعمارهم. وهكذا فإن معظم المنظمات الكورية الجنوبية تدار من خلال السلطة المتمركزة في أيدي أصحابها.

9. نظم إدارة الأفراد

هناك بعض الخصائص التي تميز نظم إدارة الأفراد بالمنظمات الكورية، وتنطلق تلك الخصائص من الثقافة والموروثات الكورية. مثال ذلك: نظم الأجور والمكافآت تعتمد أساساً على عامل الأقدمية، ولكن مع نمو المنظمات وتقدم النظم الإدارية بها بدأت تلك المنظمات في الأخذ بالأداء عند اتخاذ القرارات المتعلقة بالرواتب والمكافآت. كما أن ترقية العاملين بالإدارة التشغيلية تعتمد في المقام الأول على الأقدمية، وذلك على عكس مستوى الإدارة العليا حيث تتم ترقية ومكافأة المديرين على أساس الأداء.

إن مهمة تقييم أداء العاملين بالمنظمات الكورية مهمة صعبة، حيث يتم التقييم مرتين أو ثلاث مرات سنوياً، ومع ذلك يرى المديرون الكوريون صعوبة في التقييم بسبب عدم رغبتهم في تقييم العاملين وإظهاره سلبياً لأن مثل ذلك التقييم السلبي يؤثر على علاقات العمل، وكذلك على العلاقات الداخلية بين الأفراد والمجموعات غير الرسمية، وبالتالي قد يؤدي ذلك إلى حدوث شرخ في علاقات التآلف بين العاملين، ومن هنا يقيم المديرون عادة مرؤوسيهم بشكل إيجابي. وبسبب تلك المشاكل المنبثقة عن الموروثات والتقاليد الاجتماعية وكذلك الثقافة التنظيمية السائدة بالمنظمات الكورية، فإن نظم تقييم الأداء في تلك المنظمات لا تعطي بيانات صادقة أو بيانات يعتمد عليها عند اتخاذ القرارات بإدارة القوى البشرية، باستثناء الاستخدامات المحدودة في قرارات الأجور والمكافآت. بالإضافة إلى ذلك فإنه عند تقييم أداء العاملين لا يجري المديرون مقابلات شخصية مع المرؤوسين، وكذلك لا يتم تزويد المرؤوسين ببيانات عن نتائج التقييم.

تعتبر الإدارة الكورية العنصر البشري من أهم العناصر اللازمة لتحقيق أهداف المنظمة. ويتم تنمية قدرات العاملين وتطوير أدائهم من خلال التدريب الداخلي حيث تهتم المنظمات الكبيرة بتنمية وتطوير قدرات عامليها بمراكز التدريب

التابعة لها، كما أن بعض المنظمات ترسل بعض العاملين فيها إلى الخارج لأغراض التدريب بالشركات العالمية بالدول المتقدمة.

وأخيراً وبينما تغلب الصفة المركزية والرسمية على البناء التنظيمي للمنظمات الكورية، يلاحظ أن وظائف الأفراد بالمنظمات ليست منظمة أو واضحة، فلا يوجد توصيف للوظائف، ويتم تحديد المهام والمسؤوليات للموظفين من قبل المشرف أو رئيس العمل. ومن المعروف أن غياب التوصيف الوظيفي قد يؤدي إلى ازدواجية في العمل، وقد يؤدي ذلك إلى عدم التوازن في حجم العمل وتوزيعه بين العاملين، ولكن في ظل البناء التنظيمي المركزي والبناء الوظيفي غير المنظم يعتمد أداء الفرد على قدرة الفرد أو رئيس العمل في كيفية إنجازه للأعمال.

خلاصة النظريات الإدارية:

على ضوء استعراض جميع النظريات الإدارية يمكن القول أنه وعلى الرغم من توفر المعرفة حول المنظمات فإن الرغبة في الحصول على بناء نظري متكامل لدراسة المنظمات بما فيها من سلوكيات لم تتحقق بعد ولا تزال ملحة. فالوضع الحالي المعرفي هو وجود عدة نظريات إدارية وليس نظرية واحدة. إن التعدد في هذه النظريات يعود إلى أسباب متعددة منها:[1]

1. اختلاف الظروف السياسية والاقتصادية والاجتماعية والثقافية التي أنتجت هذه النظريات.

2. اختلاف الأصول العلمية والاهتمامات والخبرات لأصحاب تلك النظريات.

3. تباين طرق البحث وأساليب جمع المعلومات عن ظاهرة المنظمة.

4. تعقد ظاهرة المنظمة بما فيها من متغيرات مادية وسلوكية.

---

(1) علي السلمي، تطور الفكر التنظيمي، الكويت: وكالة المطبوعات، 1975، ص 23.

الفصل الثالث

الإدراك
Perception

- مفهوم الإدراك
- ديناميكية عملية الإدراك
- أهمية الإدراك في السلوك الإنساني
- خصائص الإدراك
- مراحل العملية الإدراكية
- العوامل المؤثرة في الإدراك
- الجوانب الاجتماعية في الإدراك
- معوقات الإدراك
- الإدراك كنظام فرعي
- اثر الإدراك على السلوك التنظيمي.

مفهوم الإدراك: [1]

الإدراك أحد خصائص الشخصية الإنسانية ويعتبر عملية من عملياتها ومحدداً من محددات السلوك الفردي. يتعرض الإنسان إلى الكثير من المنبهات وهذه المنبهات ليست بالضرورة بنفس الدرجة، حيث يوجد منبهات ومثيرات لا تدخل ضمن المحيط الإدراكي للإنسان، ويعود السبب في ذلك إلى أنها ليست مهمة له، بالإضافة إلى تزامن حدوث المنبهات والمثيرات مع زخم من المثيرات والمنبهات الأخرى مما أدى إلى صعوبة الانتباه لها بسبب محدودية قدرات الإنسان.

ومن الأهمية بمكان معرفة اختلاف الأفراد في تفسيرهم إلى المنبهات التي يتعرضون لها، لأن عملية تفسير المنبهات تُبنى على مجموعة من العوامل منها درجة التعليم والذكاء والفهم والخبرات السابقة والحفظ للفرد.

ويعتبر الإدراك عملية مركبة تبدأ بالحواس أولا ثم القيام بعملية التحليل والمقارنة اعتمادا على الخبرات السابقة، حتى يصل الفرد إلى التفسير المناسب للمثير.

ومن أهم الخصائص المميزة لعملية الإدراك هو الانتباه واختيارية الإدراك، حيث تعتبر العملية الإدراكية عملية اختيارية في طبيعتها إلى حد كبير، كون الفرد يتعرض إلى العديد من المنبهات وبدوره يقوم بتحديد المنبهات المهمة بالنسبة له [2].

---

(1) بشير الخضرا وآخرون، السلوك التنظيمي، الطبعة الأولى، منشورات جامعة القدس المفتوحة، 1995، ص45.

(2) محمد شهيب وآخرون، العلاقات الإنسانية (مدخل سلوكي)، القاهرة: الشركة العربية للنشر والتوزيع، 1994 ص100.

ومما لا شك فيه أن الأفراد مختلفون في تفكيرهم وآرائهم ويعود السبب في ذلك إلى كيفية إدراك كل منهم للواقع المحيط به، حيث يستدل الأفراد على مواقعهم من خلال الحواس، وهذه الحواس لا تزودنا إلا بنسبة بسيطة من الواقع. ويشير الأستاذ ثاير Thayer إلى نوعين من الواقع هما:[1]

1. الواقع المادي   Physical Reality

ويقصد به ذلك الواقع الذي يمكن إدراكه باستخدام الحواس حيث لا يواجه الفرد أي صعوبة في إدراكه مثل إدراك الوزن والطول والوقت وغيرها من المقاييس. وهذا لا يعني أن جميع الأفراد يدركون واقعهم بنفس الدرجة وإنما هناك تفاوت إدراكي ويعود السبب إلى أن درجة الإحساس بالأمور المادية متفاوتة ومختلفة من فرد إلى آخر.

2. الواقع الاجتماعي   Social Reality

ويقصد الواقع الذي يتواجد فيه الأفراد في أغلب الأوقات حيث يكون هذا الواقع مدركاً بشكل تام. ويتألف الواقع الاجتماعي من القيم والاتجاهات والمشاعر والتي من الصعوبة بمكان أن يكون هنا إمكانية لقياسها، حيث توجد فروقات إدراكية بين الأفراد لهذا الواقع لأنه مبني على دوافع واتجاهات ومشاعر موجودة في داخل الأفراد وهي مختلفة بدرجات متفاوتة بينهم. فالفرد يدرك شيئا ما بطريقة مختلفة عن ادراك شخص آخر لنفس الشيء والسبب عائد إلى اختلاف الاهتمامات والدوافع والاتجاهات.

على ضوء ما سبق، وبالرغم من محاولات الباحثين والعلماء الكثيرة للوصول إلى تعريف محدد للإدراك إلا أنهم لم يتمكنوا من ذلك، بسبب تشعب المفهوم الإدراكي نفسه واختلاف الأفراد وتنوعهم، واعتماد الإدراك بشكل رئيسي—

---

(1) كامل المغربي، السلوك التنظيمي: مفاهيم وأسس سلوك الفرد والجماعة في التنظيم، عمان: دار الفكر للنشر والتوزيع، 1995، ص 89.

على البعد الفردي. لذلك تعددت التعريفات حول المفهوم الإدراكي وفيما يلي عرض لبعضها:

يعرف الإدراك بأنه "استقبال المثيرات بواسطة الحواس وتفسيرها وتنظيمها"(1). وكذلك يعرف الإدراك بأنه " تلك العملية التي يقوم الأفراد من خلالها باختيار المؤثرات وتنظيمها وتفسيرها تفسيرا مناسبا يحمل معنى، ويعطي صورة كاملة للعالم"(2). وهناك تعريف آخر يرى أن الادراك "عملية اختيار معنى معين لاحساساتنا، ويتوقف هذا الإدراك على خبرة الفرد وتعلمه ومستوى ذكائه. لذلك يختلف الأفراد في إدراكهم لاحساسات واحدة تنقل إليهم عن طريق حواسهم"(3).

ديناميكية عملية الإدراك:

تحدث عملية الإدراك كما يلي:

1. وجود منبهات ومثيرات خارجية في البيئة يشعر بها الإنسان من خلال حواسه.
2. يقوم الفرد بعملية تخزين للمعلومات في ذاكرته نتيجة لخبراته السابقة وإدراكه لأشياء سبق له معرفتها.
3. بعد عملية تخزين المعلومات يقوم الفرد بعملية تحليل للمعلومات التي تم الحصول عليها لكي يفسر معانيها ودلالاتها . وهنا يستخدم خبراته الاجتماعية ودوافعه واتجاهاته.

---

(1) بشير الخضرا وآخرون، مرجع سابق، ص45.

(2) Leon G. Schiffman & Leslie Kanut, Consumer Behavior, Seventh Edition, New Jersey: Prentice-Hall, 2000, P 122.

(3) ناصر العديلي، السلوك الإنساني والتنظيمي، الرياض معهد الإدارة العامة، 1995 ص110.

4. يقوم الفرد بتصنيف المدركات وتنظيمها واستخدامها في بناء أنماطه السلوكية التي يحددها، حيث يختار الفرد المنبهات الذي يريدها، وبعد عملية الاختيار يقوم بعملية تنظيم هذه المنبهات وتفسيرها على شكل أنماط سلوكية[1].

إن عملية الإدراك قد تكون ناتجة عن نوعين مختلفين من المدخلات الحسية التي تتفاعل معا لتكون الشخصية التي يشعر بها الفرد تجاه ما يتعرض إليه من منبهات ومثيرات سواء من البيئة الداخلية أو الخارجية. وهذان النوعان هما: الأول المنبه المادي ومن المعروف ان هذا المنبه يكون صادراً من البيئة الخارجية على شكل رسومات وكلام... إلخ. والثاني: التوقعات، والدوافع، والتعلم الذي يعتمد على الخبرات والتجارب السابقة للفرد.

ان عملية دمج هذين النوعين من المدخلات تساعد الفرد على تكوين صورة عن البيئة المحيطة به، وهذه الصورة تختلف من فرد لآخر بسبب اختلاف الخبرات والحاجات والرغبات والتوقعات[2].

وهنا لابد من الإشارة إلى أنه ليس كل الأفراد يدركون المنبهات البيئية التي يتعرضون إليها، ويعود السبب في ذلك إلى أن المنبهات قد تكون غير ضرورية لهم وأيضا إذا تم إدراك المنبهات من قبل مجموعة من الأفراد فان مستويات الإدراك لديهم متفاوتة، ويعود السبب إلى اختلاف الحاجات والرغبات والدوافع، وعلينا ان لا ننسى ان عملية الإدراك هي عملية انتقائية اختيارية تتناسب مع الدوافع والخبرات والحاجات.

(1) علي السلمي، إدارة السلوك الإنساني، القاهرة، دار غريب للطباعة والنشر والتوزيع، 1997 ص148.

(2) Leon G. Schiffman, and Leslie Kanuk, op, cit Pp. 129-131.

أهمية الإدراك في السلوك الإنساني:[1]

يعتبر الإدراك جوهر وأساس كل نشاط ذهني للفرد وبالتالي فإن للإدراك أثرا واضحا وكبيراً في سلوك وتصرفات الفرد. ولا تقتصر عملية الإدراك على الخبرة والعوامل الشخصية والنفسية والعمر عند الفرد كعوامل مؤثرة في العملية الإدراكية، بل يعتبر الإدراك مؤثرا في حياة الفرد وسلوكه منذ بدايات مراحل العمر الأولى، ففي أثناء المرحلة العمرية الأولى من حياة الطفل يبدأ بالتعرف على المحيط البيئي الذي يعيش فيه، ويتفاعل مع المدركات الحسية التي تواجهه. فالمثيرات التي تعترضه في البيئة التي يعيش فيها تؤدي إلى ظهور حاجات ورغبات يسعى إلى إشباعها وفق ما يتوفر له من فرص تساعده في إشباع حاجاته ورغباته.

وتأخذ هذه الحاجات بالنمو والتطور بشكل مواز لنموه الجسمي والنفسي. وهنا يبدأ الطفل في التعرف على عمليات الإدراك مثل الطول والقصر والتوافق والتناقض والمقبول وغير المقبول والملائم وغير الملائم وغيرها من الصفات.

وتأخذ قدراته بالنمو والتطور بواسطة التعلم والخبرات التي تولدت لديه خلال مراحل نموه السابقة وذلك من خلال عملية التكيف والتنشئة الاجتماعية التي مر بها بمراحلها المختلفة.

---

(1) ناصر العديلي، مرجع سابق ص121.

خصائص الإدراك:

يتميز النظام الادراكي بمجموعة من الخصائص كما يلي [1]:

1. الاختيار

المقصود هنا أن الفرد يقوم بعملية اختيار منبهات دون غيرها لان هـذه المنبهـات تعمـل عـلى اشباع حاجاته ورغباته من وجهة نظره. فإذا كان المنبه الذي يتعرض له الفرد قوياً من حيث انه قادر عـلى تحقيق حاجاته ورغباته فإنه سيقوم باختياره دون غيره.

2. المرونة

يقوم الأفراد بعملية تفسير المنبه الذي تعرضوا لـه تفسـيرات مختلفـة وبطـرق متفاوتـة بسـبب اختلاف الدوافع والحاجات والرغبات لديهم.

3. التكامل

ويشير هذا المفهوم إلى أن الأفراد يدركون الموقف أو الشيء بصورته الكاملة وليس إدراكا جزئيا. مثال ذلك يدرك الأفراد سيارة بشكل كامل ولا أحد يدرك سيارة بدون عجلة وحتى لو لم يكن لها عجـلات فان الأفراد سيدركونها بشكل كامل.

4. الثبات

ان الإدراك لا يتغير بتغير موقع المنبه الخـارجي أو بحركتـه، أي لـو تـم تغيير موقع السـيارة إلى مكان آخر فان عملية الإدراك لن تتغير.

---

(1) سعود النمر، السلوك الاداري، الطبعة الأولى – الرياض: جامعة الملك سعود، 1990، ص87-88.

مراحل العملية الإدراكية:

تمر العملية الإدراكية بثلاث مراحل رئيسية هي[1]:

1. مرحلة الانتباه للمنبه:

في هذه المرحلة يلاحظ الفرد المنبهات والمثيرات في البيئة المحيطة به.

2. تحويل وترجمة المثيرات إلى رسائل (تفسير المثيرات).

3. تحديد السلوك أو الاستجابة المناسبة.

نستدل مما سبق أن الإدراك يساعد الفرد على التكيف والتفاعل مع البيئة حيث ينتج عـن ذلـك التكيف والتفاعل السلوك أو الاستجابة المناسبة. والشكل رقم (1) يبين عملية الإدراك.

شكل رقم (1)

عملية الإدراك

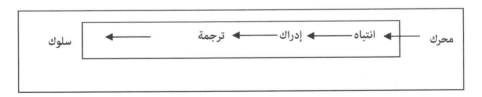

المصدر: سيزلاقي، مارك جي، والاس، السلوك التنظيمـي والأداء، الريـاض: معهـد الإدارة العامـة، 1991 ص64، (ترجمـة جعفـر أبـو القاسم)

---

(1) أندرودي، سيزلاقي ومارك جي والاس، السلوك التنظيمي والأداء، الريـاض، معهـد الإدارة العامـة، 1991 ص64، (ترجمـة جعفر أبو القاسم).

العوامل المؤثرة في الإدراك:[1]

1. سمات الفرد وخصائصه

تعتبر الخصائص والسمات الشخصية والمتمثلة بالدوافع والخبرات السابقة والاتجاهات والثقافة والقيم والعادات من أهم المصادر المؤثرة على الإدراك.

فعلى المهتمين بالعلوم السلوكية التفكير والتأمل بشكل غير سريع في التأثير المشترك للدوافع والشخصية والتجارب السابقة والتوقعات والاهتمامات عند رغبتهم في معرفة أسلوب وطريقة السلوك الوظيفي للعاملين في مراتب تنظيمية معينة.

وتعتبر الحاجات غير المشبعة عند الأفراد عاملاً مؤثراً وقوياً على إدراكهم. فعند وجود حاجة غير مشبعة لدى الفرد ويكون هناك علاقة بين المنبه وتلك الحاجة فإن قدرة الفرد الإدراكية ستكون قوية وسريعة.

2. المنبه

تعتبر خصائص المنبهات وطبيعتها من العوامل المؤثرة على إدراك الفرد، فكلما كان المثير أو المنبه قويا كان الفرد اكثر قدرة على إدراك ذلك المنبه. وكذلك كلما كان حجم المنبه كبيرا فإنه يساعد على تعزيز وزيادة قدرة الفرد على الإدراك، وعندما تكون حركة المنبه سريعة فهذا يؤدي إلى سرعة عملية الإدراك لدى الفرد.

وهناك صفات أخرى للمنبهات تجعلها تؤثر على إدراك الفرد ومنها عملية الصوت فعندما يتزامن الصوت مع المنبه فإن هذا يؤدي إلى زيادة المقدرة الإدراكية لدى الأفراد.

وكذلك التباين والمقصود به تميز المنبه، فكلما كان المنبه مميزاً عن باقي المنبهات فإن إمكانية إدراكه ستكون أكبر. بالإضافة إلى تكرار المنبه فإنه يزيد من إمكانية إدراكه.

---

(1) Stephen P. Robbins, Organizational Behavior: Concepts, Controversies, Applications, Eighth Edition ,New Jersey: prentice-Hall 1998, PP 91-94.

3. الموقف

تعتبر الظروف الموقفية التي يعيشها الفرد من العوامل المهمة في عملية الإدراك. ومن المعروف أن الأفراد يعيشون في ظروف مختلفة ومتنوعة وبالتالي فإن درجة الإدراك تتوقف على تلك الظروف والمواقف.

فدرجة وطبيعة الادراك لدى الشخص الذي يعيش في المدينة تختلف تماما عن درجة وطبيعة الإدراك لدى الفرد الذي يعيش في البادية. ويتم فهم المنبه أيضا بطريقة مختلفة باختلاف التوقعات والدوافع والخبرات السابقة والثقافة، وهذا لا يعني أن الإدراك متشابه بين أفراد المدينة الواحدة فالأفراد الذين يسكنون المدينة لديهم توقعات ودوافع وخبرات سابقة مختلفة. وبشكل عام فان الفروق الإدراكية لأفراد المدينة والبادية تكون أكبر من الفروق الإدراكية لنفس أفراد المدينة وأيضا إدراك أفراد الطبقة الوسطى يختلف عن الطبقات الأخرى في المجتمع.

4. البيئة الاجتماعية

وأخيرا تؤثر البيئة الاجتماعية التي يعيش فيها الأفراد على كيفية إدراكهم للمنبهات التي يتعرضون لها، حيث تلعب طريقة التنشئة لأفراد الأسرة من قيم وعادات وتقاليد دوراً محورياً في تحديد إدراك الفرد.

الجوانب الاجتماعية في الادراك:

لا بد من معرفة اهمية العوامل الاجتماعية في عملية الادراك في المواقف التي تكون فيها الطبيعة المادية للمؤثرات الخارجية غامضة وغير واضحة، وهنا يجبر الفرد على الارتكاز على مصادر اخرى للمعلومات حتى يتمكن من تفسير تلك المثيرات وفهمها.

وتقوم العوامل الاجتماعية بأداء دور مزدوج في تكوين البعد الادراكي للفرد[1]:

الدور الاول: تمثل العوامل الاجتماعية مصدرا للمعلومات، حيث يكون للفرد المقدرة في الاستناد الى رأي الجماعة لكي يكون مدركاته.

الدور الثاني: تعمل العوامل الاجتماعية على مساعدة الفرد في تقليل درجة الغموض الـذي يعانيـه مـن بعض المدركات، وهنا يصبح لزاما عليه اللجوء الى آراء الآخرين وتجاربهم وقيمهم واتجاهاتهم حتى يفسر معاني المدركات.

وتزداد أهمية العوامل الاجتماعية في الإدراك عند التحول إلى دراسة عملية إدراك الأشخاص لبعضهم البعض، وما تحتويه هذه العملية من أهمية وفائدة للإدارة. وهنا تبرز نتيجة مهمة وهي ان ما يتم إدراكه ليس بالضرورة معادلا تماما لطبيعة الشيء المدرك. بمعنى ان هناك أسباباً كثيرة قـد تعمـل عـلى تشويه وتغيير ما يتم إدراكه عن حقيقة الشيء موضع الإدراك. ومن أهم تلك العوامل:

1. طبيعة الموقف الإنساني نفسه ودوره في هذا الموقف.
2. مدى موضوعية الشخص.
3. صفات الشخص وخصائصه.
4. كمية المعلومات المتوفرة للفرد ودقتها.

معوقات الإدراك: Perceptual Difficulties

هناك مجموعة من المـؤثرات تـؤدي إلى تشـويه الإدراك لـدى الفـرد وبالتـالي تقـوده إلى الفشـل الإدراكي، ومن هذه المؤثرات المشوهة للإدراك ما يلي:

---

(1) علي السلمي، إدارة السلوك الإنساني،مرجع سابق، ص 146-148.

1. المظاهر المادية

أشارت الدراسات المتعلقة بمدى تأثير المظهر المادي على إدراك الفرد، حيث وجدوا أن المظهر المادي يؤدي إلى جذب الأفراد وبالتالي زيادة درجة الإقتناع لديهم.

2. التنميط

وهي عملية تصنيف الأفراد أو الأشياء بناء على ما تدركه من تماثل بينهم ويكون التنميط ناتجاً عن الخبرات والتجارب والمعرفة السابقة للأفراد.

3. الانطباع الأول

يقوم معظم الأفراد بتكوين انطباع أولي عن فرد معين وقد يكون الإنطباع سلبيا أو إيجابياً. يميل الأفراد إجمالاً إلى التصرف بأسلوب يؤدي إلى تكوين انطباعات إيجابية عن أنفسهم لدى الآخرين وذلك لغاية أهدافهم المادية والمعنوية.

4. تأثير الهالة

نقصد بالهالة معرفة صفة أو ميزة معينة في الفرد ومن خلال تلك الميزة نقوم بتكوين فكرة عامة أو تقييم للفرد. فإذا كان الفرد متميزاً بصفة معينة ثم اعتبرناه متميزا في كل صفاته اعتمادا على تميزه في تلك الصفة، نسمي هذا الوضع أثر الهالة، بمعنى أن الفرد عندما أدرك صفة معينة في الفرد قام بتعميم تلك الصفة على جميع صفاته. إن وجود الهالة، يؤدي إلى تفسير خاطئ للإدراك وبالتالي قد يتكون لدينا انطباع سلبي أو انطباع إيجابي، بعيداً عن الحكم الموضوعي واستعمال الحكم الشخصي فقط.

5. التسرع في الحكم

ويعني ذلك القفز إلى النتائج. بمعنى آخر أن الأفراد لا يصلون إلى نتائج بطريقة منظمة ومخططة.

6. الدفاع الإدراكي

يقوم الفرد باختيار المعلومات التي تدعم آراءه ويتجاهل المعلومات التي تتنافى مع آرائه. مثال ذلك الطالب الكسول الذي يسعى لعلامة النجاح في مادة ما ويطلب مساعدة الأستاذ، إنه يتذكر قول الأستاذ "إني سأساعدك"، ولكنه يتناسى ويتجاهل قول الأستاذ "إلا أن عليك أن تقدم جهداً يقنعني بجدارتك".

7. الإسقاط

يعني أن يعزو الفرد الجانب السلبي من سلوكه إلى أشخاص آخرين. فالإدراك يصبح مشوهاً بالمشاعر والخصائص الشخصية التي يمتلكها الفرد. مثال ذلك الشخص الذي يرى قرينه قد ارتقى إلى منصب ولا يعزو ذلك إلى كفاءة قريبه، بل إلى كراهية مديره وحسده له[1].

الإدراك كنظام فرعي:

يمكن اعتبار النظام السلوكي بمثابة نظام رئيسي يتكون من مجموعة من النظم الفرعية. ومن هذا المنطلق يمكن القول ان الإدراك يعتبر نظاماً فرعياً يدرس عمليات سلوكية محددة، تتفاعل مع نظم فرعية أخرى داخل النظام السلوكي، كما يظهر في الشكل رقم (2).

---

(1) كامل المغربي، مرجع سابق، ص 100.

الشكل رقم (2)

نظام الإدراك وعلاقته بالنظم الفرعية الأخرى

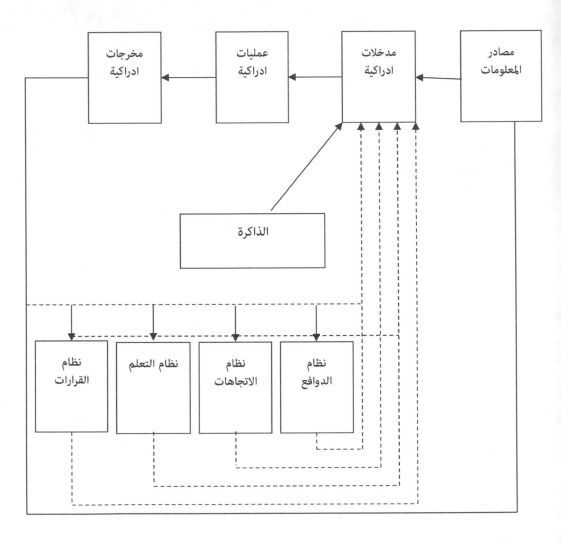

المصدر: علي السلمي، إدارة السلوك الإنساني، القاهرة: دار غريب لطباعة والنشر والتوزيع، 1997، ص161.

اثر الإدراك على السلوك التنظيمي:

يعتبر الإدراك من العناصر الأساسية في عملية التأثير على نمط وأسلوب حياة الفرد. وكذلك يـؤثر الإدراك على علاقة الفرد مع الآخرين نسبيا، حيث بينت إحدى الدراسـات والأبحـاث في هذا الحقـل أن الإدراك يؤثر أيضـا عـلى الجوانب الإدارية والتنظيميـة في المنظمـة قبـل تـأثيره عـلى تقييم الاداء واختيـار العاملين والقيادة والدافعية والاتصالات.

وفيما يلي عرض لتأثير الإدراك على تلك الجوانب [1]:

تأثير الادراك على القيادة:

بينت العديـد مـن الدراسـات ان عمليـة تقييم العـاملين لفاعليـة القائـد تتأثر الى حـد كبـير بالانطباعات المتكونة لديهم عن القائد الجيد او غير الجيد. فعندما يحاول المدير اتخاذ قرار حـول موقـف معين فان الافراد العاملين سيدركون المدير بطريقة سلبية اذا كان ذلك القرار غير مناسب والعكس صحيح. وبناء على الخبرات السابقة للافراد العاملين فإنهم سيكونون قادرين عـلى ادراك مـديرهم سواء بطريـق سلبية وايجابية.

تأثير الادراك على اختيار العاملين:

من المعروف ان عملية التعيين في المنظمة تتم وفق خطوات متسلسلة واولها المقابلة، حيـث يلعب الانطباع الاول عن الشخص المتقدم للوظيفة لـدى المقابـل اثـرا بالغـا في عمليـة الاختيـار، فـإذا كان الانطباع الاول جيدا فهذا يعني ان المقابل قد أدرك انه اختار الموظف المناسب في المكـان المناسب لـه، وبالطبع يتوقع منه ان يكون ذا اداء عال يحقق أهداف المنظمة.

---

(1) موسى المدهون وإبراهيم الجزراوي، تحليل السلوك التنظيمي،، الطبعة الأولى، عمان المركز العربي للخدمات الطلابية، 1995 ص257-258.

تأثير الادراك على تقييم الاداء:

اذا ما ادرك المدير اداء الفرد العامل بطريقة خاطئة فان هذا سيؤدي الى تقييم غير موضوعي لذلك الفرد، وسيؤثر سلبا على الروح المعنوية للفرد وعلى ولائه التنظيمي. ولذلك يتوجب على المدير ان يحدد بشكل دقيق وموضوعي سلوك الفرد العامل وما هي النتائج المتوقعة من ادائه الجيد ويكون ذلك من خلال معايير كفوؤة لقياس الاداء.

تأثير الادراك على الدافعية:

يؤثر الادراك على الدافعية فعندما يدرك الافراد العاملون أن رواتبهم لا تعادل الجهد المبذول وانها غير عادلة فان الروح المعنوية لديهم ستنخفض وستؤثر سلبا على دافعيتهم للعمل، وهذا يؤدي الى ظهور ظاهرة دوران العمل في المنظمة.

تأثير الادراك على الاتصالات:

ان عملية الاتصال بين افراد المنظمة عبارة عن معلومات متبادلة وبالتالي فان كمية المعلومات المتبادلة بين العاملين عن المنظمة تدرك بطرق متنوعة، لذلك يجب ان تكون هذه المعلومات واضحة ودقيقة حتى لا تحتمل ادراكات مختلفة وان يعمل المدير على تقليل الاختلافات في الادراك بين افراد المنظمة قدر الامكان.

الفصل الرابع

الاتجاهات

Attitudes

- مفهوم الاتجاهات
- تكوين الاتجاهات
- خصائص الاتجاهات
- أنواع الاتجاهات
- وظائف الاتجاهات
- تغيير وتعديل الاتجاهات
- قياس الاتجاهات
- الاتجاهات كنظام فرعي.

مفهوم الاتجاهات:

تعتبر الاتجاهات من العناصر المهمة المؤثرة في سلوك الفرد ودوافعه، وبالتالي تعتبر معرفة اتجاهات العاملين في المنظمة من الأمور الضرورية لأن الأفراد العاملين يكون لهم اتجاهات معينة نحو العمل ونحو رؤسائهم ونحو فلسفة وسياسة المنظمة في تنفيذ مهامها. فالاتجاهات هي المحرك لدوافع الأفراد في المنظمة.

وبناءً عليه لا بد للإدارة من التعرف على الاتجاهات المختلفة التي يكونها الأفراد عن المنظمة التي يعملون فيها، إذ يوجد نوعان من الاتجاهات هما الاتجاهات الإيجابية والاتجاهات السلبية. فمسؤولية الإدارة تكمن في تعزيز الاتجاهات الإيجابية للأفراد مثل الحب والصداقة والتقدير والولاء المنظمي، والعمل على إزالة وإنهاء الاتجاهات السلبية مثل الكراهية والأنانية والإساءة الآخرين وغيرها من الصفات السلبية التي تؤدي إلى التوتر والإحباط والصراع. ومن اجل تحقيق ذلك لا بد للإدارة من الوقوف على أسباب تكوين هذه الاتجاهات والخطوات التي مرت بها من أجل الوصول إلى الأسلوب المناسب في معالجتها وخاصة السلبية منها.

يرى العالم Allport ان الإتجاهات هي : " إحدى حالات التهيؤ والتأهب العقلي العصبي التي تنظمها الخبرة ، ولها أثر في توجيه استجابات الفرد للأشياء والمواقف المختلفة"[1].

---

(1) ناصر العديلي، السلوك الإنساني والتنظيمي: منظور كلي مقارن، الرياض، معهد الإدارة العامة، 1995، ص133.

يعرف Borgadus الاتجاهات على أنها : " الميل نحو الاستجابة للعوامل البيئية المحيطة التي تصدر منها المنبهات الخارجية سواء كانت موجبة او سالبة"[1]. ويعرف Schiffman and kanuk الاتجاهات بأنها : " الاستعداد والتهيؤ للسلوك بشكل منسجم ومتوافق سواء كان هذا السلوك إيجابيا أم سلبيا تجاه هدف معين "[2].

تكوين الاتجاهات:

نتيجة لتعرض الفرد لمنبهات ومثيرات في البيئة الخارجية فإنها ستؤثر عليه من خلال عملية التبني لاتجاه معين. وهناك مجموعة من الأمور الهامة التي تؤدي الى تشكيل وتكوين الاتجاهات لدى الأفراد وهي[3]:

1- إشباع الحاجات والرغبات:

عندما يسعى الفرد إلى إشباع حاجة معينة ويتم إشباع تلك الحاجة من مكان معين فإنه سيكرر سلوكه مرة أخرى لذلك المكان، وتتكرر هذه العملية إلى أن يتم تكوين اتجاه معين لذلك المكان الذي أدى إلى إشباع حاجته. ويكون الاتجاه إيجابيا إذا تم إشباع الحاجة بينما يكون الاتجاه سلبيا إذا ما حدث العكس، مثال: عندما يقوم المستهلك بشراء سلعة معينة وللمرة الأولى فإذا حققت هذه السلعة إشباعاً له فإنه سيكرر عملية الشراء لها لأنه تكون لديه اتجاه إيجابي نحو تلك السلعة.

---

(1) سعود النمر، السلوك الاداري، الطبعة الاولى، الرياض: مطابع جامعة الملك سعود 1990، ص121-138.

(2) Leon G. Schiffman & Leslie Kanuk, Consumer Behavior, Seventh Education, New Jersey:Prentice-Hall 2000, p 200.

(3) G. Schiffman & Kanuk, op, cit , PP. 209-212.

2- الخبرات الشخصية:

تعتبر الخبرات الشخصية من الأمور التي تساعد على تكوين الاتجاهات لدى الأفراد، فنتيجة تعرض الفرد الى حالات ومواقف عملية كثيرة فإنها تولد لديه اتجاهاً معيناً حيال تلك المواقف.

3- العوامل الشخصية:

من المعروف ان هناك فروقا فردية في أمور كثيرة ومنها مدى الإستجابة للقوى المؤثرة في تغيير الاتجاه. ومن العوامل المهمة نوع شخصية الفرد هل هو ذو شخصية تتميز بالتصلب في الرأي أو الالتزام الديني او الرغبة في التعلم. فإذا كانت شخصية الفرد تتميز بالمرونة في الرأي وعدم التصلب فيه فإنه سيكون قادراً على تكوين اتجاهات جديدة .

4- المجتمع والأسرة وجماعات الزمالة:

إن حياة الفرد الأسرية تساعده في تشكيل اتجاهات معينة تجاه مواقف معينة. وتكون هذه الاتجاهات المتكونة لدى أفراد الأسرة متأثرة بالوالدين، وكذلك الأصدقاء وجماعات الزمالة في العمل كلهم يؤثرون في تكوين الاتجاهات من خلال اعتناق الافراد لقيم ومبادئ الجماعة حتى يكونوا مقبولين فيها[1].

5- تتكون الاتجاهات عن طريق غرسها بواسطة **السلطة الأعلى** من الفرد. فالفرد يتعلم عن طريق الخوف من سلطة أعلى أو احتراماً لها-بالرغم من عدم وجود الثوابت المباشرة أو العقاب المباشر كما هو الحال في التعاليم الدينية. كذلك يتعلم الفرد الاتجاهات نحو القوانين التي تضعها الدولة خوفاً من العقاب نتيجة الإخلال بها.

---

(1) حسين حريم، السلوك التنظيمي: سلوك الأفراد في المنظمات، عمان: دار زهران، للنشر والتوزيع، ، 1997، ص 100.

6- **البيئة التي ينتمي إليها الفرد** والمتمثلة بالثقافة والقيم والعادات، فالفرد يتأثر بهذه الأمور وتعمل على خلق اتجاهات معينة لدى الأفراد فيكون الفرد اتجاهات نحو شخصية معينة، ونحو الأفراد المحيطين به.

خصائص الاتجاهات:

تمتاز الاتجاهات بمجموعة من الخصائص والصفات نجملها فيما يلي[1]:

1- تعتبر الاتجاهات متعلمة ومكتسبة وتعكس أحياناً طريقة التنشئة في الاسرة والمدرسة والمجتمع.

2- الاتجاهات مرتبطة بالمشاعر والانفعالات.

3- تمتاز الاتجاهات بالثبات النسبي.

4- تعتبر الاتجاهات قابلة للتغيير وتعتمد درجة التغيير والقابلية على طبيعة الاتجاه من حيث الأهمية والفرد والموقف .

5- تمتاز الاتجاهات بالذاتية فهي تعكس انحياز الفرد (أو الجماعة) الى قيمه وعاداته وما يفضله .

أنواع الاتجاهات:

تنقسم الاتجاهات الى الأنواع التالية:

1- الاتجاهات من حيث الموضوع:

أ- إتجاهات عامة:

وهــي الاتجاهــات التــي تتصــف بالعمومـية حـول شيء مـا ويعـاب علـى صفة العمومية لهذا النوع من الاتجاهات عـدم دقتها أو عـدم صحتها في الحكم علـى

---

(1) بشير الخضرا وأخرون، السلوك التنظيمي الطبعة الأولى: عمان، منشورات جامعة القدس المفتوحة، 1995، ص 64.

الأخرين ويعود السبب في ذلك الى تشويه الحقائق في إصدار الحكم حول موقف أو شخص معين. مثال ذلك: عند القول ان مجتمعا ما يمتاز بالكرم فالافتراض ان كل شخص ينتمي لذلك المجتمع يمتاز بميزة الكرم وهذا غير صحيح.

ب- إتجاهات نوعية:

وهي الاتجاهات التي تكتسب صفة العمومية على الاطلاق وتكون موجهة نحو موضوع محدد او شخص معين، فالفرد يكّون اتجاها محددا حول جزء من المنبه الذي تعرض له دون بقية الاجزاء الأخرى. وتتميز الاتجاهات العامة بالاستقرار والثبات النسبي على عكس الاتجاهات النوعية التي سرعان ما تتلاشى في حالة نشوء اتجاه آخر يتعلق بالاتجاه الأول.

2- الاتجاهات من حيث درجة الشمولية:

أ- إتجاهات جماعية:

وهي تكون على مستوى جميع أفراد المجتمع أو جميع العاملين في المنظمة حول موقف معين وتكون هذه الاتجاهات مهمة لجميع الأفراد. ويتميز مثل هذا النوع من الاتجاهات بالقوة والاستمرارية.

ب- إتجاهات فردية:

وهي الاتجاهات التي تكون صادرة عن شخص واحد بخصوص قضية معينة.

3- الاتجاهات من حيث الهدف:

أ- اتجاهات إيجابية:

وهي الاتجاهات التي تنال الرضى من الفرد بالتمسك بها باعتبار أن هذه الاتجاهات تشبع حاجاته ورغباته.

ب- إتجاهات سلبية:

وهي الاتجاهات التي تنال الرفض من الفرد باعتبارها لا تشبع حاجاته ورغباته.

4- الاتجاهات من حيث الظهور:

أ- إتجاهات سرية:

وهي الاتجاهات التي لا يستطيع الفرد التعبير عنها علانية امام الآخرين وقد يكون مرد ذلك الى الخوف من المسؤولية او من المجتمع .

ب- إتجاهات علنية:

وهي الاتجاهات التي يستطيع الفرد التعبير عنها علانية امام الأخرين وهي اتجاهات لها علاقة بالفرد نفسه وبالمجتمع الذي يعيش فيه.

5- الاتجاهات من حيث الشدة:

أ- إتجاهات قوية:

وهي الاتجاهات التي تكون مستندة على المعتقدات الدينية والعادات والقيم والمبادئ التي يتمسك بها الفرد ويعتز بها.

ب- إتجاهات ضعيفة:

وهي الاتجاهات التي تتمثل في الموقف الضعيف والمتهاون الذي يلجأ اليه الفرد حول موقف معين. ويتصف هذا النوع من الاتجاهات بسهولة تعديله وتغييره.

وظائف الاتجاهات: Functions of Attitudes

يجب إدراك ان للأفراد أفكاراً ومشاعر مختلفة تجاه مواقف معينة وعند تكرار تلك الأفكار والمشاعر عبر سلوك الأفراد فإنهم يكونون إتجاها معينا حول تلك القضايا، حيث تلعب الخبرة دوراً كبيراً في ترسيخ الاتجاهات لدى الأفراد. فالاتجاهات تعمل على خلق حالة من الانتظام في السلوك والثبات في التصرف بما هو موجود لدى الأفراد من اتجاهات حول مختلف المواقف.

وتؤدي الاتجاهات مجموعة من الوظائف متعلقة بالمنظمة والفرد كما يلي[1]:

1- تساعد في عملية التنبؤ بالسلوك: Forecasting Behavior

إن الهدف من وراء دراسة الاتجاهات هو تحديد طبيعة ونوعية الاتجاهات المكنونة لدى الأفراد العاملين، هل هي اتجاهات إيجابية أم سلبية نحو قضية معينة تريد الإدارة العليا اتخاذ قرار بشأنها؟ وعلى ضوء ذلك تقوم باتخاذ الإجراءات اللازمة حتى تضمن قبول الأفراد لذلك القرار وتتجنب المعارضة.

2- المعرفة: Knowledge Function

تعمل الاتجاهات على توسيع التفكير والمعرفة لدى الفرد من خلال البحث عن المعارف والمعلومات وبالتالي تساعده هذه المعرفة في اتخاذ موقف ما سواء كان هذا الموقف إيجابيا أم سلبيا.

3- الدفاع عن الذات: Ego-Defensive Function

يواجه الأفراد ضغوطا وصراعات في حياتهم وقد تعود هذه الضغوط والصراعات لعوامل بيئية داخلية او خارجية. وفي مواجهة هذه الضغوط يقوم الأفراد بالاحتفاظ بإتجاهاتهم من أجل استخدامها في الدفاع عن ذاتهم وبالتالي

---

(1) كامل المغربي، السلوك التنظيمي، مفاهيم وأسس سلوك الفرد والجماعة في التنظيم الطبعة الثانية ،عمان: دار الفكر للنشر والتوزيع -1995، ص 142-145.

تخفيف حدة التوتر والقلق المتولد لديهم. فالأفراد الذين يكون لهم اتجاهات معينة حيال مواقف معينة فإنهم يكونون قادرين على الدفاع عن ذاتهم مما ينعكس على تخفيض التوتر والقلق لديهم. بينما الافراد الذين لا يكون لديهم اتجاهات معينة فهم سيكونون غير قادرين على الدفاع عن ذاتهم.

4- التعبير عن الثقافة و القيم: Value-Expressive Function

من المعروف أن الأفراد يحتفظون باتجاهاتهم التي تتوافق وتنسجم مع قيمهم وعاداتهم المنبثقة من البيئة الاجتماعية التي يعيشون فيها. فالأفراد يترجمون ثقافاتهم وقيمهم من خلال اتجاهاتهم. فمن الصعوبة بمكان وجود شخص يتمسك باتجاهات تتنافى او تتعارض مع قيمة وعاداته، فاتجاهاتنا تجاه مواقف معينة تعبر عن قيمنا ومعتقداتنا تجاه تلك المواقف.

5- التكيف: Adaptation Function

تعتبر الاتجاهات احدى الوسائل والطرق التي تساعد الفرد في التكيف مع المحيط البيئي الذي يعيش فيه. فالفرد الذي يعمل مع الجماعة سيكيف نفسه مع اتجاهات تلك الجماعة حتى يتمكن من تحقيق أهداف المنظمة وأهدافه كذلك. والفرد الذي يبحث عن القبول الاجتماعي في مجتمع ما لا بد له من ان يكيف نفسه مع اتجاهات ذلك المجتمع من أجل تحقيق التجانس والتوافق بينه وبين المجتمع الذي يعيش فيه.

5- إشباع الحاجات والرغبات: Need-Satisfaction Function

تساعد الاتجاهات الفرد على إشباعه حاجاته ورغباته المتعددة والمتجددة. فالأفراد يسعون الى تحقيق حاجاتهم الاجتماعية وحاجات الانتماء والتقدير، فإذا ما قاموا بعملية التكيف مع اتجاهات المجتمع السائدة فإنهم لن يشبعوا حاجاتهم ورغباتهم.

تغيير الاتجاهات وتعديلها [1]:

ان عملية تغيير الاتجاهات وتعديلها لا تعتبر عملية سهلة، بل تعتبر من العمليات الحساسة والدقيقة والمعقدة لأنها مرتبطة ومتصلة بشكل كبير في نفسية الفرد العامل. ومن المعروف ان الأفراد قبل دخولهم للمنظمة يكون لديهم اتجاهات كثيرة ومتنوعة تجاه العديد من المواقف التي هي من ضمن محيطهم البيئي، حيث يكون لديهم انماط سلوكية وتصرفات متعددة ومختلفة. وهذه الأنماط السلوكية المختلفة والمتنوعة لا تتوافق مع بيئة المنظمة التي سوف يعملون بها. ان لكل منظمة فلسفتها وثقافتها الخاصة بها وهي مختلفة عن ثقافة المنظمات الأخرى، ومن أجل ذلك يتعين على المنظمات القيام بالتعرف على طبيعة الاتجاهات الموجودة لدى العاملين لديهم خاصة الأفراد العاملين الجدد، وبعدها القيام بتعديلها او تغييرها بما يتوافق مع فلسفة المنظمة وأهدافها.

يتضح من ذلك ضرورة وأهمية تعديل او تغيير الاتجاهات لدى الأفراد العاملين بما يتناسب مع أهداف وسياسة المنظمة فإذا ما أرادت المنظمة على سبيل المثال اتخاذ قرار معين كتغيير او تعديل الهيكل التنظيمي فانها ستواجه مقاومة الافراد اذا ما كانت اتجاهات العاملين فيها متوافقة مع فلسفتها واهدافها.

منهجية تغيير الاتجاهات:

ان عملية تغيير او تعديل الاتجاهات لا تتم بصورة عشوائية وإنما يجب ان تتم وفق منهجية وآلية سليمة حتى تكون عملية وذلك باتباع الخطوات التالية:

1. تحديد وحصر الاتجاهات التي نرغب في تغييرها أو تعديلها.

2. تحديد وحصر الاتجاهات المرغوبة التي نريد تكوينها.

---

(1) عبد المعطي محمد عساف، السلوك الإداري (التنظيمي) في المنظمات المعاصرة، 1994 ص(117- 121).

3. تحديد الاختلافات الكمية والنوعية بين الاتجاهات القديمة وبين الاتجاهات التي نرغب في تكوينها وهذا الاختلاف يسمى (الفجوة السلوكية).

معوقات تغيير الاتجاهات:

ان عملية تغيير او تعديل الاتجاهات كما أسلفنا تنطوي على صعوبات ومعوقات حقيقية وهنا تقع على عاتق خبراء التغيير مواجهة هذه الصعوبات وتذليلها بشكل يسهل عملية التغيير. فالاتجاهات تتولد لدى الأفراد من خلال المشاعر والأفكار تجاه مواقف معينة. ونتيجة للتكرار والخبرة في الحياة العملية يصبح هناك سلوك منتظم الى حد ما تجاه مواقف معينة وهذا السلوك يرسخ في الفرد، وبالتالي توجد صعوبة في تغييره لأن هذا السلوك (الاتجاه) ليس وليد الساعة أي الاتجاه وإنما جاء عبر مراحل وعمليات ومن خلال الخبرة والتكرار. فالصعوبة تكمن في التعرف على هذه الاتجاهات ومعرفة مكوناتها التي أدت الى تكونها وهذا عمل صعب ومعقد ويحتاج الى وقت طويل من قبل المختصين في عملية التغيير. وأيضاً تعتبر عملية التغيير عملية بطيئة لأنها تتعامل مع مكونات وعناصر معرفية وانفعالية غير ملموسة ولا نستطيع تحديدها بصورة مباشرة . وبالتالي فإن مدى القابلية للتغيير والاستجابة له تعتمد على مجموعة من العوامل الهامة وهي:

1- طبيعة ونوعية الاتجاهات الموجودة لدى الأفراد العاملين، هل هي اتجاهات متطرفة أم غير متطرفة، فعندما تكون متطرفة فإن خبراء التغيير يواجهون صعوبة في تغييرها بشكل اكبر مما لو كانت غير متطرفة .

2- طبيعة المعرفة والانفعالات التي تسند اليها الاتجاهات، فإذا كانت الاتجاهات مبنية على صور معرفية وثقافية معقدة فإن عملية التغيير ستكون بالغة الصعوبة أكثر مما لو كانت الاتجاهات مبنية على صور معرفية وثقافية بسيطة .

3- طبيعة العلاقة ما بين الاتجاهات ومصالح الأفراد، فكلما كانت العلاقة قوية وعميقة فإن هذا سيؤدي الى صعوبة عملية التغيير والعكس صحيح.

4- مدى قوة الجماعات المرجعية التي ينتسب اليها الأفراد، فكلما كان هناك قوة لهذه الجماعات المرجعية فإن عملية التغيير ستكون صعبة.

5- الاتجاهات التي نرغب في التحول اليها هل تتناقض مع اتجاهات الفرد الحالية. فكلما كان هناك انخفاض في درجة التناقض، فإن عملية التغيير ستكون سهلة.

6- تعتمد عملية تغيير الاتجاهات على الطبيعة النفسية والشخصية للأفراد ومدى مرونتهم. فإذا كان الفرد يتمتع بمرونة وبمقدرة إستيعابية عالية للمهارات ولديه القدرة لمقاومة الضغوط النفسية وغيرها فإن عملية الاستجابة للتغير ستكون سهلة .

7- وأخيراً تعتمد عملية التغيير على خبراء التغيير ومدى مقدرتهم على تحديد ماذا يريدون وتحديدهم للأسباب الإتصالية. فإذا كان خبراء التغيير يتصفون بتلك الصفات فإن عملية التغيير ستكون سهلة.

تهدف عملية تغيير الاتجاهات للأفراد الى تغيير اتجاه معين نحو موقف ما، والعمل على تعزيز الاتجاهات المرغوب فيها وإزالة أي اتجاه او موقف غير مرغوب فيه.

وفيما يلي عرض الى اهم الأساليب والطرق الممكن استعمالها من أجل تغيير الاتجاهات وهي:

1- القيام بعملية تخطيط وتنظيم البرامج التدريبية الهادفة الى تغيير اتجاهات الأفراد العاملين حيال مواضيع معينة.

2- القيام بعمليات اتصال بشكل مخطط ومنظم سواء كانت هذه الاتصالات فردية او جماعية، شفوية أو مكتوبة .. وغيرها من طرق الاتصال.

3- القيام بصياغة استراتيجية ترويجية مناسبة بحيث تقوم على منهج واضح للاتجاهات الحالية ولأهداف التغيير.

4- القيام بعملية تغيير في عناصر البيئة الثقافية المحيطة بالاشخاص المعنيين بشكل مخطط بحيث تؤدي الى إثارة قدرتهم الحسية.

قياس الاتجاهات:

اهتم العلماء والباحثون في مجال السلوك الانساني بالتعرف على الاتجاهات لدى الأفراد، وذلك من خلال عملية قياسها باستخدام مقاييس مختلفة مثل المقابلات الشخصية والاستبيان وغيرها. تعتبر الاستبانة من أشهر المقاييس المستخدمة في مجال البحوث، حيث يقوم الباحث بتوجيه اسئلة لها علاقة بالميول والاتجاهات التي يتمسك الناس بها حول ظاهرة معينة ويقوم بتوزيعها ومن ثم يقوم بعملية جمعها وتبويبها وتحليلها للحصول على النتائج. ومن الأمثلة على مقاييس الاتجاهات المستخدمة ما يلي[1]:

أولا : مقياس بوجاردس للمسافة الاجتماعية:

والهدف منه التعرف على مدى تقبل الامريكيين او نفورهم من أهل الشعوب والأمم الأخرى، حيث قدم البحث بعض العبارات وعددها سبع، تمثل استجابات متدرجة من أقصىـ درجات القبول الاجتماعي الى اقصى درجات عدم القبول والعبارات هي:

1- أقبل الزواج منهم.

2- أقبل انضمام أحدهم الى النادي الذي انتمي اليه ليكون صديقي.

3- أقبله ليكون جاراً لي في مسكني.

4- أقبله ليمارس مهنتي في وطني.

---

(1) ناصر العديلي، مرجع سابق، ص 135.

5- أقبله مواطناً في بلدي.

6- أقبله زائراً لوطني.

7- اقبل استبعاده من وطني.

كانت عينة الدراسة حوالي 1725 أمريكياً، طلب منهم ان يحددوا اتجاهاتهم نحو عدد من ابناء الشعوب الأخرى.

ثانياً : مقياس ليكرت :

يعتبر مقياس ليكرت من أكثر المقاييس استخداماً في قياس الاتجاهات ويحتوي على عدد من العبارات التي لها علاقة باتجاهات الأفراد حول ما يتعرضون له من مواقف. ويشتمل الوزن لكل عبارة على خمس درجات تتراوح بين (موافق بشدة. وموافق، لا رأي، غير موافق، غير موافق بشدة). ويكون للشخص الحرية في التعبير عن رأيه باختيار الدرجة التي تتفق مع اتجاهه. وبعد ذلك يقوم الباحث باعطاء درجات للاجابات تتراوح بين مثلاً (5) موافق بشدة ، (1) غير موافق بشدة. وبعد ذلك يتم القيام بالعمليات الحسابية والاحصائية للوصول الى النتائج.

مثال:

هل انت من المؤيدين لقيام وحدة عربية شاملة.

موافق جداً	موافق	لا رأي	غير موافق	غير موافق جداً
5	4	3	2	1

ثالثاً: مقياس ترستون[1]:

يعتمد هذا المقياس على عدد من العبارات التي يصممها الباحث لقياس اتجاه الأفراد حول موضوع معين. ويتكون من مجموعة من العبارات تتراوح بين مؤيد للغاية الى عدم مؤيد للغاية. وتتخلص خطوات هذا المقياس بما يلي:

1- يصيغ الباحث مجموعة من العبارات ذات العلاقة بالاتجاه المراد قياسه ويجب مراعاة السهولة والوضوح في الجمل.

2- يتأكد الباحث من مدى مصداقية الإستبانة وذلك باستشارة عدد من المختصين في هذا المجال (موضوع الاتجاه المراد دراسته).

3- إعطاء وزن لكل عبارة من العبارات الواردة في المقياس والتي على أساسها يوضع درجة أهمية كل عبارة في الاستبيان.

الاتجاهات كنظام فرعي:

يتكون نظام الاتجاهات المفتوح من الجوانب التالية[2]:

1- **المدخلات:**

تتكون هذه المدخلات من فرعين أساسيين وهما:

أ- إتجاهات وقيم ومعتقدات تتعلق بأمور اجتماعية ودينية وحضارية، حيث تنتقل الى النظام السلوكي من الجماعات الأولية التي ينتمي اليها الفرد كالعائلة والزملاء.

---

(1) سعود النمر، مرجع سباق، ص 137-138.

(2) علي السلمي، السلوك التنظيمي، إدارة السلوك الإنساني، الطبعة الأولى، القاهرة: دار غريب للطباعة والنشر والتوزيع، 1997، ص 155-157.

ب-   مدخلات تمثل المعلومات الاجتماعية والتنظيمية والحضارية التي تعكس المواقف المتجددة والمتكررة
.

2- عمليات نظام الاتجاهات:

وتشتمل هذه العمليات على ما يلي:

أ-   القيام بعملية مقارنة بين المدخلات مـن ناحيـة وبـين الـدوافع والخـبرات والمـدركات السـابقة مـن
ناحية أخرى .

ب-   عملية تحليل لاحتمالات تحقق الفائدة او الضرـر ومـدى مـا يتطلبه ذلك مـن تغيـيرات في أنمـاط
سلوك الفرد.

ج-   يتم تكوين الاتجاهات المؤيدة عندما يصل نظام الاتجاهات الى قناعة بأن موضوعات معينـة تمثل
مصدراً للمعاونة.

3- المخرجات:

وتشتمل على ما يلي:

أ- اتجاهات مؤيدة.

ب- اتجاهات معارضة.

ج- اتجاهات محايدة.

وهذه المجموعات من الاتجاهات – كما يقول علي السلمي – "تمثل أنماطا للسلوك الباطن.. كما
يخرج من النظام مجموعة من الآراء وهي اتجاهات معلنة يتم التعبير عنهـا بوسيلة مـن وسائل التعبـير
المتاحة للنظام السلوكي، وهذه الآراء تمثل سلوكا ظاهرا".

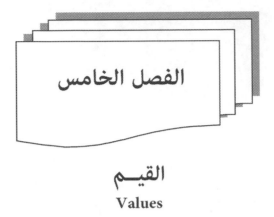

الفصل الخامس

القيــم
Values

- مفهوم القيم
- خصائص القيم
- أهمية القيم
- تكوين القيم
- تصنيف القيم
- مصادر القيم
- تغيير القيم
- مقاييس القيم
- القيم والأنماط السلوكية
- القيم وأخلاقيات العمل

مفهوم القيم [1]:

من الصعوبة بمكان القول أن هناك تعريفاً موحداً ومقبولاً لمفهوم القيم وذلك لارتباطها بالأفراد. فالأفراد مختلفون في أمور كثيرة كالإدراك والشخصية والإتجاهات والقيم. يقع الأفراد أحياناً في خلط مفاهيمي بين مفهوم القيم والاتجاهات، وهناك من يدمج بين المفهومين ويمتنع عن التفريق بينهما. يقول علي السلمي: " إنه ليس هناك أي فائدة عملية من الفصل والتمييز بين المفهومين لأنها جميعاً عبارة عن وجهات نظر شخصية يكونها الإنسان بناءً على تقييمه للأمور ".

وهناك وجهة نظر اخرى تقوم على الربط بين مفهوم القيم ومفهوم الاتجاهات. وأن ظهور القيم ناتج عن عملية التفاعل والتداخل بين الاتجاهات ويقول إيزنيك: إن ترسيخ الاتجاهات وتفاعلها وخضوعها لعمليات الانتقاء والتعميم يؤدي في النهاية الى نتيجة عامة متوافقة ومنسجمة تتحول الى قيم ويتم ذلك وفق الميكانيكية التالية :

أراء معتادة ← (تفاعل وتناسق) اتجاهات ← (تفاعل وانتقاء وتعميم) قيم

بينما يرى العالم Rokeach ضرورة الاعتراف بوجود فروق جوهرية بين الاتجاهات والقيم. فالقيم تمثل معياراً للسلوك بينما الاتجاهات لا تعتبر كذلك. كما أن القيم لا ترتبط بهدف او موقف معين على عكس الاتجاهات التي ترتبط بشكل وثيق بهدف أو موقف معين. كذلك القيم الإنسانية يمكن تحديدها وحصرها بينما الاتجاهات لا يمكن تحديدها بأي حال من الأحوال وذلك لكثرتها حول الظواهر

---

(1) عبد المعطي محمد عساف، السلوك الاداري والتنظيمي في المنظمات المعاصرة، 1994، ص 122-123.

المختلفة. ونجد للقيم أيضاً وضعاً متميزاً وحساساً في شخصية الفرد حيث إن لها المقدرة (القيم) في التأثير على الاتجاهات في ترسيخها وتعميقها أو تغييرها وتعديلها بالاتجاه المطلوب، بينما الاتجاهات لا تحتل هذه المكانة في شخصية الفرد من حيث الوضع والتميز والحساسية.

تعرف القيم بأنها المعتقدات التي يعتقد أصحابها بقيمتها ويلتزمون بمضامينها[1]. كذلك تعرف بأنها اعتقاد - ضمني أو صريح - تعبر عما يعتقده فرد او جماعة معينة بأنه المسلك المفضل، ويؤثر في اختيارهم لطرق وأساليب، وغايات التصرف[2]. وتعرف أيضاً بأنها المعاني التي يعطيها الفرد أهمية كبرى او تقديراً كبيراً في حياته وسلوكه من المغامرة والعدل والشجاعة وغيرها من الصفات[3].

خصائص القيم:

هناك عدة خصائص تتميز بها القيم [4]:

1. إنها إنسانية لا يمكن قياسها كالموجودات.
2. إنها صعبة الدراسة دراسة علمية بسبب تعقيدها.
3. إنها نسبية، أي تختلف من شخص لآخر بالنسبة لحاجاته ورغباته وتربيته وظروفه، ومن زمن إلى زمن، ومن مكان لآخر، ومن ثقافة لأخرى.

---

(1) محمد قاسم القريوتي، السلوك التنظيمي (دراسة للسلوك الإنساني الفردي والجماعي في المنظمات الادارية)، الطبعة الأولى، عمان: مكتب دار الشروق، 1989، ص87.

(2) رفاعي محمد رفاعي، السلوك التنظيمي القاهرة: المطبعة الكمالية، 1988، ص 73-79 .

(3) بشير الخضرا وأخرون، السلوك التنظيمي، الطبعة الأولى، منشورات جامعة القدس المفتوحة، ، 1995، ص61.

(4) فوزية ديات، القيم والعادات الاجتماعية، بيروت: دار النهضة العربية للطباعة والنشر، 1990، ص 24-30.

4. تترتب فيما بينها ترتيباً هرمياً، فتهيمن بعض القيم على غيرها أو تخضع لها.

5. تؤثر القيم في الاتجاهات والآراء والأنماط السلوكية بين الأفراد.

6. مألوفة ومعروفة لدى أفراد المجتمع ومرغوبة اجتماعياً لأنها تشبع حاجات الناس.

7. إنها ملزمة وآمره لأنها تعاقب وتثيب، كما أنها تحرم وتفرض.

أهمية القيم:

تعتبر القيم أحد الجوانب الهامة في دراسة السلوك التنظيمي ويعود السبب في ذلك إلى أنها تشكل أساساً لفهم الاتجاهات والدوافع، وتؤثر على إدراكاتنا، وكذلك ينظر إلى القيم كقوة محركة ومنظمة للسلوك. وتعتبر القيم كمعيار يلجأ اليه الأفراد أثناء إجراء مقارنات بين مجموعة من البدائل السلوكية وكعامل موحد للثقافة العامة، وأيضاً تعتبر كمحدد للأهداف والسياسات بحيث يجب أن تكون هذه الأهداف متوافقة ومنسجمة مع القيم. كذلك تبرز القيم الاختلافات الحضارية بين المجتمعات المتنوعة وهذا يؤثر على السلوك التنظيمي بشكل واضح، فقيم المجتمعات تتنوع من حيث الإخلاص والأمانة واحترام الوقت والجدية وطاعة أوامر المسؤولين، وبالتالي فإن من الضروري معرفة وفهم القيم السائدة في أي مجتمع وذلك لفهم السلوك التنظيمي المتوقع من الأفراد[1] .

وفي مجال السلوك، تلعب القيم دوراً هاماً في خلق وتكوين اتجاهات الفرد، حيث تعتبر القيم هي المعايير التي يلجأ إليها الفرد في تقييمه للأشياء. ويشير العالم McMurry إلى أثر القيم في السلوك بالقول: "إن القيم تقوم بتحديد ما يعتقده الفرد صحيحاً وأخلاقياً". وتعمل القيم كمعايير يستخدمها الفرد من أجل إرشاده في سلوكه

---

(1) Stephen , P. Robbbins , Organizational Behavior Concepts, Controversies, Applications, Eighth edition, New Jersey: Prentice-Hall 1998, P 133.

اليومي. وهذه المعايير أو المبادئ التي توفرها لنا القيم يمكن الاحتكام إليها في تقويم سلوكيات الفرد المختلفة، كذلك تلعب القيم دوراً في تحديد نوعية الأفراد الذين يمكن أن يتوافق الفرد معهم.

في الحقيقة هناك مجموعة من القيم يجب على الأفراد العاملين الاتصاف بها وهي قيم اجتماعية تشمل الأمانة والأخلاق والشعور بالمسؤولية تجاه الآخرين، وقيم تنظيمية تشمل الولاء والانتماء والكفاءة والفعالية، وقيم مهنية تشمل المهارة والتعاون، وقيم شخصية مثل الخدمة والمساندة.

تكوين القيم[1]:

تعتبر قيم الأفراد متصلة بشكل قوي ومنسجمة مع الطبيعة البيولوجية والنفسية والاجتماعية. والقيم الموجودة هي مزيج من دافعين : الأول غريزي والثاني مكتسب. وقيم الأفراد متصلة بحاجاتهم وإشباع هذه الحاجات. ويؤكد مندل وجوردان ان قوة القيمة لدى الانسان ومدى تعرضها للتغيير يتصلان بعلاقة الفرد بعائلته وثقافته الموروثة، حيث يوجد عدد من القواعد تشرح هذه العلاقات وهي:

1- القيم باقية وبشكل خاص في حالة تناسقها تاريخياً وأسرياً وجماعياً وثقافياً.

2- عندما يكون الفرد متصلاً عاطفياً بموضوع ما، فإنه سيكون من الصعب اقناعه بتغيير قيمه.

3- الأفراد الذين يعيشون في منطقة معينة وخلال فترة زمنية معينة تكون قيمهم متشابهة.

4- الاختلاف في القيم يعود الى اختلاف الفئة الاجتماعية والروابط العرقية.

---

(1) ناصر العديلي، السلوك الانساني والتنظيمي، معهد الادارة العامة، الرياض، 1995، ص 130.

5- يسعى الفرد الى تحقيق الانسجام والتناسق ما بين قيمه وقيم الجماعة التي ينتمي اليها.

6- تكون القيم متشابهة الى حد كبير عندما تكون عناصر البيئة الاجتماعية اكثر انسجاماً.

7- قد تتعارض القيم مع السلوك عندما يتصل الوضع بالاخلاق.

8- تتغير القيم الشخصية نتيجة لتجارب عاطفية مهمة.

تصنيف القيم: Classification of Values

قسم "جوردن والبورت وفيليب فرنون" القيم الى ست قيم أساسية كما يلي[1]:

1-القيم الاقتصادية Economic Values ويقصد بها النفعية والنظرة الشخصية المادية، فعلاقات الأفراد مع بعضهم البعض هدفها المصلحة و الحصول على المادة وبقدر ما يتحقق من منفعة تكون العلاقة قوية فيما بينهم.

2-القيم السياسية Political Values أساس هذه القيم هو القوة، فالقيم السياسية تعكس شخصية الفرد الذي يسعى الى السيطرة والتحكم في الأمور بحيث يكون قادراً على التأثير في الآخرين وبالتالي يكون قادراً على قيادتهم وتوجيهم.

3-القيم الاجتماعية Social Values ويقصد بها التفاعل الاجتماعي والتودد للآخرين والمقدرة على إقامة علاقات اجتماعية مع مختلف الأفراد ومشاركة الآخرين في مشاعرهم ومسئولياتهم ومناسباتهم.

4-القيم الدينية Religious Values وهي أرفع القيم وأعلاها تعكس إيمان الفرد بديانه معينة. وتتمثل في تطبيق تعليمات تلك الديانة واتباع أوامرها وتجنب نواهيها.

---

(1) محمد شفيق، العلوم السلوكية، تطبيقات في السلوك الاجتماعي والشخصية ومهارات التعامل والإدارة، الإسكندرية: المكتب الجامعي الحديث ، 1999، ص 209- 210.

5-القيم الفكريه (النظرية) Cognitive Values وتشير هذه القيم الى القدرة على التحليـل والاستفسـار والرغبة في معرفة الأسرار والسعي لإكتشاف الحقيقة.

6-القيم الجمالية Aesthetic Values وتعني الحس والتذوق الجمالي والقدرة على التعامـل مـع الآخرين بأسلوب معقول ومقبول.

مصادر القيم: Sources of Values

القيم الموجودة لدى الأفراد لم تأت من فراغ وإنما لها مصادر أساسية وتتمثل بالتالي[1]:

1- التعاليم الدينية

يمثل الدين المصدر الرئيسي لقيم كثيرة، ومن الأمثلـة عـلى القيم التي تتصل بالعمل في الـدين الاسلامي، الحديث الشريف الذي يحث على إتقان العمل. قال رسول الله عليه الصلاة والسلام: " إن الله يحب إذا عمل أحدكم عملاً أن يتقنه "، وكذلك حث الرسول الكريم على عـدم الغش بقولـه ، "من غـش فليس منا".

وهناك أحاديث كثيرة تهدف الى زرع القيم الحميدة في الأفراد، ومنها قول الرسول عليه السلام: "اعطوا الأجير أجره قبل أن يجف عرقه "، فحثنا الرسول الكريم على اعطاء اجر العامـل دون تـأخير وهـذه تعتبر قيمة عظيمة للأفراد.

2- التنشئة الاجتماعية

يكتسب الفرد قيمه بشكل رئيسي- مـن قبـل أفـراد العائلـة. وتشـير نظريـة أريكسـون لمراحـل النمـو النفسي- والاجتماعي إلى العلاقـة الوثيقة بـين الفـرد وأسرتـه وتبدأ مع الأم ثم تتسع دائرة النمو الاجتماعي للطفل لتشمل الأب والأخـوة والجيران

---

(1) محمد قاسم القريوتي، مرجع سابق، ص 112-113.

وزملاء اللعب[1]. فالافراد يكتسبون قيمهم خلال تعايشهم بين أفراد الأسرة، وخلال المراحل الدراسية المختلفة ومن خلال اتصالهم بأفراد المجتمع الذي يعيشون فيه. وقد نجد أفراداً يفضلون العيش منعزلين عن المجتمع والعكس صحيح.

3- الخبرة السابقة

تعتبر خبرة الشخص مهمة وتظهر في الأوزان والقيم التي يعطيها للأشياء فالسجين الذي لم يذق طعم الحرية يفترض أن يقدر قيمة الحرية لأنه عانى من كبت وإهدار لحريته، والشخص الأمي الذي لم يتعلم يعطي قيمة كبيرة للتعليم بسبب حرمانه منه.

4- الجماعة التي ينتمي إليها الفرد

إن انتماء الفرد الى جماعة معينة يعتبر مصدراً أخر للقيم. فالفرد قد يغير من قيمه بسبب تأثير ضغوط الجماعة عليه، فنجد أحياناً أشخاصا نشأوا نشأة دينية ونتيجة دخولهم في جماعة غير دينية فإن قيمهم الدينية ستتغير، حيث تصبح قيمهم متناسقة مع قيم الجماعة الجديدة.

تغيير القيم [2]:

تحدد القيم السلوك الايجابي او السلبي، لذلك لا بد للمنظمات من الاهتمام بطبيعة القيم الموجودة لدى الأفراد العاملين، والتعرف عليها حتى لا يكون هناك تعارض ما بين الأفراد انفسهم من جهة وبين الأفراد والمنظمة من جهة أخرى. فالمنظمات تعمل جاهدة على إيجاد قيم إيجابية مشتركة بين مختلف العاملين، فكلما كان هناك توافق وانسجام بين قيم الأفراد فإن هذا من شأنه أن يؤدي الى النجاح في تحقيق أهداف المنظمة والعكس صحيح.

---

(1)   محمد عبد النبي، اخلاقيات المهنة، الطبعة الأولى، عمان: مكتبة الرسالة الحديثة، 1986، ص 32.

(2)   محمد قاسم القريوتي، مرجع سابق، ص90.

يعتبر التطوير التنظيمي أحد الأسس الأساسية التي يتم من خلالها تغيير القيم السلبية للأفراد، التي تعرقل عمل المنظمة وتعمل على خلق صراعات، الى قيم ايجابية من شأنها توفير جو من الثقة والاطمئنان بين الأفراد العاملين وتعمل على تشجيع التعاون بينهم.

أما بشأن مقارنة القيم بالاتجاهات من حيث التغيير فنجد أن القيم تمتاز بثبات نسبي بشكل أكبر من الاتجاهات، فالقيم لا تتغير بالسرعة التي تتغير فيها الاتجاهات ويعود السبب في ذلك إلى أن القيم عبارة عن قناعات راسخة في أغلب الأحيان.

مقاييس القيم:

يوجد مقياسان للقيم هما:

أولاً: اختبار دراسة القيم [1]

أعده الباحثان جوردن البورت و فيليب فرنون ويستند الى إطار نظري وضعه سبرانجر ويقيس ستة أنماط من القيم، وهي النمط النظري، النمط الاقتصادي، النمط الجمالي، النمط الاجتماعي والنمط السياسي وأخيراً النمط الديني. ويهدف اختبار القيم الى بيان إلى أي مدى يميل الشخص الى قيمة أو أكثر من هذه القيم، فالأفراد مختلفون في درجة انجذابهم الى احدى هذه القيم.

مثال:

قد نجد شخصا تتركز معظم قيمه في الجانب الديني وبالتالي تغلب القيمة الدينية على سلوكه. وقد نجد شخصا آخر تتركز معظم قيمه في الجانب السياسي

(1) جابر عبد الحميد جابر، مدخل لدراسة السلوك الإنساني الطبعة الثالثة، ، القاهرة: دار النهضة العربية،1983، ص 208-205.

وبالتالي تغلب القيمة السياسية على سلوكه. بينما يجمع شخص ثالث اكثر من قيمة.

ويتخذ الاختبار في قياس تفضيل الشخص لنمط من القيم على الأنماط الأخرى، طريقة الاختيار الجبري فيزود الشخص بعبارتين أو اكثر ليختار العبارة التي يفضلها. ويتكون الاختبار من 30 عبارة في القسم الأول، و 15 عبارة في القسم الثاني. ويزاوج بين كل قيمة والقيم الخمس الأخرى عدداً متساوياً من المرات، ويتراوح ثبات الاختبار بين 0.39، 0.75 ويميز الاختبار بين أصحاب المهن المختلفة. ويعتبر هذا الاختبار أداة لقياس القيم الهامة التي تؤثر في سلوك الانسان مثل القيم الاقتصادية والسياسية والجمالية والدينية والاجتماعية، ويفيد هذا الاختيار في الإرشاد النفسي وفي التوجيه التربوي والمهني[1].

ويطلب من المفحوص أن يوضح ماذا يفعل في عبارات مثل:

- هل تفضل إذا اتيحت لك الفرصة أن تكون من أصحاب البنوك ؟
- عندما تزور إحدى المساجد هل تجد أن تأثرك بالرهبة والخشوع والناحية الدينية اكثر من تأثرك بجمال الفن والعمارة؟

ثانياً: مقياس القيم الفارق[2]

أعده العالم برنس (R. Prince) ويتألف المقياس من 64 زوجاً من العبارات تدور حول اشياء قد يرى الفرد أن من الواجب عملها او الشعور بها او من غير الواجب عملها او الشعور بها، يتألف كل زوج من الأزواج الأربع والستين من عبارتين يختار المجيب واحدة منهما، إحداهما تمثل قيمة اصلية (تقليدية)

---

(1) عبد الرحمن محمد العيسوي، تصميم البحوث الفنية والاجتماعية والتربوية: دراسات في السلوك الإنساني، الطبعة الأولى، الاسكندرية: دار الرقب الجامعية، 1999، ص 280-281.

(2) جابر عبد الحمدي جابر، مقياس القيم الفارق، القاهرة: دار النهضة العربية، 1968.

والأخرى تمثل قيمة منبثقة (عصريه)، ويتحدد اتجاه المستجيب وغلبة القيم المنبثقة او الأصلية عليه باختياره أربعا وستين عبارة تمثل كل منها قيمة من بين 128 عبارة. وفيما يلي امثلة على عبارات المقياس:

قيم أصلية (تقليدية)	قيم منبثقة
2ب- ينبغي أن اعمل الأشياء الخارجة عن المألوف	2أ- ينبغي أن اعمل الأشياء التي يعملها معظم الناس
5 أ- ينبغي أن أحرز مركزاً أعلى مما أحرزه أبي	5ب- ينبغي أن استمتع بمسرات الحياة اكثر من ابي
7ب- ينبغي أن اشعر أن تَحَمُلْ الألم والمعاناة أمر هام بالنسبة لي في المستقبل	7أ- ينبغي أن اشعر أن السعادة أهم شيء في الحياة بالنسبة لي

ويضم المقياس فروعاً أربعة :

1- أخلاقيات النجاح في العمل (قيمة أصلية) ويقابلها قيمة الاستمتاع بالصحبة والأصدقاء (قيمة منبثقة او عصرية).

2- الاهتمام بالمستقبل (قيمة اصلية) مقابل الاستمتاع بالحاضر.

3- إستقلال الذات (قيمة اصلية) مقابل مسايرة الآخرين.

4- التشدد في الخلق والدين (قيمة أصلية) مقابل النسبية في هذه المسائل.

وثبات الاختبار معقول بنسبة جيدة إذ يبلغ 0.89(بطريقة تطبيق الاختبار وإعادة تطبيقه) ولقد أثبتت بعض الدراسات ما يدل على صدقه. أشارت الدراسات إلى أن دور مختلف القيم يؤثر في أنواع متباينة ومتفاوته من الإنجازات ويساعد على اختيار الاصدقاء، حيث تميل شخصية الأزواج والأصدقاء إلى التماثل. وكذلك

تبين أن القيم تعتبر محدداً مهماً للإدراك، وتشير نتائج الدراسات إلى أن القيم تمثل جانبا محوريا وأساسيا من الشخصية[1].

القيم والأنماط السلوكية:

تشكل غالبية الجماعات مجموعة من القواعد او الأنماط السلوكية التي تحكم بها سلوك اعضائها، وتمثل الاطارات المرشدة لما هو مقبول وما هو غير مقبول. وتعتمد القواعد او الأنماط السلوكية على القيم. فقيم المجتمع تؤثر بشكل كبير في إظهار مجموعة القواعد وتشكيلها بطريقة متوافقة ومنسجمة مع تلك القيم. فإذا ما كان المجتمع يعطي أهمية لعناصر الملكية المادية بشكل اكثر من تقييمه للحياة الإنسانية للشخص، فإن قواعد وأنماط هذا المجتمع ستعكس مثل هذه القيمة. ويمكن تقسيم القواعد السلوكية إلى قواعد عامة أو شعبية، قواعد راسخة أو حضارية ومحظورات أو محرمات، حيث توجد علاقة وثيقة بين القيم والقواعد أو الأنماط السلوكية تتلخص في أن هذه القواعد أو الأنماط السلوكية تعتبر مرشدة للسلوك ناتجة عن الاتفاق في العمل الاجتماعي، ويشير هذا الاتفاق إلى مشاعر الجماعة تجاه ما هو مرغوب فيه أو العكس[2].

---

(1) ميخائيل أسعد، السيكولوجيا المعاصرة، ، الطبعة الأولى،بيروت: دار الجيل، 1996، ص160.
(2) إبراهيم الغمري، السلوك الإنساني والإدارة الحديثة، الإسكندرية: دار الجامعات المصرية، 1986، ص 141-144 .

القيم وأخلاقيات العمل:

توجد علاقة وطيدة بين دراسة القيم السائدة في المنظمة وأخلاقيات العمل فيها. وهناك بعض القيم التي يفضل وجودها لدى الأفراد العاملين مثل قيم اجتماعية وقيم تنظيمية وقيم مهنية، إذ أن الغالبية العظمى من منظمات الأعمال ترغب بأن يتوفر لدى العاملين فيها حـد أعـلى مـن القيـم المتعلقـة بأخلاقيات العمل، ولكن الوصول إلى الوضع الأمثل غاية صعبة الإدراك. وهناك مجموعة من العوامل التـي تؤدي إلى تردي القيم المتعلقة بأخلاقيات العمل منها[1] :

- سيطرة العشائرية والقرابة والولاءات العائلية والحزبية على العلاقات الاجتماعية والتنظيمية.

- وجود التمييز في المعاملة بين الموظفين.

- تعقد الإجراءات وكثرة القوانين والأنظمة والتعليمات المرتبطة بإنجاز المعاملات.

- عدم توفر القدوة الحسنة للموظفين داخل العمل وخارجه.

- تردي الأحوال الاقتصادية في المجتمع ولدى الموظفين.

- ضعف الهياكل التنظيمية وضعف القيادات الادارية بما في ذلك ضـعف الرقابـة والإجـراءات التأديبيـة الرادعة.

- ضعف برامج التدريب والتأهيل المتعلقة بأخلاق العمل.

---

(1) بشير الخضرا وآخرون، مرجع سابق، ص62-63.

على ضوء دراسة موضوع القيم يمكن أن نستخلص النقاط التالية:

1. إن دراسة القيم تبدو أمراً مهماً في جميع ميادين الحياة الاقتصادية والسياسية والاجتماعية.

2. إن جميع التعريفات للقيم تشير إلى أنها أداة لدفع الفرد إلى اتباع سلوك معين يعتمد على مدى الاعتقاد بما هو متبع في المجتمع كالعلاقات والاتجاهات والعادات...إلخ.

3. القيم ليست صفات طبيعية أو غيبية، بل هي ظواهر اجتماعية لا تتصف بالثبات الدائم.

4. تلعب القيم دوراً أساسياً في النظام الاجتماعي من حيث وضع القوانين والأنظمة التي يجب أن يعترف بها المجتمع.

5. القيم نسبية، ولا يمكن أن تفهم إلا في المجال السلوكي، وفي الإطار الثقافي الذي يعيش فيه الفرد.

6. إن الإنسان في الواقع هو الذي يحمل القيم ويخلعها على الأشياء.

7. للدين دور فعال في بناء القيم لدى الأفراد.

الفصل السادس

الشخصية

Personality

- تعريف الشخصية
- طبيعة الشخصية
- أبعاد الشخصية
- محددات الشخصية
- نظريات الشخصية:

تعريف الشخصية :

من الصعوبة بمكان وجود تعريف واحد ومحدد للشخصية ويعود السبب في ذلك الى تعقد هذا المفهوم واحتوائه خصائص وسمات كثيرة. وسيتم عرض مجموعة من التعاريف للشخصية والتي تساعد في فهم مفهوم الشخصية.

يرى فوزي عفيفي أن الشخصية هي مجموعة الصفات الذاتية والعقلية والجسمية والخلقية التي يتوج بها الانسان نفسه، وهي التنظيم التكاملي الحادث من تفاعل الصفات الجسمية والعقلية بشكل مستمر مع البيئة المحيطة بالشخص والذي ينتج عنه وحدة متميزة تجعل لكل شخص ذاتيته واستقلاليته ، ولهذا لا نجد شبهاً تاماً بين اثنين من الأفراد [1].

يعرف Allport الشخصية بأنها " التنظيم الدينامي داخل الفرد لتلك الأنظمة الفسيولوجية والسيكولوجية التي تحدد توافقه مع بيئته ". كما يعرف Gibson وآخرون الشخصية بأنها : " مجموعة من الصفات المتأصلة نسبياً في الفرد وتتكون من ميوله وامزجته التي تشكلت بشكل واضح نتيجة لعوامل وراثية واجتماعية وثقافية وبيئية . وهذه المجموعة من العوامل تحدد نقاط التشابه والاختلاف في سلوك الفرد.

ويعرف Kinicki & Keritner الشخصية بأنها : " مجموعة من الصفات الفسيولوجية والسيكولوجية المتأصلة والتي تحدد للفرد هويته. وهذه الصفات تشتمل على مظهره الخارجي والكيفية التي يفكر ويتصرف ويشعر بها، حيث إنها جميعها محصلة التفاعل بين الجينات والبيئة [2]. ويعرفها Serman بأنها : " السلوك المميز للفرد " . بينما يرى Driver الشخصية بأنها : " التنظيم المتكامل

---

(1) فوزي سالم عفيفي، السلوك التنظيمي والدين. الكويت: وكالة المطبوعات، 1983، ص 60 .

(2) موسى المدهون وابراهيم الجزراوي، تحليل السلوك التنظيمي، الطبعة الأولى، عمان: المركز العربي للخدمات الطلابية، 1995، ص155 .

والديناميكي للخصائص الفسيولوجية والعقلية والخلقية والاجتماعية للفرد كما يعبر عن نفسه أمام الآخرين في مظاهر الأخذ والعطاء في الحياة الاجتماعية .. وهي تشمل الخصائص الطبيعية والمكتسبة من الدوافع والميول والعواطف والمثل والآراء والمعتقدات والعادات كما تتضح من علاقات الفرد بوسطه الاجتماعي[1].

يلاحظ من خلال التعاريف السابقة للشخصية أنها تحتوي على المكونات التالية :

1- ان الشخصية تختلف من شخص الى آخر من حيث الدوافع والميول والقيم والعادات والاتجاهات والقدرات .. الخ.

2- تناسق وتكامل السمات العضوية والنفسية للشخص .

3- ان الشخصية تتطور وتتشكل من خلال عملية التفاعل الاجتماعي والتكيف مع البيئة .

طبيعة الشخصية :

يوجد ثلاثة أولويات مميزة للشخصية هي :

1-الشخصية تعكس الاختلافات الفردية

لا يوجد شخصان لهما نفس الشخصية، وانما قد نجد سمة معينة في شخص موجودة في شخص آخر، ولكن الأفراد مختلفون من حيث مكونات الشخصية مثل الذكاء، والميول والاتجاهات ... الخ .

2-عناصر الشخصية ومكوناتها ثابتة ومستقرة نسبياً

تعتبر العناصر الدائمة نسبياً في خصائص الشخص وسماته وسلوكه هي عناصر الشخصية الرئيسية ، بينما لا تعتبر الخصائص العابرة والمتغيرة بشكل

---

(1) ناصر العديلي، السلوك الانساني والتنظيمي، معهد الإدارة العامة، الرياض، 1995، ص 74-82.

سريع جزءاً من شخصية الفرد. وهذا لا يعني أن عناصر الشخصية ثابتة ولا تتغير، بل تتأثر بالمثيرات المختلفة وقد تتغير ولكن بنسب متفاوتة من فرد لآخر.

3-تغير الشخصية

تتغير شخصية الفرد من خلال تبدل ظروف الحياة مثل حالة الطلاق أو وفاة أحد أفراد الأسرة .. الخ. فهذه الحوادث تغير من شخصية الفرد. وتجدر الإشارة الى أن الشخصية لا تتغير نتيجة الحوادث المفاجئة فحسب، وانما تتغير بشكل تدريجي من خلال عملية التفاعل الاجتماعي والتكيف مع البيئة .

الصفات العامة للشخصية :

توجد مجموعة من الصفات العامة للشخصية تتمثل بما يلي[1] :

1- ان الشخصية هي الكل المنظم للشخص، وهذه الخاصية تعطي الشخص الأهمية والمعنى .

2- من السهولة تنظيم الشخصية في أنماط يمكن ملاحظتها وقياسها.

3- مع ان الشخصية لها أسسها البيولوجية، إلا أنها تعتبر نتيجة للبيئة الثقافية والاجتماعية التي يعيش فيها الشخص .

4- يوجد للشخصية جوانب عميقة وجوانب سطحية . ومن أمثلة الجوانب العميقة العواطف المتعلقة بالأمور الدينية والقومية. ومن أمثلة الجوانب السطحية الاتجاهات نحو العمل لدى الفرد العامل .

5- تحتوي الشخصية على صفات مشتركة وآخرى مختلفة. فقد نجد شخصاً يختلف عن شخص آخر في بعض الأمور، وبنفس الوقت يتشابه مع الآخرين في جوانب أخرى.

---

(1) محمد عبد الله ، السلوك الانساني في المنظمات، الطبعة الثالثة، القاهرة: الشركة العربية للنشر والتوزيع ، 1994، ص 97-103 .

وعلى ضوء الصفات العامة للشخصية الآنفة الذكر ينظر الى شخصية الفرد بأنها عبارة عن مجموعة من الخصائص والميول والامزجة المستقرة نسبياً والتي تكونت بالوراثة، ومن عوامل البيئة الاجتماعية والثقافية. وهذه المجموعة من المتغيرات تحدد نواحي التشابه والاختلاف في سلوك الفرد كما يظهر في الشكل رقم (1).

شكل رقم (1)

القوى الرئيسية المؤثرة على شخصية الفرد

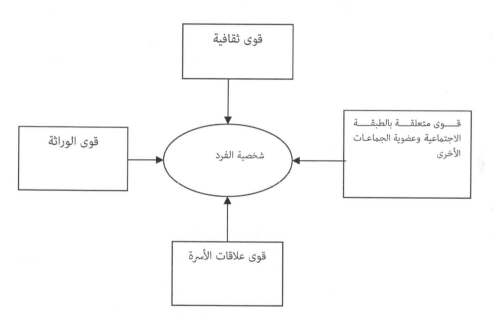

المصدر : محمد عبد الله، السلوك الانساني في المنظمات، الطبعة الثانية، القاهرة: الشركة العربية للنشر والتوزيع، 1994، ص 98 .

أبعاد الشخصية :

يعرف Random House الشخصية بأنها مجموعة الصفات الفسيولوجية والعقلية والعاطفية والاجتماعية للفرد. وعلى ضوء هذا التعريف يمكن تحديد مصادر تكوين صفات وأبعاد شخصية الفرد والتي تؤثر على تشكيل السلوك أثناء تفاعل الفرد مع ظروف البيئة التي تحيط به وتفاعله مع الآخرين كما يلي[1] :

أولاً : البعد الفسيولوجي

ويعني تركيبة جسم الانسان كنظام متكامل يتصف به الفرد ويتفرع منه انظمة فرعية مختلفة مثل نظام عمل الحواس، ونظام عمل عضلات الجسم ونظام عمل الانسجة، ونظام عمل الغدد. وبهذا فإن البعد الفسيولوجي يحدد مكونات جسم الانسان مثل طول القامة أو قصرها ولون البشرة... الخ.

ثانياً : البعد الاجتماعي

ويقصد بذلك القيم والعادات والتقاليد التي يكتسبها الفرد من المجتمع الذي يعيش فيه ، ويشتمل هذا البعد على جوانب عقائدية وخلقية وحضارية ... الخ .

ثالثاً : البعد العقلي

ويعني قدرة الفرد على التفكير واستخدام قواه العقلية في دراسته وتحليله وتفسيره للظواهر والمشاكل التي تواجهه خلال فترة حياته. ولهذا البعد علاقة بالذكاء والتعلم والثقافة .

رابعاً: البعد العاطفي

ويعني الجانب الانفعالي والوجداني والحالة المزاجية التي يتصف بها الفرد.

ان كل فرد تطغى على سلوكه احد هذه الأبعاد، فيتميز بها ويبرز سلوكه بحيث يحمل صفات هذا البعد. فالفرد الذي يطغى عليه البعد الفسيولوجي نجد أن

---

(1) موسى المدهون وابراهيم الجزراوي، مرجع سابق، ص157-159 .

معظم سلوكه نابع من هذا البعد مثل سلوك الأفراد في سن المراهقة، بحيث يتم التركيز على الجوانب الجمالية للجسم والمظهر الخارجي. أما إذا كان البعد الاجتماعي مسيطراً على الفرد فنجد ان سلوك الفرد نابع من البيئة الاجتماعية مثل الكرم، الصدق، التدين ... الخ. وفي حالة سيطرة البعد العقلي على الفرد فنجد أن جل سلوكه نابع من قدرته على استخدام عقله بحيث تتسم قراراته بالعقلانية والرشدائية والاتزان وبُعد النظر. أما إذا كان البعد العاطفي مسيطراً على الفرد، فنجد أن سلوكه نابع من انفعالاته وعواطفه ومشاعره.

وبالرغم من سيطرة احد أبعاد الشخصية على سلوك الفرد إلا أنه يمكن لهذا البعد المسيطر ان يختفي في ظرف معين ليحل محله بعد آخر من ابعاد الشخصية ليتماشى مع الظرف الجديد الذي يعيشه الفرد، وعندها يتحدد السلوك الفردي وفقاً لهذا البعد الجديد.

محددات الشخصية :

أن من أهم العوامل التي تؤثر على تطور شخصية الفرد ما يلي[1] :

1-المحددات الوراثية Genetic Factors

وهي السمات التي يكتسبها الفرد عن طريق العملية الجينية وتتمثل في التكوين الجسماني مثل الطول والقصر والبدانة والنحالة والنمو الجسمي الطبيعي والعاهات الجسمية ... الخ. كما تشمل الأمور المعرفية مثل الذكاء والتذكر والقدرات العقلية، وكذلك الأمور المزاجية من عواطف وانفعالات وميول... الخ. وقد وجد أن استجابة الأفراد للمؤثر وقدراتهم على التعلم وتركيباتهم العاطفية محددة بالعوامل الوراثية.

---

(1) كامل المغربي، السلوك التنظيمي: مفاهيم وأسس سلوك الفرد والجماعة في التنظيم، الطبعة الثانية، عمان : دار الفكر للطباعة والنشر ، 1995، ص 105-112 .

2-المحددات البيئية   Environmental Factors

يكتسب الفرد سمات عديدة نتيجة إحتكاكه وتفاعله مع الآخرين في المجتمع الذي يعيش فيه، وبالحضارة والثقافة من حوله. فالعوامل البيئية لها تأثير قوي في تكوين وصياغة شخصية الفرد وبالتالي في تحديد سلوكه .

3-المحددات الثقافية والاجتماعية   Cultural and Social Factors

تعتبر العوامل الثقافية والاجتماعية من العوامل البيئية المؤثرة في شخصية الفرد. وتعتبر العادات والتقاليد والأعراف والقيم الدينية اهم مكونات الثقافة في المجتمع، لذا فهي تحدد الصفات التي يهتدي بها السلوك الإنساني، ونتيجة لإختلاف السلوك والصفات الثقافية تختلف شخصيات الأفراد من مجتمع لآخر. كذلك تعتبر العناصر الاجتماعية كالعائلة والطبقة الاجتماعية وجماعات العمل والجماعات المرجعية والانتماء الديني والأصل العرقي من العوامل المهمة في تطور الشخصية.

4-العوامل الموقفية   Situational Factors

تلعب الظروف المختلفة التي يعيشها الفرد دوراً مهماً في تكوين وتشكيل شخصيته، ومنها الظروف الاقتصادية التي تعيشها الأسرة من حيث الغنى والفقر، وكذلك الظروف المعيشية لأفراد الأسرة : هل أفراد الأسرة محرومون من الأب أو الأم أو من الاثنين كليهما ؟ وهل أفراد الأسرة يعيشون معاً ؟

ومن العوامل الموقفية ما يسمى "عوامل الحالة " ، وعادة تدل على الأحداث أو الوقائع التي تظهر بصورة عفوية وغير متوقعة ويكون لها أثر ملموس في مستقبل شخصية الفرد. مثال ذلك خريج الثانوية العامة الذي لا يكون قد استقر على رأي من حيث المهنة المستقبلية ويلتقي صدفة بأحد المحامين، الأمر الذي يكون له أثر كبير في تشكيل شخصية ذلك الطالب ويقوده الى تغيير برنامجه الأكاديمي.

نظريات الشخصية : Personality Theories

نتيجة للأبحاث والدراسات التي قام بها عدد كبير من علماء النفس ظهرت نظريات عديدة تحاول تفسير وتحليل سلوك الأفراد. ومن أهم نظريات الشخصية ما يلي :

أولاً : نظرية السمات Traits Theory

تقوم هذه النظرية على أساس أنه يمكن تفهم شخصية الفرد من خلال السمات المميزة له والتي تجعله يختلف عن أي شخص آخر. وهذه السمات تتصف بالثبات النفسي وتمثل الركيزة في بناء الشخصية وتعتبر الدليل والمرشد للسلوك الفردي. ومن الأمثلة على هذه السمات التكوين الجسماني والذكاء والشجاعة والتواضع والغرور والكآبة والقلق والقدرة على التداخل مع الآخرين، والعزلة..الخ.

ومن الانتقادات الموجهة الى هذه النظرية قصورها من الناحية التحليلية، فهي لم تبين دوافع وأسباب السلوك الإنساني، كذلك لم تقدم تبصراً يذكر في ديناميه الشخصية وتطورها وانما اكتفت بذكر الصفات والخصائص الشخصية للأفراد، كما أنها لم تكن ناجحة في التنبؤ بسلوك الفرد في المواقف المختلفة. لذلك مازالت هذه النظرية بعيدة عن كونها نظرية متكاملة لتفسير الشخصية .

ثانياً : نظرية التحليل النفسي Psychoanalytic Theory

تعود هذه النظرية الى العالم سيجموند فرويد Sigmund Freud الذي يرى أن الشخصية الانسانية تتألف من ثلاثة عناصر رئيسية هي :

1- الهذا (Id):وتمثل الجانب اللاشعوري من الشخصية. وتعتبر مخزون الطاقة الغريزية ومصدرها وهي الصفات الموروثة في شخصية الفرد. ويعمل هذا الجانب بصورة غير عقلانية وبدون اعتبار اذا كان التصرف مقبولاً أم غير مقبول.

2- الانا (Ego) : ويمثل رؤية الشخص للواقع المادي والاجتماعي، ويرمز للجانب الشعوري من الشخصية ويتمثل بالعمليات العقلية والمنطقية. والهدف هو

المحافظة على الشخصية والعمل على اشباع حاجات الشخصية بطريقة تتناسب مع الواقع .

3- الانا العليا (Super Ego) : ويرمز الى الجانب المثالي في الشخصية الذي يمثل المثل والقيم الاجتماعية والاتجاهات الاخلاقية. وهذا الجانب يناظر الضمير ويعمل على اخماد وكبح الجانب اللاشعوري في الانسان المتعلق في (Id) .

وتدور الفكرة الرئيسية في هذه النظرية حول وجود صراع بين الجانب اللاشعوري (Id) والجانب القيمي (Super Ego)، ويسعى الجانب الشعوري (Ego) الى التوفيق بينهما وارضائهما .

ثالثاً : النظرية البيولوجية Biologic Theory

تعود هذه النظرية الى افكار موري Henry Murray الذي يعتقد أن التكوين العضوي يمثل أساساً لتفهم شخصية الفرد حيث ان تطور الشخصية يتم من خلال تكوين الفرد البيولوجي وعلاقته بالبيئة التي يعيش فيها .

وتؤكد هذه النظرية في ديناميكية الفرد على دوافعه باعتبار أن سلوك الانسان يؤدي الى تحقيق هدف معين. وتتطور شخصية الفرد مع مراحل عمره الزمني حيث يمر الفرد بتطورات نفسية مختلفة تتأثر بعوامل الوراثة والخبرات التي يجنيها من عمليات التعلم الثقافي والاجتماعي .

رابعاً : نظرية النضج   Maturity Theory

ان من أهم النظريات في مجال دراسة الشخصية هي نظرية ارجرس Chris Argris في النضج والتي تمثل الانتقال من حالة عدم النضج الى النضج. وطبقاً لهذه النظرية فإن الشخصية الانسانية تتحرك على خط متصل من عدم النضج في الطفولة الى النضج في سن الرشد. وعند أي مرحلة من مراحل العمر

يمكن ان نضع الشخص على نقطة ما على هذا الخط المتصل والذي يتكون من سبعة أبعاد كما يظهر في الجدول رقم (1).

جدول رقم (1)

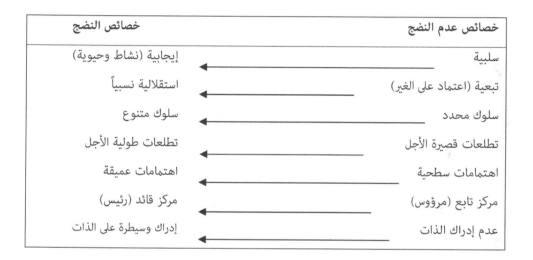

نظرية النضج

خصائص عدم النضج		خصائص النضج
سلبية	←	إيجابية (نشاط وحيوية)
تبعية (اعتماد على الغير)	←	استقلالية نسبياً
سلوك محدد	←	سلوك متنوع
تطلعات قصيرة الأجل	←	تطلعات طولية الأجل
اهتمامات سطحية	←	اهتمامات عميقة
مركز تابع (مرؤوس)	←	مركز قائد (رئيس)
عدم إدراك الذات	←	إدراك وسيطرة على الذات

يؤكد أرجرس ان هذا النموذج لا يعني ان جميع الأفراد يصلون أو يحاولون الوصول في كل الأبعاد الى أقصى حد للنضج في الخط المتصل. ولكنه يفترض أن شخصيات أعضاء التنظيم تقع على طرف النضج من الخطوط المتصلة. وبناء على ذلك فلكي نحصل على تعبير كامل عن هذه الشخصيات فلا بد ان يسمح التنظيم الرسمي بالنشاط لا السلبية، الاستقلالية وليس الاعتماد على الغير، التطلعات طويلة الأجل، احتلال مراكز أعلى في التنظيم والتعبير عن قدرات جذرية وهامة. ويقول أرجرس إنه كثيراً ما يحدث عكس ذلك في المنظمة بسبب هيكل التنظيم الرسمي والقيادة الموجهة ونظم الرقابة الإدارية، مما يترتب عليه شعور أعضاء التنظيم الناضجين بالإحباط والصراع مع التنظيم الرسمي، أي كثيراً ما

يظهر عدم توافق بين حاجات وتطلعات الشخصية الناضجة من جهة وطبيعة التنظيم الرسمي من جهة أخرى. لذلك شدد آرجرس على أهمية ودور المنظمات من خلال تصميم هيكل تنظيمي مرن وقيادة ديمقراطية ورقابة ذاتية وقرارات بالمشاركة تهيئة الظروف والأسباب في إظهار وتطوير خصائص النضج .

خامساً : نظرية الأنماط Types Theory

تعمل هذه النظرية على ربط مجموعة من الخصائص مع بعضها البعض في تصنيف معين لتكوّن طرازاً او نمطاً. وقد اشتهر في هذا المجال إيزينك Eysenck الذي يرى أن هناك عدة جوانب هامة من الشخصية يمكن فهمها من خلال ربطها أو جمعها في بعدين هما [1]:

البعد الأول : متوازن (Stable) – غير متوازن (Unstable)

البعد الثاني : أنبساطي (Extravert) – انطوائي (Introvert) :

والمقصود بالشخص المتوازن هو ذلك الشخص المنضبط الذي لا تسهل اثارته، فهو هادئ بشكل عام، متوازن المزاج ويعتمد عليه. بينما الشخص غير المتوازن شخص متقلب ومزاجي، قلق ومتململ.

ومصطلح انبساطي وانطوائي تم استخدامهما بشكل واسع من قبل عالم النفس السويسري كارل يونج (Carl Jung). ومن خصائص الشخص المنبسط أنه غالباً ما يكون اجتماعياً ينخرط في جماعته ويندمج ويتفانى في العمل معها. اما الشخص المنطوي فهو يميل الى الانسحاب والانطواء على نفسه ويفضل العمل بمفرده. وقد اظهرت العديد من الدراسات ان معظم الناس يتناوبون الطرازين الانبساطي والانطوائي، وهم لذلك اميل الى الجمع بين خصائص كل من المنبسط والمنطوي معاً (Ambiverts).

---

(1) هاني عبد الرحمن الطويل، الإدارة التربوية والسلوك المنظمي: سلوك الأفراد والجماعات في النظم، الطبعة الاولى، عمان : الجامعة الأردنية، 1986، ص155-157 .

ويرى وليم شيلدون Sheldon ان هناك عـدداً مـن أنمـاط الشخصية التي تتعلـق بـالتكوين الجسمي للفرد، وهذه بدورها تحدد سلوك الفرد. وأهم هذه الأنماط :

أ-النمط الدائري: الذي يتمثل بالسمنة.

ب-النمط العضلي: الذي يميل فيه الجسم الى الاستطالة والقوة.

ج-النمط النحيل : الذي يميل فيه الجسم الى الهزال ويتصف فيه الفرد بالعصبية.

وقد بينت الدراسات التي أجراها شـيلدون أن هنـاك علاقـة بـين المتغـيرات المزاجيـة والمتغـيرات المتعلقة ببنية الجسم، وان هناك نوعاً من الترابط له دلالته بين بنية الجسم والشخصية.

ولكن يمكن القول بـأن نظريـة الأنمـاط لا يمكـن الاعتـداد بهـا بدرجـة كبـيرة حيـث أنهـا تبسـط الشخصية الانسانية الى درجة غير مقبولة. والواقع انه مـن المشكوك فيه انه يمكن التوصل الى نظريـة منطقية ومعقولة باستخدام فكرة   الانماط لأنها تحاول ان تضع الشخصيات المختلفـة في قوالـب جامـدة ومستقلة عن بعضها البعض، وهذا امر يستحيل تحقيقه من الناحية العملية .

سادساً : نظرية الذات Self Theory

تمثل نظريات الشخصية الآنفة الذكر المداخل التقليدية في تفسير الشخصية الانسانية البالغـة التعقيد. وقد حظيت نظرية الذات بالكثير من الاهتمام في الفترة الأخيرة، وتعتبر من أكثر النظريات إرتباطاً بالسلوك التنظيمي. وهي تحمل من الصفات الأولية ما يؤهلها لأن توحد مستقبلاً جميـع الاراء المتعارضـة عن الشخصية الانسانية في نظرية متكاملة ومنطقية، إذ تحاول هذه النظرية دمج الأجزاء المختلفة لهيكل الشخصية في وحدة ذات معنى .

وطبقاً لهذه النظرية يمكن النظر الى الذات من ناحيتين ⁽¹⁾:

(1) حسين حريم، السلوك التنظيمي: سلوك الأفراد في المنظمات، عمان: دار زهران للنشر والتوزيع، 1997، ص55-66.

1- الذات الشخصية (Personal Self): وتعني الذات كما يراها الفرد نفسه، فالصور التي يحملها الفرد عن نفسه هي محصلة تفاعل عمليات عديدة ومنها الادراك والدافعية والتعلم. ومع أن الصورة التي يحملها الفرد عن نفسه قد لا تكون ممثلة تماماً للواقع والحقيقة إلا أن الفرد يميل لأن يكون سلوكه متوافقاً مع نظرية لنفسه.

2- الذات الاجتماعية (Social Self): وتعني كيفية تصور الآخرين للشخص من ناحية، وما يعتقده الفرد نفسه حول نظرة الغير له .

ترى نظرية الذات ان اهم دافع لدى الانسان هو تحقيق الذات أو إثبات الذات، كذلك أكدت هذه النظرية على أهمية قبول الذات، فتقبل الفرد لذاته وثقته بنفسه وبقدراته تدفعه لتحقيق المستوى المناسب من الانجاز، في حين اذا نظر الفرد لنفسه وقدراته بصورة مختلفة فسيدفعه ذلك الى التراجع والتراخي في العمل. ولكن ينبغي ان تكون صورة الفرد عن ذاته واقعية بعيدة عن التمييز والمبالغة أو التواضع في تقدير الانسان لذاته وقدراته ومهاراته، لذا أهتم اتباع هذه النظرية بالذات السليمة ذهنياً والناضجة عاطفياً .

ومن المآخذ على نظرية الذات انها ركزت جل اهتمامها على الذات ولم توضح الاسلوب او الوسيلة التي من خلالها يحقق الفرد ذاته، كذلك اغفلت اهمية البيئة في تأثيرها على سلوك الفرد .

وبالرغم من هذه المآخذ إلا أن مفهوم الذات يعطي الحياة الخاصة بالفرد معنى معيناً وهو ذو تأثير كبير على سلوكه. وبالتالي عند تحليل السلوك التنظيمي لابد ان نتذكر ان لكل شخص ذاتاً متميزة. فاتباع القيادة الموجهة على فرد عامل متميز بذات مستقلة تتسم بالذكاء والثقة بالنفس يكون غير فعال، في حين ان اتباع نفس الأسلوب القيادي على فرد آخر يتسم بذات غير مستقلة وتميل الى الاعتماد على الغير وغير قادرة على اتخاذ القرارات قد يكون فعالاً الى حد كبير. وهذا

يوضح البعد الذي تلعبه نظرية الذات في الجوانب المختلفة من تحليل السلوك التنظيمي .

وأخيراً وعلى ضوء دراسة موضوع الشخصية نجد علماء السلوك التنظيمي يهتمون بمعرفة خصائص وسمات الشخصية ذات العلاقة المباشرة بالأداء في المنظمة مثل الرغبة في الانجاز والسيطرة وتكوين علاقات اجتماعية وتحمل المخاطر والاستقلالية في العمل وأخذها في الاعتبار عند قرارات التعيين والترقية والنقل والحفز والتدريب .. الخ.

كذلك تنبع اهمية دراسة الشخصية من التنبؤ بالأنماط السلوكية للأفراد في المنظمة. فالأفراد الذين لديهم رغبة في امتلاك السلطة والسيطرة والتأثير في الآخرين يميلون الى التصرف مع الغير بأسلوب مغاير عن الأفراد الذين لديهم رغبة في أن يكونوا مرؤوسين. لذلك فإن المدير الفعال هو الذي يحاول معرفة طبيعة شخصية مرؤوسيه لأن ذلك يتيح له التنبؤ بسلوكهم في مواقف عملية محددة.

ولا تقتصر دراسة الشخصية على المديرين فحسب، وانما تهم الباحثين أيضاً في مجال السلوك التنظيمي حيث تهدف دراساتهم إلى التنبؤ بالجهد ونوعية الأداء وكميته وقرار قبول وظيفة معينة وظاهرة الغياب ودوران العمل وذلك بالاعتماد على معلومات عن الشخصية .

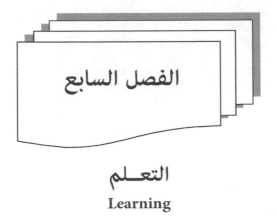

الفصل السابع

التعـلم

Learning

- تعريف التعلم
- مبادئ التعلم
- عناصر التعلم
- العوامل المؤثرة في التعلم
- نظريات التعلم :
- نظرية الإشراط الكلاسيكي
- نظرية الإشراط الإجرائي
- نظرية التعلم المعرفي
- نظرية التعلم الاجتماعي
- أساليب التعزيز
- التعلم والسلوك التنظيمي.

تعريف التعلم:

مما لا شك فيه أن للتعلم تأثيراً واضحاً على وصف وتشخيص السلوك التنظيمي، وبالتالي فإن من الصعوبة بمكان عدم وجود شخص او منظمة ما لا تتأثر بعملية التعلم. فمن خلال عملية التعلم تقوم المنظمة بخلق سلوكيات محددة ومطلوبة لدى الأفراد العاملين فيها.

اختلف علماء النفس في آرائهم وتوجهاتهم حول عملية التعلم، فمنهم من يقول ان عملية التعلم ناتجة عن استجابة الأفراد لما يتعرضون له من مثيرات بيئية سواء كانت داخلية أو خارجية (علماء السلوك). ومنهم أيضاً من يقول ان عملية التعلم ما هي إلا نتاج عملية إدراكية عقلية في غاية الصعوبة والتعقيد يتم فيها تحليل المعلومات (علماء الإدراك العقلي). يلعب التعلم دوراً حيوياً في تحديد سلوك الأفراد العاملين في مواقف معينة من خلال التجارب والخبرات التي قام الأفراد باكتسابها وكونت لديهم قدراً كبيراً من المعرفة السلوكية، إذ تفيدنا عملية التعلم في فهم السلوك الإنساني.

يعرف التعلم بأنه كل العمليات المستمرة الهادفة وغير الهادفة لإكساب الأفراد المعرفة والمعلومات[1].

- يعرف Fleet وأخرون التعلم بأنه : " عبارة عن خبرة مباشرة أو غير مباشرة تؤدي الى تغيير نسبي دائم في السلوك أو سلوك محتمل " .
- يعرف Hellriegel وآخرون التعلم بأنه : "عبارة عن تغيير نسبي دائم في تكرار حدوث سلوك معين للفرد ضمن بيئة العمل ".

(1) موسى المدهون وابراهيم الجزراوي، تحليل السلوك التنظيمي، الطبعة الأولى، عمان: المركز العربي للخدمات الطلابية، 1995، ص 337-338.

- يعرف Cook & Hunsaker التعلم بانه : "عبارة عن توفير قدرات جديدة أو تغيير في أنماط الاستجابات السلوكية للمثيرات في العالم من حولنا".

- يعرف Gordon التعلم بأنه : "عبارة عن عملية الحصول على المهارات والمعارف والقدرات والاتجاهات الجديدة ".

- يعرف Papalia & Olds التعلم بأنه " عبارة عن تغيير نسبي دائم في السلوك يعكس حصول الفرد على المعرفة والفهم أو المهارة التي يمكن قياسها بعد مروره بتجربة مثل الدراسة او الملاحظة او التدريب او الممارسة ".

مما تقدم يمكن تعريف التعلم بانه عبارة عن جميع العمليات المستمرة التي تهدف الى إكساب الفرد المعارف والمهارات من خلال تعرضه لتجارب حياتية لإحداث تغيير نسبي ودائم في سلوكه.

اشتملت التعاريف السابقة على مجموعة من الخصائص والصفات التي تصف عملية التعلم نوردها فيما يلي:

1- أن التعلم ناتج عن اكتساب المعارف والمهارات.

2- أن تغيير سلوك الفرد هو نتاج عملية التعلم.

3- تشترط عملية التعلم أن يكون هناك تغيير نسبي ومستمر في السلوك.

4- نستدل على حدوث عملية التعلم من خلال التغيير في السلوك.

5- التعلم ناتج عن التجارب والخبرات التي مارسها الفرد أثناء حياته.

مبادئ التعلم:

فيما يلي عرض لأهم مبادئ التعلم وهي [1]:

اولا: المبادئ النفسية:

1- من أهم خصائص الأفراد القدرة والقابلية على التعلم.

2- تعتبر قدرات الأفراد على التعلم متفاوتة. وهذا التفاوت يعود الى الاختلاف في الميول والقدرات العقلية والاتجاهات والقيم والعادات للأفراد.

3- يعتبر التعلم عملية مشتركة ما بين المعلم والمتعلم ويحدث التعلم بطريقة فعالة إذا لم يكن المتعلم في موقف المتلقي.

4- تعزز عملية التعلم من خلال التطبيق والممارسة لما تم تعلمه.

5- معرفة المعلومات الراجعة عن طريق اداء الفرد وهذا يؤدي الى تحسين كفاءة التعلم.

6- التعلم لا يقتصر على المعرفة الفنية المتخصصة، بل يتجاوز الى المهارات الاجتماعية المختلفة .

ثانيا: المبادئ التنظيمية:

هناك مجموعة من المبادئ والاعتبارات التنظيمية فيما يتعلق بالتعلم وهي:

1- يتعين على الادارة معرفة الحاجات التنموية للافراد العاملين وما هو وضع كل فرد قبل القيام بعملية تطوير وتدريب الأفراد والعمل على تحفيز الأفراد من أجل إنجاح عملية التدريب.

---

(1) بشير الخضرا وآخرون، السلوك التنظيمي، الطبعة الأولى، منشورات جامعة القدس المفتوحة، 1995، ص 59-60.

2- أن يكون التدريب مؤسسياً ومخططاً وفق الحاجات والاهداف. وهذا يقتضي وجود دائرة مختصة بعملية التدريب.

3- تهيئة المناخ التنظيمي الملائم من اجل انجاح عملية التعلم.

4- يعتبر المدرب احد الركائز الأساسية في إنجاح عملية التدريب من خلال الإلمام بمبادئ التعلم ومعرفة حاجات المتدربين. وكذلك ضرورة مشاركة الأفراد أثناء عملية التدريب حتى يكون لهم دور إيجابي في التعلم.

عناصر التعلم: Elements of learning

بالرغم من اختلاف وجهات النظر الموجودة في نظريات التعلم المختلفة إلا أن هناك اتفاقاً عاماً على ضرورة توفر أربعة عناصر لحدوث التعلم هي[1]:

1- الدوافع: Motivation

يعتبر مفهوم الدوافع عنصراً رئيسياً وهاماً لحدوث التعلم. تعتمد الدوافع على الحاجات والأهداف للأفراد وتعمل كمحرك لسلوكهم، حيث تتشكل دوافع الأفراد من عوامل داخلية غير مشبعة حول مثير ما مثل حالة الحرمان التي يعيشها الفرد او حالة الجوع والعطش.

2- المنبهات (الإيحاءات): Cues

تعتبر المنبهات الموجه الرئيسي لدوافع الأفراد، إذ يتعرض الافراد لمنبهات ومثيرات وإيحاءات عديدة من خلال البيئة التي يعيشون فيها، وتعمل هذه المنبهات على تهيئة الجو الملائم لحدوث الاستجابة السلوكية. ولكي تستطيع المنبهات توجيه دوافع الأفراد يجب أن تتناسب مع توقعاتهم حتى تحدث الاستجابة المطلوبة.

(1) L . Schiffman & L. Kanuk, Consumer Behavior, seventh Education, New Jersey: prentice-Hall, 2000, pp. 161-162.

3- الاستجابة: Response

كيف يكوّن الأفراد ردة فعل تجاه دافع معين ؟ إن الأسلوب او الطريقة التي يسلكها الفرد تجاه دافع معين تشكل إستجابته الفعلية، وبمجرد الاستجابة فإن الفرد سيتعلم. إذن الاستجابة هي تصرف وسلوك الفرد الناتج عن المنبه، وبالتالي هناك ارتباط ما بين المنبه والاستجابة للمنبه، فإذا حدث مثير ما في بيئة معينة فإنه سيصبح من المحتمل أن يتبعه استجابة. وقد تكون الاستجابة شفوية او كتابية، او بأحد تعابير الوجه عن طريق العيون وحركة الجسم وغيرها من الحواس. وتعتمد الاستجابة لدى الأفراد بشكل قوي على أنماط التعلم المألوفة لديهم من جانب، وأهدافهم الحالية و اتجاهاتهم التي يتعرضون لها من جانب آخر.

4- التعزيز: Reinforcement

إن عملية التعزيز تعمل على زيادة احتمال حدوث استجابة معينة في المستقبل كنتيجة لمنبه. **والتعزيز** عبارة عن الأشياء او الأحداث (المنبهات) التي تساعد على درجة الزيادة او الابقاء على قوة الاستجابة، ويعتبر مفهوم التعزيز من أهم المفاهيم السلوكية، ويشير الى نتائج مقوية للسلوك، ولكن تعتقد بعض النظريات أن التعزيز الضعيف لا يحدث الاستجابة السلوكية المرغوبة.

العوامل المؤثرة في التعلم:

هناك عوامل كثيرة تؤثر في التعلم ولكن سيتم التركيز على ثلاثة عوامل رئيسية وذلك لأهميتها في التأثير على التعلم وهي[1]:

(1) عمر محمد جبرين ، مقدمة في العلوم السلوكية، دمشق: الاتحاد البريدي العربي، 1984، ص 137-139.

1- الاستعداد الفكري للتعلم

يتعلم الأفراد كثيراً من انواع السلوك منذ مرحلة الطفولة المبكرة وحتى نهاية العمر بصورة تلقائية مع مراعاة النضوج العضوي والفسيولوجي. فالطفل حينما ينضج جهازه الحركي الى مستوى معين يبدأ بمحاولات الحبو، وعندما ينضج الى مستوى أعلى، يتمكن من الوقوف ثم المشي والجري.. الخ. وفي كل مرحلة من أنواع السلوك لا يحتاج الى تدريب او تعليم. وعندما يصل الطفل الى سن معين يستطيع أن ينطق بأولى كلماته، وإذا وصل إلى سن العامين تمكن من التعبير لغويا عن كثير من رغباته.

2- الدافعية البيئية للتعلم

يقف وراء كل سلوك دافع، ووراء كل دافع حاجة وعندما ينمو الفرد وتتسع دائرة اتصاله مع بيئته فإنه يتعرض الى الكثير من الدوافع للقيام بسلوكيات معينة لا تعتبر ضرورية في فطرته. فحاجة النجاح في المدرسة ثم في العمل تصبح دافعاً اساسياً لتوجيه سلوكه نحو هدف النجاح، وبالتالي قد يضطر الفرد الى تعلم أساليب جديدة لتغيير سلوكه بحيث يساعده ذلك على بلوغ غاياته.

3- تعزيز التعلم بالثواب والعقاب

يعتبر التعزيز من العوامل المؤثرة على التعلم وأبسط مثال عليه هو المكافأة التي يحصل عليها الفرد عند قيامه بسلوك جيد، والعكس صحيح.

نظريات التعلم: Learning Theories

من المهم بمكان إدراك أهمية التعلم للمنظمة، فهو يبين مدى معرفة استعدادات العاملين، وقدراتهم ومدى إمكانية تطويرهم. بمعنى أخر يلعب التعلم دورا محورياً في عملية التغيير التي تقع في منظمات الأعمال. ومن هذا المنطلق يتوجب على المديرين معرفة النظريات الرئيسية التي توضح التعلم وما الأسس والقواعد التي تؤدي الى نجاحه. وفيما يلي عرض لأهم نظريات التعلم.

أولاً: نظرية الإشراط الكلاسيكي(1)

Classical Conditioning Theory

تعود هذه النظرية الى العالم الروسي (Pavlov) الذي عُرف بتجاربه على الكلاب، وتركزت تجاربه على علاقة المنبه - الاستجابة. وقد لاحظ العالم Pavlov عند تقديمه الطعام (المنبه) للكلاب، أن إفراز الكلب للعاب (الاستجابة) يتم عند مشاهدة الكلب للطعام او مشاهدة الشخص المقدم للطعام. والأغرب من ذلك أن اللعاب يفرزه الكلب عندما يسمع خطوات أقدام صاحبه مقدم الغذاء له في غرفة مجاورة. وقد هدف العالم Pavlov من ربط تجاربه الأولى بين منبه طبيعي وأساسي (الطعام) واستجابة طبيعية لا إرادية للكلب (وهي سيلان اللعاب) الى الكشف عن وجود علاقات فطرية بين المنبه والاستجابة. وفي الحقيقة لا نستطيع أن نعتبر هذه العلاقة الفطرية بأنها تمثل تعلماً والسبب في ذلك أن العلاقة الفطرية ما بين المنبه والاستجابة هي لا إرادية.

استمر العالم Pavlov في إجراء تجاربه فقام بإدخال منبه جديد ومحايد في نفس الوقت وهو قرع الجرس وقت تقديم الطعام. فقام العالم بتكرار قرع الجرس أثناء تقديم الطعام للكلب مرات عديدة، فتبين ان عملية قرع الجرس فقط أدت الى حدوث نفس الاستجابة الطبيعية الاوتوماتيكية وهي سيلان اللعاب وبهذا أصبح المنبه المحايد (وهو قرع الجرس) منبهاً شرطياً، وكذلك أصبحت الاستجابة الطبيعية الاوتوماتيكية استجابة مشروطة (مكيفة). وبهذا الارتباط ما بين المنبه (قرع الجرس) وما بين الاستجابة (سيلان اللعاب) قد تحقق التعلم، ويسمى التعلم الشرطي التقليدي" أي أن الاستجابة السلوكية إرتبطت بشرط (مكيف) وهو وجود المنبه، والشكل رقم (1) يوضح ما سبق .

---

(1) L.G Schiffman & L. Kanuk, Op. cit.P.162-163.

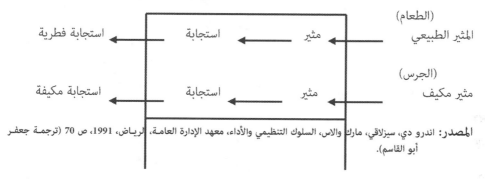

شكل رقم (1)

التكيف التقليدي

المصدر: اندرو دي، سيزلاقي، مارك والاس، السلوك التنظيمي والأداء، معهد الإدارة العامة، الرياض، 1991، ص 70 (ترجمة جعفر أبو القاسم).

وفيما يلي مثال على التعلم الإشراطي التقليدي الذي يحدث في المنظمات: إذا قام المدير بتكرار زياراته التفقدية للدوائر والإدارات المختلفة في ساعة محددة خلال اليوم، وحصل الأفراد العاملون ذوو الكفاءة والفاعلية العالية على مكافآت معنوية ومادية من مسئولهم المباشر وتكرر هذا النهج عدة مرات، فإنه سيصبح هناك تعلم بأن الفرد النشيط والفعال سيكافأ.

تقييم نظرية الإشراط الكلاسيكي:

في الحقيقة تقدم نظرية الإشراط الكلاسيكي للمنظمة مجموعة مبادئ وأسس لكثير من جوانب السلوك التنظيمي. فمفهوم التكرار من المفاهيم الأساسية التي يلجأ اليها المديرون لإحداث التعلم لدى الأفراد العاملين في المنظمة من جهة، والى تحديد دقيق للكيفية التي تفسر مراحل تعلمهم. ولكن هذه النظرية لم تقدم تفسيراً تاماً لجميع الأنشطة المتبعة والمتعلقة بتعلم الأفراد العاملين في المنظمة، ولذلك تفترض هذه النظرية أن الفرد العامل سلبي وأن ردود فعله تجاه المنبهات عبارة عن

استجابات يمكن التنبؤ بها بعد محاولات. ولكن هذه الفرضية غير دقيقة، مقارنة بما يتعرض اليه الأفراد العاملون من عوامل متداخلة نسبياً، ولذلك من الصعوبة بمكان تحديد العوامل التي أثرت على السلوك النهائي للأفراد العاملين. كذلك تجاهلت هذه النظرية إمكانية وجود بعض أنماط السلوك الفردي التي قد تحدث بشكل مفاجئ وموقفي طبقاً للحالة البيئية التي تواجه الفرد .

ثانياً: نظرية الإشراط الإجرائي[1]

Instrumental Conditioning Theory

تعود هذه النظرية الى العالم Skinner وسميت هذه النظرية بالاشراط الإجرائي لأن الفرد يستجيب بشكل معين حتى يحقق الرضا والعائد المطلوب. فعندما يسلك الفرد سلوكاً ما وتكون نتيجة هذا السلوك مرضية، وهذه النتيجة تكون مشروطة بقيام الفرد بالسلوك، فإن احتمالية تكرار هذا السلوك في المستقبل ستزداد. بينما لو كانت نتيجة السلوك غير مرضية ولم تكن كما توقع الفرد، فإن احتمالية تكرار هذا السلوك ستقل في المستقبل.

إذن هناك ثواب أو عقاب ينتج عن السلوك (الإستجابة) وبالتالي نتيجة الثواب او العقاب هي محددات أساسية للعلاقة بين المنبه والاستجابة السلوكية في التعلم الإجرائي. ووفق هذه النظرية تكون العوائد المتحققة مشروطة بقيام الفرد بالاستجابة السلوكية، بمعنى أنه دون قيام الفرد بالسلوك (الاستجابة) فلن يكون هناك عوائد متحققة سواء كانت هذه العوائد سلبية ام ايجابية. وبين العالم Skinner من خلال التجارب والدراسات التي قام بها أن معظم سلوك الأفراد يعود الى خبرات كان للثواب والعقاب الدور الحيوي والرئيسي فيها، وبناءً عليه نستطيع احداث التغيير المستمر في السلوك من خلال مكافأة او معاقبة الأفراد، فالفرد الذي يستجيب بطريقة صحيحة يكافأ، بينما الفرد الذي يستجيب بطريقة خاطئة يعاقب. وعندما

---

(1) L.G. Schiffman & L. Kanuk, op.cit. p171-172.

يدرك الفرد أنه إذا ما قام بتكرار سلوك غير مرغوب فيه سيعاقب وبمجرد إدراكه ومعرفته بالعقاب فانه سيتعلم.

ويقول العالم Skinner أن أغلب الأفراد يتم تعلمهم في بيئة يتم السيطرة عليها ويتم فيها مكافأة الأفراد العاملين لاختيارهم السلوك الصحيح. وتقترح نظرية الاشراط الإجرائي أن الأفراد العاملين يتم تعلمهم عن طريق التجربة والخطأ، فإذا قام أحد الأفراد العاملين بتجربة مجموعة من السلوكيات التنظيمية قبل الوصول الى السلوك الصحيح كأن الفرد العامل قد دخل في عملية تعلم إجرائي، والسلوك المناسب الذي اختاره يكون هو السلوك المرشح للحدوث في المستقبل. والشكل رقم (2) يوضح عملية التعلم وفق هذه النظرية .

شكل رقم (2)
التكيف الاجرائي

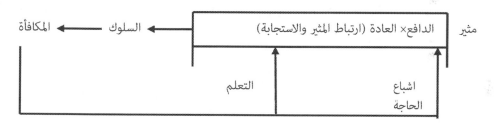

المصدر: أندرو دي. سيزلاقي، مارك والاس، السلوك التنظيمي والاداء معهد الادارة العامة، الرياض، 1991، ص71، (ترجمة جعفر أبو القاسم).

تقييم نظرية الإشراط الإجرائي:

المزايا:

تعتقد هذه النظرية بأن التعلم يتم عن طريق التجربة والخطأ مع نشوء عادات للأفراد ناتجة عن الثواب الذي هو بدوره (الثواب) ناتج عن الاستجابة السلوكية في الاتجاه الصحيح. ومن خلال هذه النظرية يمكن تعليم الافراد العاملين على مجموعة من السلوكيات التنظيمية المرغوبة.

المآخذ:

لم تخل هذه النظرية من العيوب وأهمها وجود قدر كبير من التعلم، قد يأخذ مكانه في ظل غياب التعزيز، وبغض النظر عن طبيعة التعزيز سلبي هو ام إيجابي. ووفق هذه النظرية فإن الأفراد يتعلمون لأنهم يستطيعون الحصول على الثواب وبالتالي قد يقومون بتقليد السلوك الذي يؤدي بهم الى الثواب، ولكن لدى الأفراد المقدرة على تعلم أشياء كثيرة ومتنوعة تكوّن لديهم مواقف واتجاهات نحو الاشباع ولكن قد لا تنعكس على تصرفاتهم وسلوكياتهم. وكذلك تنظر هذه النظرية الى السلوك على انه يتجه للتعليل والتفسير البيئي بشكل اكثر من كونه عملية عقلية يمكن تطبيقها.

أوجه الاختلاف بين نظرية الإشراط الإجرائي ونظرية الإشراط الكلاسيكي[1]:

1- في نظرية التعلم الإجرائي تكون استجابة الفرد للمنبهات هي التي تؤي إلى حصول المكافأة، أما في التعلم الكلاسيكي فإن استجابة الفرد غير مسيطر عليها.

2- في نظرية التعلم الإجرائي تكون استجابة الفرد حسب التجربة والخطأ أي بعد محاولاته لعدة بدائل. فالفرد يجري في الغالب عدة بدائل وقد يتعلم من المنبه الذي يعطيه أكبر مكافأة ممكنة، بينما في حالة نظرية التعلم الكلاسيكي تكون استجابة الفرد متزامنة مع منبه أو مثير معين.

3- تساعد نظرية التعلم الإجرائي في فهم النشاط الأكثر تعقيداً بينما تساعد نظرية التعلم الكلاسيكي في فهم وتفسير كيفية التعلم.

ثالثاً: نظرية التعلم المعرفي[2] Cognitive Learning Theory إن جوهر النظرية المعرفية يتمثل في أن الفرد لديه قدرات كثيرة لفهم طبيعة العالم من حوله، ولكي يظهر الفرد هذه القدرات لابد من توفر الدافعية له. وعلى الرغم من أن البيئة تؤثر في السلوك إلا أن الفرد له تأثير واضح في عملية تعلمه، بمعنى أن التعليم في النظرية المعرفية هو نتيجة لمحاولة الفرد الجادة لفهم العالم من حوله من خلال استخدام استراتيجية التفكير. فالتعليم لا يحدث دائماً نتيجة للتجارب المتكررة أو بتأثير من العوامل الخارجية فحسب، بل إن هناك جزءاً كبيراً مما يتعلمه الفرد يحدث نتيجة تفكيره وتأمله بالمشاكل التي تواجهه ومحاولته السيطرة

(1) محمد إبراهيم عبيدات، سلوك المستهلك: مدخل استراتيجي، عمان: دار وائل للنشر، 2001، ص109-125.
(2) موسالمدهون وإبراهيم الجزراوي،مرجع سابق، ص 358-363.

عليها عن طريق ممارسة أنشطة عقلية تهدف للوصول إلى حل ابتداءً من الحصول على المعلومات وتحليلها وتقييمها ثم إيجاد الحل واتخاذ القرار المناسب.

ويرى أصحاب هذه النظرية أن ثمة خطوة واحدة تقع بين المثير والاستجابة وهي النشاط الفكري (Mental Activity). كما هو موضح في الشكل رقم (3).

وبناءً عليه، فإن النظرية المعرفية في التعلم ترى أن الناس يتمتعون بالقدرة والمبادرة والبحث عن المعلومات بهدف التعلم. كما أن الفرد قادر على إعادة ترتيب وتنظيم ما تعلمه وإخراجه بأسلوب جديد، لذلك تبرز أهمية المعرفة في الاتجاه المعرفي. ويمكن للإدارة أن تستفيد من هذه النظرية في تعليم المرؤوسين في مجال التدريب والتطوير الإداري بهدف إحداث السلوك التنظيمي المرغوب فيه.

شكل رقم (3)

مراحل التعلم المعرفي

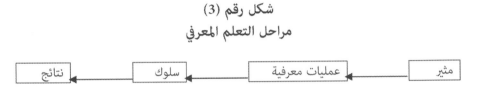

رابعاً: نظرية التعلم الاجتماعي   Social Learning Theory

تبحث هذه النظرية في سلوك الفرد في المواقف الاجتماعية كما تحدث فعلاً، وتحاول أن تربط بين السلوك والمعرفية والدافعية والموقف، بمعنى أنها تقدم إطاراً موحداً قابلاً للتطبيق بدلاً من النظر للتعلم والسلوك ضمن حدود ضيقة. وتقوم هذه النظرية على الافتراض القائل بأن الكثير من السلوك إنما يحدث ضمن بيئة مليئة بالمعاني، ويكتسب من خلال التفاعل الاجتماعي مع الأفراد الآخرين، وبما أن بيئة الفرد مليئة بالأحداث والمثيرات فإن الفرد يستطيع أن يطور القدرة على اقتفاء أثر المكافأة وتجنب العقاب في السياق الاجتماعي الواسع، وكل هذا متأصل

بقدرته على الملاحظة. وقد استطاع البرت باندورا (Bandura) أن يقدم مفهوماً للتعلم الاجتماعي حيث أكد على أهمية الملاحظة Observational Learning معتقداً أن التعلم يمكن اكتسابه بالتعزيز وملاحظة سلوك الآخرين وتقليدهم. مثال ذلك قد تلجأ المنظمة إلى تدريب عامل معين بإلحاقه إلى عمال آخرين ذوي خبرة عالية لكي يكتسب صفاتهم ومهاراتهم من خلال مراقبة سلوكهم.

إن التعليم عبر الملاحظة والتقليد يهدف إلى فهم وتطوير السلوك التنظيمي ويكون ذلك باتباع الخطوات التالية:

1.   تحديد الهدف السلوكي بالضبط والذي من شأنه أن يحسن الأداء التنظيمي.

2.   اختيار النموذج المناسب Model وأداة التعلم المناسبة مثل الأفلام Films.

3.   التأكد من أن الموظف قادر على الارتقاء إلى مستوى متطلبات المهارات التقنية للهدف السلوكي.

4.   توفير المناخ التعليمي الإيجابي بهدف زيادة دافعية الموظف للانتباه للنموذج المراد تعليمه.

5.   إيضاح الفوائد المترتبة على عملية الهدف السلوكي الجديد.

6.   تكرار تعلم السلوك عبر التدريب.

7.   المحافظة وتقويم الهدف السلوكي الذي تعلمه بالتعزيز المستمر بأنواع التعزيز المختلفة.

يمكن أن تقوم المنظمة بدور مهم في تعليم الأفراد العاملين وذلك من خلال توفير الظروف الملائمة للتعلم وتقديم المثيرات المناسبة لدفع العاملين لذلك، وكذلك توفير المعلومات الكاملة والدقيقة للعاملين مما يسهل عملية اكتساب المعلومات والمهارات والمواقف الجديدة. كما تقوم المنظمة بتعزيز السلوك المتعلم والمرغوب فيه. ومن الأساليب الممكن اللجوء إليها من قبل المنظمات لتعليم الأفراد السلوك التنظيمي الذي يناسب العمل، تزويد العاملين بالمهارات الفردية عن طريق التدريب. فالتدريب يكسب الفرد مهارات مباشرة للاستفادة منها في مجال العمل،

بالإضافة إلى أن التدريب يلعب دوراً مهماً في التأكيد على مجالات عمل أخرى لم يتدرب عليها الفرد.

أساليب التعزيز: Types of Reinforcement

يستطيع الإداريون استعمال أربعة أساليب من التعزيز للتأثير في سلوك مرؤوسيهم واحداث التعليم لديهم، ويعتمد استخدام إحداها على الموقف. وهذه الأساليب هي:

1- التعزيز الإيجابي: Positive Reinforcement

وهو عبارة عن مثير ينجم عنه زيادة في تكرار الاستجابات المرغوب فيها. فالإداري يستطيع تكرار سلوك معين للأفراد من خلال تقديم مكافأة مادية أو معنوية.

2- التعزيز السلبي أو التجنب:

Negative Reinforcement or Avoidance

ويشير هذا المفهوم إلى تقوية السلوك المرغوب فيه واضمحلال السلوك غير المرغوب فيه. وهو عبارة عن مثير اذا توقف تقديمه للفرد أدى ذلك إلى زيادة تكرار الاستجابات المرغوب فيها، أي أن الاستجابة تزداد عندما نستبعد المثيرات غير المحببة للفرد. فالطالب الذي يحضر دائماً متأخراً إلى المحاضرة ويلقى اللوم والانتقاد من المدرس فإنه يأخذ بالحضور في الموعد المحدد حتى يوقف ذلك اللوم و يتجنب تلك الانتقادات.

3- الاخماد أو الإطفاء: Extinction

وهو عدم التدخل بغرض إنقاص سلوك غير مرغوب فيه، فالاستجابة يجب أن تعزز من أجل تكرارها، فإن لم تعزز فإنها تأخذ بالتضاؤل أو الخمود.

-4 العقاب: Punishment

ينتج عن العقاب إنهاء أو تقليل سلوك معين بسبب ان هذا السلوك يتبعه مثير لا يحبه الفرد، فالموظف الذي يغادر عمله قبل انتهاء وقت العمل الرسمي فإن رئيسه سيعاقبه من أجل تعديل أو تغيير سلوكه. وقد يكون العقاب مادياً أو معنوياً. ومن خلال العقاب سيتعلم الموظف السلوك المرغوب فيه.

والشكل رقم (4) يوضح اساليب التعزيز.

شكل رقم (4)
أساليب التعزيز

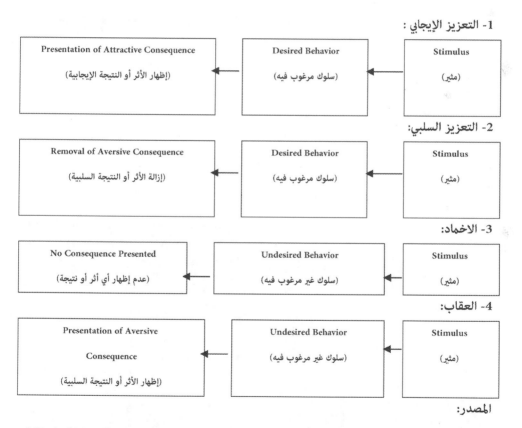

المصدر:

G. Moorhead & R. Griffin, Organizational Behavior, Second Edition, Boston: Houghton Mifflin Company, 1989, P 45.

التعلم والسلوك التنظيمي:

من الأهمية بمكان الاعتراف بالدور المحوري والأساسي الذي ساهمت به نظريات التعلم في بيان الآلية المناسبة في كيفية التعامل مع السلوك الإنساني في منظمات الأعمال، وكيفية تطبيق أساليب التكيف والتأقلم الفعال التي تهدف الى تعزيز السلوك المرغوب فيه، أو العمل على تخفيض او تعديل أو إطفاء السلوك غير المرغوب فيه. وفيما يلي عرض لأهم الإرشادات لتكييف السلوك التنظيمي:

1- منح الأفراد الذين يتميزون بالأداء المرتفع تعزيزات وتشجيعات أكثر مما يمنح للأفراد ذوي الأداء المتوسط والمتدني.

2- تعريف الأفراد بالاخطاء التي يرتكبونها حتى يستطيعوا تحسين أدائهم والوصول الى الفعالية.

3- الربط بين أساليب التعزيز والتشجيع المستخدمة من جهة وأداء الأفراد من جهة أخرى على أن تكون النتائج موائمة مع السلوك.

إن استخدام أسلوب التعزيز الإيجابي حقق نتائج مرغوبة ولكن في حالات معينة، فمن خلال هذا الأسلوب يمكن تعديل سلوك العاملين بما يتناسب مع أهداف المنظمة. ولكن أسلوب إدارة السلوك الاحتمالي Behavioral Contingency Management (BCM) يكون أكثر فعالية في مواقف أخرى ويعتمد على نموذج عام في تعديل السلوك التنظيمي فيما يتعلق بالمشكلة وحلها. ويتألف النموذج من الخطوات التالية كما هو موضح في الشكل رقم (5):

1- الإطلاع والكشف على الحالات السلوكية التي ترتبط بالأداء.

2- قياس تكرار الاستجابات للسلوك.

3- تحديد الأحداث التي سبقت الاستجابة السلوكية، ثم النتائج التي تتبعها.

4- تقييم الأسلوب (الاستراتيجية) لتحديد مدى تأثيرها المرغوب فيه.

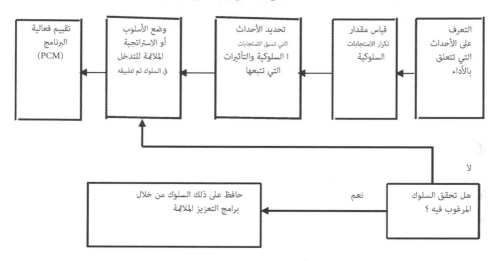

شكل رقم (5)
عملية تعديل السلوك

التعرف على الأحداث التي تتعلق بالأداء
قياس مقدار تكرار الاستجابات السلوكية
تحديد الأحداث التي تسبق الاستجابات ا السلوكية والتأثيرات التي تتبعها
وضع الأسلوب أو الاستراتجية الملائمة للتدخل في السلوك ثم تطبيقه
تقييم فعالية البرنامج (PCM)
لا
هل تحقق السلوك المرغوب فيه ؟
نعم
حافظ على ذلك السلوك من خلال برامج التعزيز الملائمة

المصدر: كامل المغربي، السلوك التنظيمي: مفاهيم وأسس سلوك الفرد والجماعة في التنظيم، الطبعة الثانية، عمان - دار الفكر للنشر والتوزيع، 1995، ص170-171.

الفصل الثامن

ضغوط العمل
Work Stress

- مفهوم ضغوط العمل
- عناصر ضغوط العمل
- مصادر ضغوط العمل
- آثار ضغوط العمل
- استراتيجيات التعامل مع ضغوط العمل
- ضغوط العمل والأداء.

مفهوم ضغوط العمل :

مما لاشك فيه أننا نعيش في بيئة تسودها المثيرات والمنبهات المتنوعة بغض النظر عن أسبابها سواء مادية أو سيكولوجية . وأثرت هذه المثيرات على الفرد ،ولم يقتصر هذا التأثير في البيت أو المدرسة وانما تجاوز الى بيئة العمل. ومن هنا برزت الضغوط الانسانية نتيجة التأثر بالمثيرات والمنبهات البيئية المختلفة. وهذه الضغوط جعلت الفرد يعيش في حالة قلق وتوتر وانفعال مما أثر على مهام واجباته الوظيفية، وعلى علاقته مع العاملين في المنظمة .وكذلك على صحته وجسده.

ونظرا لأهمية ضغوط العمل فقد اصبح هذا الموضوع أحد المجالات الأساسية لاهتمام العديد من رجال الفكر الاداري والتنظيمي .ولكن يلاحظ ان الكتابات في هذا المجال مازالت في معظمها على مستوى التحليل النظري ، ولم تنل الدراسات التطبيقية فيه الا نصيبا محدودا من الاهتمام .ويمكن ارجاع ذلك الى سببين رئيسيين هما : الأول :تنوع العوامل المسببة للضغوط وتداخلها مما يثير مشكلة فصل كل منها لدراسة تأثيرها .الثاني :عدم اتفاق الباحثين على مفهوم محدد ودقيق لضغوط العمل مما يوقع الباحث الذي يحاول الخوض في هذا المجال بحيرة تجعله في النهاية إما أن يبتعد عنه كلية أو يحاول تبني المفهوم الذي يتفق مع قناعته الشخصية.[1]

لذلك فان من أهم المشكلات التي يواجهها المهتمون بموضوع الضغوط بصفة عامة وضغوط العمل بصفة خاصة هي محاولة التوصل الى تعريف متفق عليه لمعنى الضغوط.

---

(1) رفاعي محمد رفاعي ،السلوك التنظيمي ،القاهره :المطبعة الكمالية 1988ص، 253-266

ويعرف Caplan وآخرون ضغط العمل "بأنـــه أية خصائص موجودة في بيئة العمل التي تخلـق تهديدا للفرد". ووفقـــا لتعريـف Cooper & Marshal يقصـد بالضـغوط الوظيفيـة "مجموعـة العوامـل البيئية السلبية (مثل غموض الدور، صراع الدور، وأحوال العمل السيئة والأعباء الزائـدة)والتـي لهـا علاقـة بأداء عمل معين" .

ويعـرف كـل مـن French , Rogers & Cobb ضـغط العمـل "بأنـه عـدم المواءمـه أو عـدم التناسب بين ما يمتلكه الفرد من مهارات وقدرات وبين متطلبات عملـه ".أمـا Marglis وزملائـه فيعرفونـه "بأنه بعض ظروف العمل بتفاعلها مع خصائص العامل الشخصية تسبب خلـلا في الاتـزان البـدني والنفسي- للفرد" . ويعرف Beehr & Newman ضغط العمل" بأنه عباره عـن حالـة تنشـأ يسـبب تفاعـل العوامـل المتعلقة بالعمل مع خصائص العاملين تحدث تغييرا في الحالة البدنية أوالنفسية للفرد وتدفعـه إلى تصرـف بدني أو عقلي غير معتاد". ويعرف Grathالضغط "بأنه عباره عن حالة تنتج عن التفاعل بين الفرد والبيئـة بحيث تضع الفرد أمام مطالب أو عوائق أو فرص ."

يعرف سيزلاقي وأخرون ضغوط العمل "بأنها تجربه ذاتية تحدث اختلالا نفسـيا او عضـويا لـدى الفرد وتنتج عن عوامل في البيئة الخارجية أو المنظمة أو الفرد نفسه .[1] كما يعرف سمير عسـكر الضـغوط "بأنها مجموعة المتغيرات الجسـمية والنفسـية التـي تحـدث للفـرد ردود فعلـه أثنـاء مواجهتـه للمواقـف المحيطة التي تمثل تهديدا له".[2]

---

(1) اندرو دي سيزلاقي واخرون ،السلوك التنظيمي والأداء ، معهد الآدراة العامه ، الرياض 1991،ص 180(ترجمة جعفر أبـو القاسم).

(2) سمير عسكر "متغيرات ضغوط العمل "مجلة الادارة العامة ،المجلة 28،العدد 60 1988،ص7-65

على ضوء التعاريف السابقة لضغوط العمل يمكن ملاحظة ما يلي :

أولا: أن بعض الباحثين ركزوا على البيئة الخارجية للفرد بأعتبارها المصدر الرئيسي لما قد يواجهه من ضغوط ،في حين أن البعض الأخر نظر إلى مقدار الضغوط التي يشعر بها الفرد بأعتبارها ناتجة عن التفاعل بين الظروف البيئية التي يعمل فيها والخصائص الفردية للشخص ذاته من حاجات وأستعدادات وقدرات وخبرات 000الخ .

ثانيا: نظر بعض الباحثين إلى الضغط بأعتباره ناشئا عن صعوبات ومعوقات تقف عقبة امام الفرد أو مطالب يفرض عليه تحملها .بمعنى أن الضغط ينشأ بالضرورة نتيجة مواقف سلبية .في حين أن البعض الاخر عرف الضغط باعتباره ليس ناشئا من مجرد موقف سلبي فقط وإنما من الممكن أن ينشأ عن فرص يستطيع أن يستغلها الفرد أي مواقف إيجابية .

عناصر ضغوط العمل :

يرى Szilagi & wallace انه يمكن تحديد ثلاثة عناصر رئيسية للضغوط في المنظمة هي : [1]

1- عنصر المثير: يحتوي هذا العنصر على المثيرات الأولية الناتجة عن مشاعر الضغوط. وقد يكون مصدر هذا العنصر البيئة أو المنظمة أو الفرد.

2- عنصر الاستجابة: يمثل هذا العنصر ردود الفعل الفيزيولوجية والنفسية والسلوكية التي يبديها الفرد مثل القلق والتوتر والأحباط وغيرها.

3- عنصر التفاعل : وهو التفاعل بين العوامل المثيرة والعوامل المستجيبة

---

(1)   ناصر محمد العديلي،السلوك الانساني والتنظيمي : منظور كلي مقارن ، معهد الادارة العامة، الرياض ،1995،ص245.

مصادر ضغوط العمل:

يتعرض الفرد في حياته إلى ضغوط تأتي من مصادر مختلفة تعمل كل منها بشكل مستقل أو

تتفاعل معا في تأثيرها على الفرد منها:[2]

1- البيئة

أن البيئة الخارجية للفرد قد تكون مصدرا للضغط بما قد يحدث فيها من تغيرات اجتماعية وسياسية

وقانونية واقتصادية .

2- الأسرة

قد تكون الأسرة مصدرا لبعض الضغوط بسبب توقعاتها من الفرد ،وتعارض متطلباتها مـع متطلبـات

العمل ، وما يحدث في الحياة الأسرية من تغيرات جوهرية كحالات الوفاة والأمراض 000الخ.

3- الأحداث الشخصية

يتعرض الفرد من حـين لآخـر إلى أحـداث في حياتـه الشخصية تمثل قـدراً مـن الإثـارة والضـغط

النفسي، وهذه الأحداث بما تسببه من توتر ينتقل تأثيرها إلى العمل.

4-   تأثير شخصية الفرد

وجدت بعض الأبحاث أن هناك شخصيات حيوية وحـادة في طباعهـا تتميـز بالرغبـة في العمـل

الدؤوب والتسابق مع الزمن .وعادة يتحمل هؤلاء الأشخاص درجات عالية من التوتر والضغط النفسي .

---

(2) احمد ماهر السلوك التنظيمي : مدخل بناء المهارات ، الاسكندريه : المكتب العربي الحيث، 1986، ص424-427

5- عدم توافق شخصية الفرد مع متطلبات التنظيم الرسمي

تميل المنظمات كبيرة الحجم إلى الأخذ بالشكل البيروقراطي المتقيد بلوائح وإجراءات رسمية، فيتعارض ذلك عادة مع رغبة الأفراد العاملين في الاستقلالية والتصرف بحرية، وذلك بإجبارهم على الالتزام بالأنظمة والإجراءات والقواعد الرسمية التي تحد من المبادأة أو الابتكار والإبداع. ويلقي ذلك التعارض ضغوطاً نفسية على العاملين.

6 - مشاكل الخضوع للسلطة

تتميز المنظمات بوجود هيكل متدرج من السلطة الرسمية ويختلف المرؤوسون في قبولهم لنفوذ سلطة الرؤساء. وهذا يؤدي إلى الشعور بالتوتر لدى البعض.

7 - اختلال العلاقات الشخصية

تؤدي العلاقات الشخصية بين الفرد وزملائه في العمل دوراً هاماً في الحياة العملية، فهذه العلاقات قد تتيح له اشباع الحاجات النفسية والاجتماعية كالتقدير والاحترام والصداقة وغيرها، اما إذا أسيء استغلال هذه العلاقات فإنها بلا شك ستتصف بسمات العداء والكراهية، وقد تتعمق هذه السمات إلى الحد الذي يؤدي إلى انفصال الفرد او ما يشبه حالة اغتراب.

8 - طبيعة العمل

ان طبيعة العمل الذي يقوم به الفرد من حيث مدى تنوع الواجبات المطلوبة، ومدى أهمية العمل وكميته ونوعية المعلومات المرتدة من تقييم الأداء، كلها من العوامل التي من المحتمل أن تكون مصدرا أساسيا للإحساس بالضغوط

9 - صعوبة العمل

تسبب صعوبة العمل شعور الفرد بعدم الاتزان .وترجع صعوبة العمل أما لعدم المعرفة بجوانبه أو لعدم فهم الفرد لهذه الجوانب، أو أن كمية العمل أكبر من نطاق الوقت الخاص بالاداء أو أكبر من القدرات المتاحة للفرد.

10- غموض الدور

يعني غموض الدور النقص في المعلومات اللازمة لتأدية الدور المتوقع مـن الفرد.كذلك يحدث غموض الدور عندما تكون الاهداف والمهام والاختصاصات ومتطلبات العمل غامضة وغير واضحة مـما يؤدي إلى شعور الفرد بعدم سيطرته على عمله.

11- صراع الدور

يلعب الفرد عدة أدوار ، أي انه يقوم بمحاولة مقابلة التوقعات المختلفة التـي تريـدها الأطراف المختلفة منه . وأحيانا تكون هذه الأدوار (التوقعـات) متعارضة. هـذا يعني انه قـد يحـدث تعـارض في مطالب العمل من حيث الأولوية وتعارض في حاجات الأفراد مع متطلبات المنظمة وتعارض مطالب الزملاء مع تعليمات المنظمة وتكون الضغوط نتيجة لعدم مقدرة الفرد على تحقيق التوقعات المختلفة .

12- التنافس على الموارد

ينظر دائما إلى الموارد على أنها نادرة وتتنافس الأقسام والأدارات والأفراد في الحصول عـلى هـذه الموارد . ويتطلب ذلك اللجوء إلى المساومة والمناورة وهي أمور قد تؤدي إلى الشعور بالضغط النفسي .

13- إختلال بيئة العمل المادية

إن إختلال ظروف العمل المادية من تهوية ،رطوبة ،أضاءة، درجة حرارة عالية ، ضوضاء ،أو التعامل مع مواد كميائية كالغازات يمكن أن تؤدي إلى الشعور بعدم مناسبة العمل وظروفه. ونظراً للارتباط الوثيق بين هذه الأمور وصحة وسلامة الفرد البدنية فانها يمكن أن تكون مصدرا أساسيا من مصادر ضغوط العمل.

آثار ضغوط العمل :

لضغوط العمل آثار ايجابية وأخرى سلبية:

أولاً: الآثار الايجابية

ان العديد من المنظمات ان لم يكن جميعها تنظر إلى ضغوط العمل على أنها شر يجب مكافحته وذلك لاثارها السلبية على الفرد والمنظمة معا. ولكن الحقيقة غير ذلك، اذ ان لضغوط العمل آثاراً ايجابية مرغوباً فيها الى جانب السلبية غير المرغوب فيها. ومن الآثار الايجابية ما يلي [1]:

1- تحفز على العمل

2- تجعل الفرد يفكر في العمل

3- يزداد تركيز الفرد على العمل

4- ينظر الفرد إلى عمله بتميز

5- التركيز على نتائج العمل

6- النوم بشكل مريح

7- المقدرة على التعبير عن الانفعالات والمشاعر

---

(1) J .killy, The Executive Time and Stress, New Jersey: Alexa Hamilton Instistute ,Inc, 1994, p. 155. (ترجمة أديب محمد الشخص ،معهد الادارة العامة ،الرياض)

8- الشعور بالمتعة

9-الشعور بالانجاز

10-تزويد الفرد بالحيوية والنشاط والثقة

11-النظر للمستقبل بتفاؤل

12- المقدرة على العودة إلى الحالة النفسية الطبيعية عند مواجهة تجربة غير سارة

ثانياً: الآثار السلبية

يترتب على الاحساس بتزايد ضغوط العمل بعض الآثار السلبية الضارة للفرد وللمنظمة، وأهمها

مايلي:[1]

أ-   آثار الضغوط على الفرد.

1.   آثار سلوكية

من بين الآثار التي تترتب على احساس الفرد بتزايد الضغوط عليه حدوث بعض التغيرات في عاداته المألوفة وأنماط سلوكه المعتادة . وعادة ما تكون تلك التغيرات إلى الأسوأ وذات آثار سلبية ضاره سواء في الأجل القصير أو الأجل الطويل. ومن أهم تلك التغيرات ما يلي : المعاناة من الأرق، الإفراط في التدخين، اضطراب الوزن وفقدان الشهية، التغير في عادات النوم، استخدام الأدوية المهدئة، العدوانية والتخريب ، وعدم احترام الأنظمة والقوانين المرعية في المنظمة.

2.   أعراض نفسية (سيكولوجية) .

يترتب على إحساس الفرد بتزايد الضغط عليه في العمل حدوث بعض الاستجابات النفسية التي تحدث تأثيرها على تفكير الفرد وعلى علاقاته بالآخرين. ومن أهم تلك الأعراض النفسية ما يلي : الحزن والكآبه والشعور بالقلق، النظر الى المستقبل بتشاؤم ، التصرف بعصبية شديدة، عدم القدرة على التركيز، فقد الثقة

---

(1) عبد الرحمن بن أحمد هيجان ، ضغوط العمل :مصادرها ونتائجها وكيفية أدارتها ، معهد الأدارة العامة الرياض 1998،ص228-234

بالغير، النسيان المتكرر، الحساسية للنقد من جانب الآخرين، عدم الاتزان الانفعالي، عدم القدرة على العودة الى الحالة النفسية الطبيعية عند مواجهة تجربة غير سارة، صعوبة في التحدث والتعبير،التردد واللآمبالاه.

3. **أثار جسدية (صحة بدنية)**

تمتد نتائج تزايد الضغوط على الفرد لتحدث بعض الأثار السلبية الضارة على الفرد وسلامته البدنية. ومن أهم الأمراض الجسدية التي يمكن أن يعاني منها الفرد بسبب الضغوط في العمل ما يلي : الصداع، قرحة المعدة ، السكري، أمراض القلب ، وضغط الدم.

ب- آثار الضغوط على المنظمة .

يمكن ايجاز الآثار السلبية لضغوط العمل على المنظمة بمايلي:

1- زيادة التكاليف المالية (تكلفة التأخر عن العمل، الغياب والتوقف عن العمل، تشغيل عمال إضافيين، عطل الالأت وأصلاحها، وتكلفة الفاقد من المواد أثناء العمل)

2- تدني مستوى الإنتاج وانخفاض جودته

3- صعوبة التركيز على العمل والوقوع في حوادث صناعية

4- الاستياء من جو العمل وانخفاض الروح المعنوية

5- عدم الرضى الوظيفي

6- الغياب والتأخر عن العمل

7- ارتفاع معدل الشكاوي والتظلمات

8- عدم الدقة في اتخاذ القرارات

9- سوء العلاقات بين أفراد المنظمة

10- سوء الاتصال بسبب غموض الدور وتشويه المعلومات

11- التسرب الوظيفي (دورات العمل)

12- الشعور بالفشل

استراتيجيات التعامل مع ضغوط العمل :

ان معالجة ضغوط العمل ومواجهتها على مستوى الفرد والمنظمة تتم من خلال الطرق والأساليب التالية [1]:

أولا: استراتيجية التعامل مع الضغوط على مستوى الفرد

ظهرت العديد من طرق علاج العمل على المستوى الفردي . ويمكن القول أن رغبة الفرد في إصلاح حاله واقتناعه بالطريقة التي يستخدمها وتمتعه بالإرادة القوية هي شروط أساسية لنجاح الطريقة ، ونجاح الفرد في علاج ضغوط العمل. ومن هذه الطرق:

1 - التأمل

وتسعى هذه الطريقة إلى تحقيق حاله من الهدوء والراحة الجسمية ، وتوفر الفرصة للفرد كي يوقف أنشطته اليومية وأن يمارس درجة عالية من الانتباه والوعي على مشاعر ه ووجدانه ويؤدي هذا إلى إعداد الذهن وتدريبه على تحمل ضغوط العمل .

2 - الاسترخاء

ان جلوس الفرد مستريحا وهادئا في الاسترخاء يؤدي إلى نفس النتائج التي تؤدي إليها طريقة التأمل، حيث ان استرخاء العقل لايتم الا من خلال الاسترخاء العام للجسم . ويعني هذا أن ينتبه الفرد إلى أن الراحة العقلية هي شيء يترتب على راحة الجسم.

3 -التركيز

ان قيام الفرد بالتركيز في أداء نشاط ذي معنى وأهمية ولمدة معينة يساعد في تخفيف حدة الضغوط النفسية للعمل. وتعتمد طريقة التركيز من حيث المبدأعلى نفس الفكرة تقريبا التي تعتمد عليها طرق التأمل والاسترخاء والتركيز

---

(1) أحمد ماهر ،مرجع سابق، ص 423-441

يصرف الفرد عن التفكير في مصادر الضغوط، ويؤدي به إلى قيامه بعمل خلاق وإنجاز يساعد على الشعور بالتقدير والاحترام وتحقيق الذات.

4 - التمرينات الرياضة

يمكن القول انه من الثابت أن للكفاءة البدنية للفرد دوراً في مواجهة الاثار الجانبية السيئة لضغوط العمل .وتؤدي ممارسة التمرينات الرياضية إلى رفع فعالية أعضاء الجسم بالشكل الذي يؤدي إلى مقاومتها للاجهاد .فمن المعروف أن الشخص الذي يمارس التمرينات لا يرهق بسرعة مثل الشخص الذي لا يمارس أي تمرينات. كما أنه من المعروف ان الشخص المصاب بارهاق تكون قدرته منخفضة في تحمل أي اعباء جسمانية أو نفسية للعمل. بالإضافة إلى ذلك فإن التمرينات الرياضية تعتبر وسيلة للتركيز والاسترخاء وصرف العقل عن أي متاعب او توتر.

5 - معرفة شخصية الأفراد والوقوف على مدى قدرتهم على تحمل الضغوط والاستجابة لها والتخلص من اثر المؤثرات المادية والنفسية عن طريق تحقيق مطالب العاملين، وتحقيق المساندة الاجتماعية وإقامة علاقات جيدة وتشجيع الزمالة، والعمل على توفير بيئته هادئة.

6 - ان تكون هناك أهداف واضحة ومحددة لعمل الأفراد وأن تكون تلك الأهداف واقعية قابلة للتنفيذ بالإضافة إلى التخطيط المسبق وذلك بتجهيز الفرد نفسه للتعامل مع الأحداث.

ثانيا: استراتيجيات التعامل مع الضغوط على مستوى المنظمة

من أجل ادارة الضغوط على مستوى المنظمة يمكن اللجوء إلى الأساليب التالية :

1 - التطبيق الجيد لمبادئ الإدارة والتنظيم.

أن المخالفات التي يقع فيها كثير من الإداريين في ممارساتهم اليومية بسبب عدم اتباعهم المبادئ المتعارف عليها في الإدارة والتنظيم تسبب الكثير من الضغوط النفسية لمرؤسيهم، لذلك يتعين على المستويات الإدارية العليا ممارسة مبادئ

الإدارة والتنظيم بشكل جيد . وهـذا بـدوره يمكـن أن يشـيع جـوا مـن الانضـباط الإداري والتنظيمـي بـين المستويات الإدارية الأدنى.

2 - تصميم وظائف ذات معنى

تفقد كثير من الوظائف معناها وقيمتها لبعض الأسباب منها زيادة حدة التخصص بالقـدر الـذي يفقد الموظف أي متعـة في أداء العمـل، وينقلـب العمـل الى روتينـي ممـل. كـما تفقـد الوظـائف معناهـا وأهميتها من انعدام حرية التصرف فيها. وعليه يكون العلاج او الوقاية متمثلة في تصميم واعـادة تصـميم الوظائف بالشكل الذي يجعلها ذات معنى واهميـة. ويتحقـق ذلـك مـن خـلال ضـمان ان الوظيفـة تقـوم بالعديد من الانشطة والمهام، كما تتيح مقدار مناسب من السلطة للاداء.

3 - إعادة تصميم الهيكل التنظيمي

يمكن إعادة تصميم الهيكل التنظيمي بعدة طرق لعلاج مشاكل الضـغوط مثـل إضـافة مسـتوى تنظيمي جديد أو تخفيض مستوى الأشراف أو دمج وظائف، يضاف إلى ذلـك إمكانيـة توظيـف العلاقـات التنظيمية بين الادارات والأقسام.

4 - تطوير نظم الاختيار والتعيين وذلك باختيار أفراد لديهم القدرة على العمل المطلوب، وكذلك تخفيض أعباء الوظيفة من خلال إعادة تصميم نظم تدريب متطورة، وخلق نظـم عادلـة للحـوافز وتقيـيم الأداء ، وتنشيط نظم الاتصال وقنواتـه وتطبيـق نظـم المشـاركة في اتخـاذ القـرارات (مثـل اللجـان وبرامج المشاركة في الارباح،وبرامج الشكاوي) والأخذ بأسلوب الإدارة الديمقراطية في المنظمة.[1]

(1) محمد الزعبي ، ضغوط العمل لدى المديرين في جهاز الخدمة المدجنية في عمان الكبرى رسالة ماجسـتتير غـير منشـورة ، الجامعة الاردنية ، عمان ، 1997، ص 25-29

5 - التحديد الدقيق لمتطلبات الدور بما يمنع أي تداخل أو تعارض مع الوظائف الأخرى في المنظمة مع توفير كافة التسهيلات التي تمكن الفرد من القيام بتلك المتطلبات .

6- ترتيب بيئة العمل المادية بالشكل الذي يمكن الفرد من اداء عمله في سهولة ويسر ويجعله اقل عرضه للمخاطر والاضرار.

ومن أهداف الأنشطة إنشاء أنظمة علاجية لتخفيض حدة الضغوط عن كاهل العاملين، ومن هذه الأنظمة تعيين مستشار نفسي واجتماعي للعمل وتخصيص حجرات لممارسة التمرينات الرياضية

ضغوط العمل والأداء

على ضوء استعراض طرق علاج ضغوط العمل فإن السؤال الذي يثار: هل المطلوب القضاء كلية على كل أسباب الضغوط ؟ والإجابة على ذلك بالنفي، لان محاولة القضاء كلية على كل أسباب الضغوط (فضلا عن ان ذلك من غير الممكن عمليا) ليست في صالح المنظمة وتؤكد العديد من الدراسات على ضرورة ان يعمل الفرد في ظل مستوى معتدل من الضغوط لان ذلك من شانه أن يبعث على التحدي ويثير فيه الحيوية والنشاط مما يؤدي إلى تحسين مستوى أدائه .وفي هذا المجال يمكن الإشارة إلى نموذجين [2]:

1- نموذج Yerks- Dadson

وبموجب هذا النموذج فانه كلما زاد مقدار الضغط الواقع على الفرد زادت إنتاجيته إلى أن يصل إلى مستوى معين يترتب بعده على ايه زيادة فيه نقص في الإنتاجية . وتفسير ذلك أن الفرد حينما تكون ضغوط العمل الواقعة عليه بسيطة فان ذلك لا ينشطه ومن ثم لن يظهر أي تحسين في الأداء. ومن ناحية ثانية اذا كانت

---

(2) رفاعي محمد رفاعي، مرجع سابق ص264-265

الضغوط الواقعة عليه كبيرة فانه سيبذل جهدا كبيرا للتكيف مما يؤدي الى تخفيض مستوى أدائه، لان جزءا من جهد الفرد انصرف في عملية التكيف . والموقف المثالي وفقا لهذه النموذج هو مقدار مقبول من الضغط، لأنه عند هذا المستوى يكون الفرد قادراً على بذل الجهد والطاقة التي يمكن توجيهها لتحسين مستوى أدائه

2 - نموذج Megline

يعتبر هذا النموذج أن الضغط معادل للتحدي Challenge حيث يرى ان المشاكل والصعوبات تتيح فرصة للنشاط البناء الذي يساعد على تحسين مستوى الأداء. ويفترض النموذج انه حينما يكون مستوى الضغط الواقع على الفرد منخفضا فانه في هذا الموقف لا يواجه أي تأثير يبعث الاهتمام بتحسين الأداء، ولكن وجود مستوى متوسط من الضغوط يتيح فرصة لإثارة التحدي الذي ينشط الفرد لتحسين مستوى أدائه . أما إذا كان مقدار الضغط عاليا فان التحدي قد يكون عند المستوى الذي يثبط من عزيمة الفرد ويؤدي إلى فتور همته.

الفصل التاسع

الإحبــاط

Frustration

- مفهوم الإحباط
- مصادر الإحباط
- السلوك المحفز والسلوك المحبط
- نتائج الإحباط
- طرق علاج الإحباط

مفهوم الإحباط

تواجه حياة الافراد معوقات ومصاعب تؤثر على التوازن النفسي ـ أو تحقيق الذات . وهذه المعوقات والمصاعب تجعل الفرد يقع تحت تأثير الضغط النفسي في الاحباط والصراع والضغوط الاجتماعية باحثا عن تحقيق هدفه ، وبالتالي يمر الافراد بالعديد من المفاهيم السلوكية والتي سيتم ذكرها فيما بعد. ويعتبر الإحباط شعوراً أكثر منه واقعاً، وهذا الشعور يتكون عندما يواجه الفرد أنواعا من العقبات. وتنتج هذه المشاعر عندما يكون هناك عقبة ليس بالامكان التغلب عليها ، وعندها يهدد الفشل في التغلب عليها كيان المرء الذاتي. وإن الفرد الذي يتعرض للإحباط يصاب بالقلق والضيق مما يؤدي إلى اختلال توازنه العاطفي والتأثير على شخصيته .ويتفاوت الأفراد في مواجهة الإحباط حيث نجد منهم من يواجه الإحباط بالضعف ، بينما أفراد آخرون يسيطر عليهم شعور بالخجل وخيبة الأمل في نفوسهم ، وأفراد آخرون يواجهون الإحباط بالتعقل .

ويمكن القول ان الدافع الرئيسي وراء الإحباط لدي الأفراد هو عدم قدرتهم على إشباع حاجاتهم ورغباتهم .وعندما يكون للفرد حاجة أو رغبة ما ويفشل في تحقيقها فانه سيتعرض لحالة توتر شديدة يعقبها إحباط . وقد يتخذ الفرد أسلوبا جديدا لسلوكه عندما يقع في موقف محبط ، فهو إما أن يضاعف مجهوده للتغلب على المشكلة ،أو أن يحاول إشباع حاجاته ورغباته بطرق أخرى بحيث يتفادى مصدر الإحباط .فالإحباط ظاهرة كونية طبيعية ، وهي ظاهرة ستظل قائمة مادام هناك فارق بين طموحات الفرد وبين إمكانية تحقيقها . [1]

ويرى بعض الباحثين أن :" الإحباط يتضمن منحنى لعمل أو نشاط لم يتم الانتهاء منه إلى الهدف أو النهاية المرغوبة ، أو أنه حالة غائبة من نوع لم يتم

---

(1) ألفت حقي، الاضطراب النفسي، الاسكندريه: دار الفكر الجامعي ،1993،ص25

التوصل اليها أو هو حصيلة أو نتيجة متوقعة أخفقت في التحقيق بشكل مادي ملموس.[1]" كذلك يعرف الإحباط بأنه : السلوك الناتج عن محاولة الفرد تحقيق أهداف ولكنه يفشل في تحقيقها لوجود عائق أو عوائق لا يمكنه السيطرة عليها.[2]

كما يعرف الإحباط على أنه :"حاله شعورية من عدم الارتياح عندما يواجه الفرد الموانع التي تعترض حوافزه ".[3]

ويمكن تقديم التعريف التالي بشكل أكثر شمولية: إن الإحباط عبارة عن شعور الفرد بالتوتر نتيجة عدم تحقيق أهدافه ،وهذا الفشل ناتج عن عوامل داخلية وخارجية يصعب السيطرة عليها .

مصادر الإحباط: Sources of Stress

يصاب الفرد بالإحباط نتيجة عدم قدرته على تحقيق أهدافه وإشباع حاجاته، ويتيح هذا الوضع وجود مجموعة من العوائق تحول بين الفردوهدفه أو الحاجة التي يسعى إلى إشباعها. ويمكن تقسيم هذه العوائق إلى مجموعتين: مجموعة العوائق الداخلية (الذاتية)،ومجموعة العوائق الخارجية (البيئية).[4]

---

(1) أ.م.كولز، مدخل إلى علم النفس المرضي الاكلينتيكي ، الاسكندريه :دار المعرفة الجامعية ، 1992،ص 347.(ترجمة عند الغفار الدمياطي و آخرون).

(2) مهدي زويلف ، علم النفس الاداري ومحددات السلوك الاداري ، المنظمة العربية للعلوم الادارية ،1982،ص25-26

(3) علي كمال، باب العبث بالعقل ،الطبعة االاولى ،بيروت :المؤسسة العربية للدراسات واالنشر 1994،ص42

(4) ابراهيم الغمري، السلوك الانساني ،القاهرة :مكتبة الانجلو المصرية 1983،ص227-228

أولا:العوائق الداخلية (الذاتية)

ويقصد بها مجموعة العوامل التي تتعلق بالفرد وبقدراته ، وتتمثل في آلاتي:

1- ضعف روح المباداه لدى الفرد.

2- عدم القدرة على مواجهة الأمور المعقدة.

3- ضعف خبرة الفرد وقلة احتكاكه بالآخرين .

4- المبالغة في توقعات الفرد بالنسبة لقدراته وكفاءته .

5- مغالاة الفرد في تقدير إمكانياته .

6- إعاقة ذاتية مثل الإعاقة البدنية

ثانيا :العوائق الخارجية (البيئية)

ويقصد بها مجموعة العوامل الخارجة عن نطاق الشخص، ومن أمثلتها:

1- عدم إتاحة الفرصة للفرد لإبراز قدراته

2- عدم اهتمام المحيطين بالفرد بقدراته وعدم مد يد العون لاظهار تلك القدرات.

3- الإقلال من أهمية الشخص وقدراته

4- تعارض مفاهيم الجماعة التي ينتمي إليها الفرد مع مفاهيمه وأرائه .

5- انتشار بعض الظواهر المرضية في البيئة مثل الفساد والمحسوبية .

6- الحرمان المادي في البيئة نتيجة عدم إشباع حاجات الفرد المادية بسبب عدم توفر السلع المطلوبة .وكذلك الحرمان الاجتماعي يسبب عدم توفر الخدمات الاجتماعية كالتعليم .

السلوك المحفز والسلوك المحبط:

يُمكن القول بان أنماط السلوك في المنظمات نوعان هما :السلوك المحفز والسلوك المحبط[1].

أولا : السلوك المحفز Motivated Behavior

ويمكن شرح ميكانيكية السلوك المحفز في الآتي :

1- يحاول الفرد عن طريق العملية المعرفية الخاصة بالإدراك تفهم العالم الخارجي.

2- يحدد الفرد أهدافاً يريد تحقيقها .

3- يقوم الفرد بتحديد الطرق والوسائل اللازمة لتحقيق الهدف.

4- يبدأ الفرد في محاولة تحقيق أهدافه بالطرق التي حددها .

5- تصل الفرد معلومات مرتدة تساعد في تقييم مدى نجاحه أو فشله في تحقيق الأهداف.

6- يتعلم الفرد اتباع نفس الطرق والوسائل التي أدت إلى نجاحه.

7- في حالة فشل الفرد في تحقيق الهدف ، فانه يقوم ببعض الأنشطة حتى يصل إلى النجاح كأن يحاول مرات عديدة مستخدما نفس الطرق ،أو تغيير الطرق والوسائل المستخدمة في تحقيق الهدف،أو تعديل الأهداف ذاتها .

---

(1) أبراهيم الغمري ،مرجع سابق ،ص226-242

ثانيا: السلوك المحبط Frustrated Behavior

السلوك المحبط هو السلوك الناتج عن محاولة الفرد تحقيق أهداف معينةأو إشباع حاجات معينة ولكنه يفشل في تحقيقها لوجود عائق أو عدد من العوائق لا يمكنه السيطرة عليها .

وهناك مجموعة من الصفات التي يتسم بها السلوك المحيط ومن بينها الآتي:

1- **الجمود (التكرار دون تنوع)**

تكرار فشل تحقيق الهدف بنفس الأسلوب أو الوسيلة المتبعة من قبل الفرد. مثال ذلك العامل الذي يحاول إصلاح آله بطريقة معينة فيفشل، فيعيد الكرّة مستخدما نفس الطريقة ويفشل .ويكرر محاولته عدة مرات ولكن دون أي تنوع،وتكون النتيجة الفشل في تحقيق هدفه.

2- **سلوك عادم**

وذلك نتيجة لما يصيب الفرد من خيبة أمل لعدم إشباعه حاجاته وعدم قدرته على تحقيق الأهداف التي يسعى إليها.

3- **الإجبار**

حيث تنعدم البدائل السلوكية التي يختار من بينها الفرد

4- **انعدام التعلم**

حيث تنعدم خبرة الفرد الناتجة من محاولاته مع العديد من البدائل.

يوضح الجدول رقم (1)الفروق بين كل من السلوك المحفزوالسلوك المحبط

جدول رقم (1)

السلوك المحفز والسلوك المحبط

السلوك المحفز	السلوك المحبط
1-متنوع	1-متكرر
2-مرن	2-يتصف بالجمود
3-يمثل وسيلة للوصول إلى غاية	3-يمثل غاية في حد ذاته
4-يتصف بتوفر مجالات الاختيار حيث تتوافر البدائل السلوكية	4-يتصف بالإجبار حيث تنعدم البدائل السلوكية
5-سلوك بناء	5-سلوك هدام
6-يتعلم الفرد الكثير	6-ينعدم التعلم
7-يعرف بالسلوك الموجه لتحقيق الأهداف	7-يعرف بالسلوك غير الموجه لتحقيق الأهداف

المصدر : إبراهيم الغمري ،السلوك الإنساني،القاهرة :مكتبة الانجلو المصرية،1983،ص242

نتائج الإحباط:

ان الإحباط ناتج عن عدم قدرة الفرد على إشباع حاجاته ورغباته مما يؤدي إلى اتباعه نوعاً من السلوكين الآتيين وهما: السلوك الإيجابي والسلوك الدفاعي.[1]

أولا: السلوك الإيجابي Constructive Behavior

وهو أن يواجه الفرد حقيقة الموقف . فقد يشعر الفرد أن الهدف أو الحاجة غير واقعية أو أنها غير ضرورية وعندها لا يتخذ أي إجراء أو رد فعل نحوها.

ثانيا:السلوك الدفاعي Defensive Behavior

هو السلوك الذي يتبناه الفرد دفاعا عن نفسه عندما يشعر أن فشله في إشباع الحاجة قد سبب موقفا يهدد ذاته . وفيما يلي ردود الأفعال الدفاعية التي يبديها الفرد في سلوكه الدفاعي[2]:

1- العدوانية Aggression

العدوان أحد ردود الفعل المنتشرة بين الأفراد . ويمثل تصرفاً معيناً موجهاً إلى شخص ما أو شيء ما بهدف إحداث الأذى أو إلحاق الضرر أو التخريب . وقد يوجهه الفرد إلى المصدر الأساسي الذي تسبب في أصابته بالإحباط أو إلى مصدر آخر (سواء فرد أو شيء) يستخدمه الفرد كبديل للمصدر الأساسي الذي تسبب في إحباطه، و تعتمد درجة قوة العدوان على عدد المرات التي أحبطت فيها الاستجابة، وكذلك على شدة الرغبة في الاستجابة المحبطة.

(1) كامل المغربي ،السلوك التنظيمي: مفاهيم وأسس سلوك الفرد والجماعة في التنظيم ، الطبعة الثانية عمان:دار الفكر للنشر والتوزيع 1994،ص122-123

(2) أبراهم المغربي ،مرجع سابق ،ص238-240

2-   التبرير   Rationalization

وهنا يحاول الفرد تبرير فشله في تحقيق الهدف أو إشباع الحاجة التي يسعى وراءهـا ، وينتقـل عبء الفشل إلي فرد آخر أو شيء آخر. مثال ذلك الطالـب الـذي يفشـل في دراسته يـبرر رسـوبه بضـعف كفاءة المدرس أو غيرها من الحجج والأعذار .

3-   الانسحاب (الانطواء)   Withdrawal

والانسحاب قد يكون فسيولوجيا (جسديا) أو نفسيا. وفي الحالة الأولى ينسـحب الفـرد بالكامـل من الميدان – أو المجال – الذي يسبب لـه الإحباط. مثال ذلك الطالـب الـذي يفشـل في دراسته الجامعيـة ويشعر بأنه لا يصلح للتعليم فينسحب كليا من الجامعـة.وفي الحالـة الثانيـة (الانسحاب النفسـاني) يلجـأ الفرد إلى مواجهة الإحباط من خلال تجنب الاتصال مع الآخرين والغياب النفسي واللامبالاة .

4-   الكبت   Repression

يمثل الكبت أسلوباً دفاعياً بصورة لا شعورية ، إذ يقوم بحبس الأفكار المزعجة في العقـل البـاطن .والفرد وفق هذا الأسلوب لا يحل مشكلة لانه يعتمد على حفظ الأفكار غير المحببة في عقله.

5-   التعويض (تحويل الهدف)   Compensation

ويكون ذلك في حالة وجود أهداف صعبة التحقيـق ،فيتحـول الفـرد إلى أهـداف بديلـه اقل صعوبة بحيث يكون لـه القدرة على تحقيقها . أي إذا فشل الفرد في تحقيق هدف معـين أو إشـباع حاجة بذاتها فانه يحول جهوده وطاقاته تجاه محاولة تحقيق هدف آخر أو إشباع حاجة أخرى في ظل إمكانياتـه وقدراته.

6- الانحدار (التقهقر) **Regression**

أسلوب دفاعي يلجأ اليه الفرد للتهرب من الإحباط .والفرد ينتحل سلوكا طفوليا نتيجة تعرضه إلى الإحباط مثل لجوئه إلى البكاء والعويل وغيرها من أنماط السلوك الصبيانية. وهو سلوك لاشعوري ولاإرادي.

7- أحلام اليقظة **Daydreaming**

وهنا يبدأ الفرد في تخيل مواقف معينة يتصور نفسه فيها بصفات معينة تساعده في التغلب على شعوره الإحباطي. فمثلا الطالب الذي يواجه دائما بنقد شديد من جانب زملائه وأساتذته حول أفكاره وآرائه ،فانه يتخيل نفسه في موقف الموجه للمجموعة ، وان الجميع ينصتون له بكل إمعان وأنه منقذ الجماعة في جميع مشاكلها، وأن الجميع يثنون عليه طوال الوقت ، ويمجدون حكمته وعمق تفكيره وآرائه.

طرق علاج الإحباط: Managing Stress

استعرضنا مصادر الإحباط المتمثلة في عوامل داخلية تعود للفرد، وعوامل خارجية متمثلة في البيئة المحيطة.وهذا التفريق ضروري للإداري لأنه يساعد في تحديد الأسلوب العلاجي المناسب عندما يعرف مصدر الإحباط هل يعزى للفرد نفسه أم إلى البيئة.ومن الطرق والأساليب العلاجية للإحباط:

1- قيام المنظمة بوضع أهداف واقعية ممكنة التطبيق ضمن الإمكانيات المادية والبشرية المتوفرة لديها

2- التأكد من أن الأهداف المرسومة تقع ضمن مهارات وقدرات الأفراد حتى لا يتعرض الفرد العامل للإحباط نتيجة عدم استطاعته إنجاز الأهداف التنظيمية

3- اختيار وتعيين الأفراد الذين لديهم ثقة عالية بأنفسهم

4- اعداد المناخ الملائم المشجع للسلوك المحفز، والحد من المعوقات والصعوبات التي تعمل على إظهار السلوك الإحباطي سواء كانت معوقات إدارية أو قانونية أو اجتماعية 000الخ.

الفصل العاشر

السلوك الجماعي في المنظمات
Group Behavior in organizations

- ماهية الجماعة .
- خصائص الجماعات .
- أنواع الجماعات .
- هيكلية الجماعات .
- أسباب تكوين الجماعات غير الرسمية .
- نماذج علاقات التنظيم غير الرسمي .
- مدى أهمية التنظيم غير الرسمي للتنظيم الرسمي .
- دوافع الجماعة غير الرسمية في التأثير على سلوك الفرد .
- أدوات تأثير الجماعات غير الرسمية على الفرد .
- العوامل المؤثرة على خضوع الفرد لمعايير الجماعة غير الرسمية

ماهية الجماعة :

تعتبر الجماعات من المكونات الأساسية لدراسة السلوك التنظيمي، لذلك فإن دراسة الجماعة وآلية الانضمام إليها على درجة عالية من الاهمية لأن سلوك الأفراد في المنظمات المختلفة يتم في الغالب في إطار جماعات . والمعروف أن سلوك الإنسان كفرد يختلف عن سلوكه كعضو في جماعة ولذلك من المهم معرفة ماهية الجماعة وخصائصها وأنواعها .

اختلف العلماء في تعريف الجماعة وذلك بسبب اختلافاتهم العلمية وأهدافهم، فهناك من يعرف الجماعة على أساس " العلاقة " بين أفرادها أو على أساس "الدافعية " أو على أساس " الخصائص التنظيمية " أو على أساس " الاعتمادية " القائمة بين أفرادها أو على أساس العلاقات التبادلية بينهم[1] .

وهناك عدة تعاريف للجماعة نذكر منها :

يعرف Davis الجماعة بأنها " عدد من الأفراد تربطهم علاقات يمكن ملاحظتها أو التعرف عليها "[2]. وهذا التعريف يشير الى التداخل والتفاعل بين اعضاء الجماعة. ويعرف Tosi الجماعة بأنها " اجتماع عدد صغير نسبياً من الأفراد بشكل يمكنهم من التفاعل الدائم خلال اللقاء والمواجهة المباشرة ويشعرون فيما بينهم بالتجاوب النفسي من خلال إحساسهم بالانتماء لعضوية جماعة واحدة". ويعرف Kinicki, Kreitner الجماعة بأنها "مجموعة من اثنين أو أكثر يتفاعلون بحرية ويشتركون في أهداف ومعايير جماعية، ولهم هوية مشتركة".

---

(1) كامل المغربي، السلوك التنظيمي ومفاهيم وأسس سلوك الفرد والجماعة في التنظيم ، الطبعة الثانية ، عمان: دار الفكر للنشر والتوزيع، 1994-1995، ص 175 .

(2) حسين حريم، السوك التنظيمي وسلوك الأفراد في المنظمات، عمان: دار زهران للنشر والتوزيع 1997 ص 182.

خصائص الجماعات :

تشير التعاريف السابقة وغيرها الى مفهوم الجماعة على اعتبار " أن الجماعة تتكون من شخصين فأكثر بينهم علاقات وتفاعلات تنشأ عنها شخصية الجماعة التي تختلف عن شخصية كـل فـرد عضـو فيهـا.

وفيما يلي الصفات والخصائص التي تتميز بها الجماعة وهي [1]:

1- يعتبر عدد أفراد الجماعة محدوداً بشكل نسبي ليتسنى لأعضائها التفاعل والاتصال بين افرادها .

2- يوجد لأفراد الجماعة أهداف مشتركة .

3- يؤدي الأفراد وظائف مختلفة لتحقيق هذه الأهداف .

4- يتفاعل الأفراد مع بعضهم البعض لتحقيق أهداف الجماعة .

5- تقوم الجماعة على تطوير أسس ومعايير تنظم وتضبط سلوك الأفراد في الجماعة.

أنواع الجماعات : Group Types

من الصعوبة بمكان حصر أسباب تكوين ونشوء الكثير من الجماعات إلا أنـه يمكننـا التمييـز بـين خمسة انواع رئيسة منها وهي [2] :

1-المجموعات الوظيفية Functional Groups

تنشأ هـذه المجموعـات بقـرار مـن السـلطة الرسـمية في المنظمـة والمجموعـات الوظيفيـة هـي الوحدات التي تكون في مجموعها الهيكل الرسمي في المنظمة .

---

(1) حسين حريم، مرجع سابق، ص 182 .
(2) كامل المغربي، مرجع سابق، ص 179-180.

2-فرق العمل Task Groups

ويعود تكوينها من أجل إنجاز مهمـة محـددة، وعنـد تحقيـق هـذه المهمـة تـزول هـذه الفـرق وتتلاشى .

3-فرق الميول والصداقة Interest & Friendship Groups

يتكون هذا النوع من الجماعات نتيجة وجود ميـول مشـتركة بين أفرادهـا أو لصـداقات نشـأت بينهم. أي أن أفراد الجماعة يرتبطون معاً باهتمامات مشتركة من المعتقدات والنشاطات .

4-اللجان Committees

يتشكل هذا النوع من الجماعات من فـرق عمـل مؤقتـة يـتم تشكيلها عـادة لدراسـة حالـة او حالات معينة إضافة إلى العمل الرسمي الأساسي لكل عضو من اعضائها مثل لجنة المشتريات ولجنة اختيار الموظفين.

5-الجماعات غير الرسمية Informal Groups

وهي الجماعات التي تنشأ بطريقة عفوية بين الأفراد الذين تربطهم مصلحه مشتركة.

6-جماعات الضغط Pressure Groups

تنشأ هذه الجماعات من اجل تطوير وتحسين أوضاع الأفراد المنتسبين إليها مثـل تحسـين شروط الاستخدام وظروف العمل .

هيكلية الجماعات : Groups Structure

لمعرفة حقيقة سلوك الجماعة بشكل عميق لا بد من مناقشة هيكلية الجماعة التي تتضمن البنود التالية[1] :

1-تركيب الجماعة Group Formation

مما لا شك فيه ان سلوك الجماعة نابع من السلوك الفردي فيها ونجد أحياناً أن الأفراد يتشابهون في دوافعهم وحاجاتهم وشخصياتهم وبهذا تكون الجماعة متجانسة (Homogeneous) وفي أحيان أخرى نجد اختلافاً في احتياجات ودوافع أفراد الجماعة وبهذا تكون الجماعة غير متجانسة (Heterogeneous) . ويكون تأثير الجماعة المتجانسة اكثر في الاعمال الروتينية البسيطة بينما نجد تأثير الجماعة غير المتجانسة في قدرتها على معالجة المشاكل المعقدة وخاصة المشاكل التي تحتاج إلى الأساليب الإبداعية .

2-المعايير السلوكية Norms

هي القواعد السلوكية التي تحددها الجماعة والتي توفر للفرد الأساس الضروري من أجل التنبؤ بسلوك الأعضاء الآخرين .

ومن أجل إدراك تطور هذه القواعد السلوكية ومدى تأثيرها على سلوك الجماعة فلا بد من معرفة النواحي التالية :

أ-ان الجماعة تضع قواعد ذات فائدة كبيرة .

ب-يطبق جزء من هذه القواعد على جميع أعضائها بينما يطبق الجزء الآخر على أفراد معينين .

ج- درجة تقبل القواعد متفاوتة من قبل أفراد الجماعة .

د- تعتبر القواعد متفاوتة من حيث تساهلها تجاه الانحرافات .

---

(1) كامل المغربي، مرجع سابق، ص 182-185.

هناك أسباب تدفع الأفراد نحو عدم احترام قواعد الجماعة والانسحاب منها وأهمها : عوامل شخصية مثل السن والجنس والذكاء وعدم وضوح التعليمات ودرجة العلاقات بين الافراد ومدى الانتماء .

3- الأدوار Roles

وهي السلوكيات المتوقعة للأفراد ، وميز العلماء بين ثلاثة أنواع من الأدوار وهي: الدور المتوقع والدور المدرك من الفرد نفسه والدور الحقيقي الذي يقوم به الفرد، ويعتبر عدم الوضوح في الدور من المعوقات الرئيسية في تحسين الدور المتوقع والدور المدرك .

4-المنزلة Status

ويشير هذا المفهوم إلى وضع أو مركز الفرد في التنظيم او الجماعة ولذلك نجد تفاوتاً بين مراكز الأشخاص .

5-الترابط والتماسك Cohesiveness

يدل هذا المفهوم على درجة التقارب والتماسك في العلاقات بين افراد الجماعة، حيث اشارت الدراسات إلى أنه في حالة التماسك القوي فإن أفراد الجماعة يكون لديهم دافع الاستمرار في الجماعة بينما في حالة الترابط والتماسك الضعيف يميل الافراد إلى ترك الجماعة .

6-القيادة Leadership

يعتبر عنصر القيادة من اهم العوامل في هيكلية الجماعة، وهنا نستطيع الإشارة إلى نوعين من القيادة : القيادة الرسمية وهي محددة من قبل سياسات التنظيم وتعطي الفرد حق التدخل في شؤون مرؤوسيه . بينما القيادة غير الرسيمة وهي ان الشخص يعطي السلطة من قبل أفراد الجماعة أنفسهم ايماناً منهم بأنه يمثل قيمهم ويساعدهم في تحقيق أهدافهم المشتركة.

اسباب تكوين الجماعات غير الرسمية :

ان نشوء الجماعات غير الرسمية في المنظمات لم يكن بطريقة عشوائية، وانما هناك دافع وادراكات مختلفة لدى الأفراد العاملين تدفعهم الى الانخراط في هذه الجماعات ، ومن بين تلك الأسباب [1]:

أولاً : أشباع بعض الحاجات الاجتماعية والنفسية عند الفرد

من المعروف ان الافراد لديهم حاجات مختلفة سواء كانت فسيولوجية أو اجتماعية او نفسية وتعتبر هذه الحاجات هي المحرك والدافع الرئيسي للأفراد في تكوين جماعات غير رسمية منها :

- **الحاجة إلى الانتماء:** العديد من الأفراد يفضلون العمل الذي يتوقف نجاحه على العمل الجماعي بدلاً من الجهد الفردي ولذلك فإنه يحاول الانتماء إلى الجماعة ويطور علاقاته الاجتماعية التي توثق العلاقة بين الافراد .

- **الحاجة إلى الأمن:** من خلال الانتماء الى الجماعة بحيث يمكن للأفراد التعبير عن آرائهم وأفكارهم بحرية معتمدين على حماية الجماعة .

- **الحاجة إلى التقدير:** توفر الجماعة للفرد رغبة التقدير داخل الجماعة بين أعضائها وخارجها من خلال الشهرة المكتسبة والتي ترفع من قيمة الفرد .

- **الحاجة إلى تأكيد الذات :** الدخول في الجماعات يتيح للفرد فرصة لتطوير وتحسين مهاراته من خلال تبادل الأفكار والآراء والمعلومات مع الأعضاء الآخرين .

---

(1) عبد المعطي محمد عساف، السلوك الإداري (التنظيمي) في المنظمات المعاصرة، 1994م، ص 136-137.

ثانياً: المساعدة والمساندة الجماعية

ان انتماء الفرد الى الجماعة يؤدي الى تقليل درجة التوتر والقلق بسبب المشاكل التي يواجهها حيث يكون هناك تعاون بين أعضاء الجماعة وبالتالي ستكون الجماعة عوناً وسنداً للفرد .

ثالثاً : الحصول على المعلومات

تعتبر الجماعة غير الرسمية وسيلة رئيسية لإشباع حاجات الفرد ورغباته في الحصول على المعلومات ومعرفة ما يدور حوله من أمور، حيث أن مصادر المعلومات الرسمية قد تكون قاصرة عن اشباع حاجات الفرد .

رابعا: أسباب ثانوية

توجد أسباب ثانوية مساعدة في نشوء الجماعات غير الرسمية مثل الأسباب الشخصية كالجنس والعمر وغيرها التي تساعد على ظهور جماعات شبابية أو نسائية. وهناك ايضاً أسباب قانونية حيث قد تعمل هذه القوانين على اجبار الأفراد على الانخراط في الجماعات النقابية .

نماذج علاقات التنظيم غير الرسمي :

يوجد للتنظيم غير الرسمي نماذج متعددة أهمها ما يلي [1]:

1- العلاقات الاجتماعية

يتكون التنظيم غير الرسمي نتيجة العلاقات الاجتماعية التي تربط بين الأفراد داخل المنظمة، بسبب روابط الصداقة والصلات الشخصية والانتماء الى طبقة اجتماعية معينة، مما يؤدي إلى ظهور شكل من أشكال التنظيم غير الرسمي في المنظمة .

---

(1) حسن الحكاك، نظرية المنظمة: دراسة عملية وعلمية في المنظمة والتنظيم، الطبعة الأولى ، بغداد - مطبقعة الأديب البغدادية ، 1971 ، ص ص 252-255 .

2-الموقع

تعتبر عملية تجمع والتقاء الأفراد العاملين في مكان معين وبشكل مستمر ولفترة زمنية طويلة من الأسباب الرئيسة لنشوء علاقات اجتماعية فيما بينهم بحيث تشبع حاجاتهم ورغباتهم.

3-المهنة

يرغب الأفراد الذين يعملون في وظيفة معينة في تكوين تجمع وفق المهن التي يمتلكونها بحيث يتعرفون على بعضهم البعض ويجمعون معلومات تتعلق بمهنتهم لغاية تطوير انفسهم، ويعتبر هذا مصدراً مهماً في تكوين التنظيم غير الرسمي.

4-المصلحة المشتركة

من المعروف عندما يكون للأفراد العاملين مصلحة مشتركة في موضوع معين فأنهم يتجمعون معاً ويشكلون كتلة واحدة من اجل تحقيق مصالحهم وأهدافهم.

5- القوة أو التأثير

وهي تنشأ عندما يتمتع بعض الأفراد بقدرة تأثيرية في مسائل معينة وبذلك يتكون لهم مركز للزعامة غير الرسمية. وتعود هذه الزعامة إلى قوة شخصية الفرد أو إلى انتمائه إلى جماعة ذات قوة أو مكانة مرموقة في المجتمع. وعلى ضوء ذلك تنشأ علاقة غير رسمية مع هذا الشخص من أجل تحقيق بعض المنافع من ذلك الشخص صاحب القوة .

مدى أهمية التنظيم غير الرسمي للتنظيم الرسمي :

أن العلاقات الرسمية داخل المنظمة لن تحقق كافة الأهداف التنظيمية، لذلك تدرك الإدارة أن كثيراً من الأعمال تنجز من خلال العاملين بصفة غير رسمية. لهذا فإن المدير الناجح لا يعتمد فقط على السلطة التي يمثلها من خلال موقعه، بل يسعى لفهم التنظيمات غير الرسمية داخل منظمته للحصول على النتائج المرغوبة، فكثير من قيم التنظيمات غير الرسمية تؤثر بشكل كبير على كفاءة المنظمة كما يلي [1]:

أولاً: تساهم التنظيمات غير الرسمية في تحقيق أهداف المنظمة، وذلك في حالة حدوث انسجام وتوافق بين التنظيمات الرسمية وغير الرسمية .

ثانياً : تسهل عملية إنجاز الأعمال والأنشطة داخل بيئة العمل، ذلك أن الاعتماد على التنظيم الرسمي لن يمكن الأفراد من تحقيق الأنشطة المطلوبة منه بالشكل المرغوب .

ثالثاً: يقدم التنظيم غير الرسمي قنوات اتصال إضافية (إشاعات من وراء الجدران) حيث أن هذه القناة تخدم الإدارة في الحصول على معلومات دقيقة وبشكل سريع تفيد المنظمة في تحقيق أهدافها . فالاتصالات غير الرسمية تمنح الرئيس فرصة التعرف على مشاعر المرؤوسين واتجاهاتهم، كما أنها وسيلة يمكن استخدامها في نشر الحقائق والمعلومات التي لا يريد أن يتلقاها المرؤوسون عن طريق الاتصال الرسمي .

رابعاً: يساهم التنظيم غير الرسمي في إشباع الحاجات الاجتماعية التي تمثل المرتبة الثالثة من الحاجات طبقاً لهرم ماسلو.

(1) Robert J. Thieranf et at , ' Principles and practices, First Edition, New York : ©John wiley & sons, 1979,

خامساً: تساهم التنظيمات غير الرسمية في توسيع قاعدة نطاق الإشراف، لأن التنظيمات غير الرسمية تسمح بالتفاعل مع التنظيمات الرسمية، لذلك فإن الإدارة سوف تكرس وقتاً أقل في تنسيق ورقابة الأنشطة

.

سادساً: ان التنظيمات غير الرسمية تنشا وبشكل يعوض التنظيمات الرسمية، ذلك أن التنظيمات الرسمية تهتم بما يجب أن يكون، بينما التنظيمات الرسمية تتعامل مع السلوك كما هو قائم .

وعلى الرغم من أهمية وجود التنظيمات غير الرسمية في أي منظمة إلا أنها لا تخلو من العيوب والسلبيات وأهمها التعارض في المهام والواجبات، والتناقض بين أهدافها وأهداف المنظمة. فالتنظيمات غير الرسمية لن تتعاون مع المنظمة إلا إذا شعرت بأن الإدارة تتفهم أهدافها ومصالحها. لذلك من الضروري أحداث تكامل بين التنظيم الرسمي والجماعات غير الرسمية من خلال اعتراف الإدارة بأن المجموعات غير الرسمية لا تسلك دائماً سلوكاً مضاداً لها وان بامكانها تنمية انماط سلوكية بين افراد الجماعة تعمل على تحقيق الاهداف التنظيمية، وكذلك اعادة النظر في الهيكل التنظيمي وتعديله بالشكل الذي يساعد على التفاعل الاجتماعي وتنمية روح الفريق بين أفراد الجماعات. ويمكن ان يتحقق ذلك من خلال تكوين فرق العمل بحيث تصبح كل مجموعة صغيرة مسؤولة عن تحقيق هدف معين وان تزود هذه المجموعة بالامكانيات والمهارات والخبرات والمعلومات اللازمة لتحقيق الهدف المطلوب [1].

---

(1) كامل المغربي، مرجع سابق ، ص 185-186.

دوافع الجماعة غير الرسمية في التأثير على سلوك الفرد :

مما لاشك فيه أن للجماعة تأثيراً على سلوك وإدراك الفرد، فهي تتحكم في الكثير من مصادر المعلومات التي يعتمد عليها الفرد لتكوين معتقداته ومفاهيمه ومدركاته عن المنظمة ونظامها وسياساتها وغير ذلك .

وسيتم بيان دوافع الجماعة غير الرسمية في تأثيرها على سلوك الفرد كما يلي[1]:

1-تكوين سلوك الفرد ورقابة ما يتعلمه

من المعروف أنه يصدر عن الجماعة مثيرات ومنبهات ومعلومات حيث توجه هذه المعلومات والمثيرات نحو أفرادها وهي تلعب دوراً كبيراً في تحديد ما يتعلمه هؤلاء الأفراد من المحيط الذي يعملون فيه. لذلك تعمل الجماعة على توفير الخبرات والمفاهيم حتى تمكن الفرد من التعلم السريع وكسب الخبرة الكافية في المجال الذي يعمل فيه الفرد .

2- تنميط سلوك الأفراد في نواح معينة بشكل يحافظ على سلوك الجماعة وترابطها

تسعى جماعات العمل إلى المحافظة على نسبة معينة من التجانس في سلوك أعضائها بحيث يكون لديها القدرة على التنبؤ بسلوك بعضهم. فقد يتفق أعضاء الجماعة على الطريقة التي يعامل بها الأعضاء المسؤول أو المشرف في مواقف معينة، مثل تقديم أو عدم تقديم معلومات. ويمكن أن يتم الاتفاق أيضا على كيفية حل النزاعات التي تحدث بين أعضاء الجماعة.وأحياناً قد يتم تنميط سلوك الفرد في جوانب تتعلق بطرق إنجاز العمل .

(1) أحمد عاشور، إدارة القوى العاملة، الأسس السلوكية وأدوات البحث التطبيقي، القاهرة: دار المعرفة الجامعية، 1985 ص ص 308-310.

3-العمل على إيجاد تغاير واختلاف داخلي بين أعضاء الجماعة

كما أسلفنا فإن الجماعة تعمل على تحقيق النمطية في السلوك الفردي، وبـنفس الوقت تعمل الجماعة على إيجاد تمـايز وتغاير بـين اعضائها في تأدية الادوار، حيـث يكون لكل فـرد دوره الخاص في الجماعة. فقد نجد أحدهم يقوم بدور القيادة وأحدهم يقوم بـدور تنفيـذ العمـل والآخر يقوم بتوفير المعلومات من مصادرها والآخر يقوم بتنفيذ دور الاتصال مـع أفراد الجماعة .وبهـذا يكون سلوك الفرد محدداً بواجبات ومهام تجعل أعضاء الجماعة يحافظون على أنفسهم ويحققون أهدافهم.

أدوات تأثير الجماعة غير الرسمية على الفرد :

هناك مجموعة من الأساليب والأدوات تستعمل مـن قبـل جماعات العمـل للتأثير عـلى إدراك وسلوك الفرد كما يلي[1] :

أولاً: المدعمات الاجتماعية (الدعم الاجتماعي)

تستطيع الجماعة التأثير في مفاهيم وسلوك الفرد من خلال استعمال أساليب الثـواب والعقاب. فإذا قبل أعضاء الجماعة سلوكاً معيناً قام به فرد معين فقد يؤدي ذلك الى ترسيخ وتقويـة هذا السلوك لديه، وبالتالي تكوين مفهوم عن صحة هذا السلوك من قبل الجماعـة، والعكـس صحيح. ومن الأساليب التي تلجأ إليها الجماعة غير الرسمية للتأثير في سلوك الفرد وتكوينه :

أ-التفاعل والاحتكاك مع أعضاء الجماعة .

ب- التأييد والتشجيع أو السخرية والاستهزاء .

ج- تسهيل مهام العمل أو تعقيدها .

---

(1) أحمد عاشور، مرجع سابق ، ص 310-311.

ثانياً : السيطرة على المعلومات المتاحة للفرد

يتوفر لدى جماعات العمل مصدر كبير من المعلومات سواء كانت معلومات كمية أو نوعية حول الواقع الذي يحيط بالفرد. وعلاوة على ذلك يتوفر لدى الجماعة خبرات طويلة هي نتاج عملها وتجربتها السابقة فهي تستطيع أن توفر الخبرات والمعلومات لجميع أعضائها أو لبعضهم .

ولدى هذه الجماعات القدرة في تقديم معلومات لأعضاء معينين، وحجب المعلومات عن أعضاء آخرين وبهذا تتحكم جماعات العمل بالمعلومات من حيث الكم والنوع لاعضاء الجماعة .

ثالثاً: توفير نماذج اقتداء بالآخرين

تؤثر الجماعة على أعضائها من خلال أفرادها البارزين الذين يتمتعون بوضع ومكانة خاصة في الجماعة بقصد الاقتداء بهم من قبل أفراد الجماعة، حيث يعتبر الاقتداء بالآخرين ومحاكاة الغير من المصادر الأساسية في التعلم.

العوامل المؤثرة على خضوع الفرد لمعايير الجماعة غير الرسمية:

ويمكن إيجاز العوامل التي تؤثر على خضوع الفرد لمعايير الجماعة غير الرسمية في الآتي [1]:

1-درجة الترابط بين أعضاء الجماعة

يشير هذا العامل إلى درجة القوة بين أفراد الجماعة. ويمكن القول بأنه كلما زاد الترابط بين أعضاء الجماعة زادت مقدرة هذه الجماعة على فرض قواعدها وأسسها السلوكية على أعضائها .

---

(1) أحمد عاشور ، مرجع سابق، ص 314-317.

2-درجة الاتفاق على المعايير

يخضع الفرد لرأي الجماعة إذا كانت هناك أغلبية عالية لهذا الرأي في الجماعة، بمعنى آخر يعتمد تقبل وخضوع الفرد لرأي الجماعة إذا كان حجم الأغلبية كبيراً، فكلما زاد عدد الأفراد الممثلين لرأي الجماعة زاد تأثير هذا الرأي على وجهة نظر الفرد وموقفه، حيث سيتمسك الفرد برأي الجماعة حتى لو كان خاطئاً .

3-درجة وضوح الواقع الذي ترتكز عليه معايير الجماعة وقواعدها

قوة تأثير الجماعة على الفرد تكون في حالة أن رأي الجماعة يستند على الوضوح والموضوعية الصحيحة، وفي نفس الوقت تستطيع الجماعة أن تؤثر على الفرد في حالة غموض الواقع بالنسبة للفرد وبالتالي سيستنير برأي الجماعة ويتبع النهج الذي ستسير عليه .

4-الثواب والعقاب

إذا كان للجماعة مقدرة على مكافأة الافراد الذين يتمسكون ويتبعون موقفها فإن ذلك يؤدي إلى فعالية تأثير الجماعة على رأي الفرد وموقفه. وفي الوقت نفسه إذا كان للجماعة مقدرة على معاقبة الأفراد الذين ينحرفون عن معايير الجماعة سيؤدي ذلك إلى تقليل الانحراف عن رأي الجماعة وزيادة الاتفاق .

5- إيمان الفرد بقدرة الجماعة على الحكم السليم

إذا كانت درجة ثقة الفرد في الجماعة عالية فإن ذلك سيؤدي الى قبول رأي الجماعة، لأن الجماعة كما أسلفنا تعتبر مصدراً مهماً للخبرة والمعلومات، وبالتالي سيكون لدى الفرد الاستعداد والقابلية لقبول رأي الجماعة .

6-المميزات الشخصية للفرد

العوامل التي ذكرت سابقاً لا تؤثر بنفس الدرجة على الفرد وإنما يتفاوت تأثيرها بتنوع واختلاف شخصية الفرد . فمثلاً الأفراد الذين يميلون الى العزلة،

يميلون، إلى مقاومة ضغوط الجماعة بدرجة أعلى من الأفراد الذين لا يتميزون بتلك السمات .

7-موقع الفرد ومكانته في الجماعة

إذا كان الفرد جديداً في الجماعة ستمارس عليه ضغوط أكبر من الجماعة وذلك لتوحيد سلوكه مع أفراد الجماعة. فالأفراد الجدد يميلون إلى أن يقبلوا أداء ومعايير الجماعة وذلك حتى تقبلهم الجماعة. أما في حالة كون الفرد قديماً في الجماعة فإن هذا سيمنحه درجة من المرونة في السلوك بحيث يمكنه الخروج من معايير وآراء الجماعة، إذ ا لم تكن هذه المعايير جوهرية وأساسية للجماعة .

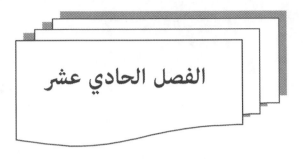

الفصل الحادي عشر

الهيكل التنظيمي
Organization Structure

- تعريف الهيكل التنظيمي
- العوامل المؤثرة في تصميم الهيكل التنظيمي
- مراحل تصميم الهيكل التنظيمي الرسمي
- انواع الهياكل التنظيمية
- نماذج الهيكل التنظيمي الرسمي
- اشكال تقسيم الهياكل التنظيمية
- خصائص الهيكل التنظيمي الجيد
- إعادة تصميم الهيكل التنظيمي

تعريف الهيكل التنظيمي :

الهيكل التنظيمي عبارة عن اطار يحدد الادارات والأقسام الداخلية المختلفة للمنظمة. فمن خلال الهيكل التنظيمي تتحدد خطوط السلطة وانسيابها بين الوظائف، وكذلك يبين لنا الهيكل التنظيمي الوحدات الادارية المختلفة التي تعمل معا على تحقيق اهداف المنظمة .

يعرف Stonar الهيكل التنظيمي بأنه : " الآلية الرسمية التي يتم من خلالها إدارة المنظمة عبر تحديد خطوط السلطة والاتصال بين الرؤساء والمرؤوسين". ويعرفه Fleet بأنه " نظام للسلطة والمساءلة والعلاقات بين الوحدات التنظيمية الذي يحدد شكل وطبيعة العمل اللازم للمنظمة ". كما يعرف Robinns الهيكل التنظيمي بأنه: " إدارة نصف من خلالها إطار التنظيم ودرجة تعقده ورسميته ومركزيته ". ويقصد بالتعقيد مقدار وحجم تقسيم العمل عمودياً وافقياً والذي يترتب عليه صعوبة التنسيق. ويقصد بالرسمية درجة اعتماد التنظيم على القواعد التشريعية والتنظيمية والاجراءات اللازمة لتوجيه السلوك التنظيمي للأفراد والعاملين. أما المركزية فتعني درجة تركيز سلطة اتخاذ القرار في المستويات الإدارية العليا[1] .

من خلال التعاريف السابقة نجد أن الهيكل التنظيمي يتألف من مجموعة عناصر رئيسية وهي :

1- يحتوي على تقسيمات تنظيمية ووحدات مختلفة.

2- التخصص في العمل، أي وجود مهام محددة.

3- نطاق الإشراف وخطوط السلطة والمسؤولية.

4- مواقع اتخاذ القرار من حيث المركزية واللامركزية .

---

(1) موسى المدهون وابراهيم الجزراوي، تحليل السلوك التنظيمي، الطبعة الأولى، عما: المركز العربي للخدمات الجامعية، 1995، ص 433-434 .

العوامل المؤثرة على تصميم الهيكل التنظيمي الرسمي :

بينت تجارب ودراسات عديدة بأن هناك مجموعـة مـن العوامـل التـي مـن شـأنها أن تـؤثر في اختيار وتصميم الهيكل التنظيمي المناسب وهي[1]:

1-حجم المنظمة

عندما يكون حجم المنظمة صغيراً فإن هذا يؤدي الى صعوبة وتعقيد في عملية تقسيم وتحديـد الانشطة الواجب اداؤها. ولكن عندما يكون حجم المنظمة كبيراً نجد أن الأنشطة تكون أكثر تنوعاً واتساعاً مما يؤدي الى سهولة تقسيم العمل وفقاً للأنشطة المختلفة ونتيجة لتنـوع الانشـطة وكثرتها يتطلـب الأمـر مزيداً من التنسيق والرقابة.

2-دورة حياة المنظمة

من المعروف ان للمنظمة دورة حياة تبدأ من فترة النشوء وتصل الى فترة النمو وتستمر الى فـترة النضج وأخيراً فترة الانحدار، والتي تتطلب إعادة التنظيم لمنعها من الوصول الى الزوال. وليس من الضروري ان تمر المنظمة بجميع هذه الفترات فهناك الكثير من المنظمات التي تـزول في بداية دورة حياتها لأسباب عديدة فإذا كانت حياة المنظمة مؤقتة فهذا يستدعي بأن يكون الهيكل التنظيمـي بسـيطاً وغـير معقـد في جميع عناصره من حيث المهام والعلاقات والسلطة والمسؤولية .

3-الموقع الجغرافي للمنظمة

ان المنظمة التي تؤدي انشطتها من خلال عدة مواقع جغرافية تتطلب هيـكلاً تنظيميـاً مختلفـاً الى حد كبير عن منظمة تعمل في منطقة جغرافية واحـدة. إذ انـه في الحالـة الأولى تـزداد مشـاكل الاشراف والتنسيق بين المستويات المختلفة في الهيكل التنظيمي .

---

(1) محسن مخامرة وآخرون، المفاهيم الادارية الحديثة، الطبعة السادسة، عمان: مركز الكتب الأردني، 2000، ص 141-150.

4-درجة التخصص

تؤثر درجة التخصص في المهام والأنشطة على الهيكل التنظيمي للمنظمة، فعندما تكون درجة التخصص في العمل منخفضة فهذا يؤدي الى أن يكون الهيكل بسيطاً والعكس صحيح .

5-القدرات البشرية المطلوبة

تلعب القدرات البشرية دوراً بارزاً في اختيار الهيكل التنظيمي المناسب، فعندما تكون القدرات البشرية المطلوبة بسيطة وغير معقدة من حيث المهارات والخبرات والتخصص، فإن هـذا سـيؤدي الى ان يكون الهيكل التنظيمي بسيطاً، ولكن إذا كانت طبيعة أعمال المنظمة تتطلب مهارات وخبرات عاليـة فإن هذا سيؤدي الى تشعب وتعدد الهيكل التنظيمي .

6-التكنولوجيا

التكنولوجيا تحدد طبيعة العمل والمهام ونوعية الوظائف وعلاقات العمل وهذا يؤثر بالتالي على اختيار الهيكل التنظيمي المناسب. ويمكن القول أنه كلما ازداد تعقيد التكنولوجيا المستخدمة ادى ذلك الى زيادة تعقيد الهيكل التنظيمي للمنظمة.

7-نطاق الاشراف

يعني عدد المرؤوسين الذين يستطيع الاداري الاشراف عليهم بفعالية وقد يكون نطاق الاشراف واسعاً وضيقاً، ونطاق الاشراف الواسع يؤدي الى وجود هيكل تنظيمي مسطح (Flat) وبالتـالي يكون عـدد المستويات الادارية محدوداً، بينما نطاق الاشراف الضيق يؤدي الى وجود هيكل تنظيمي طـولي (Tall) وبالتالي زيادة عدد المستويات الادارية .

8-الفلسفة الإدارية للإداريين (المركزية واللامركزية)

تعني المركزية تركيز سلطة اتخاذ القرارات بيد الإدارة العليا، بينما تشير اللامركزية إلى درجة تفويض سلطة اتخاذ القرارات الى المستويات الادنى. ان مدى تطبيق المركزية واللامركزية يؤثر على تصميم الهيكل التنظيمي، وكلما انتقلنا من المركزية الى اللامركزية زاد تعقد الهيكل التنظيمي والعكس صحيح.

9-البيئة الخارجية

تلعب البيئة دوراً رئيسياً في تأثيرها على اختيار الهيكل التنظيمي المناسب فالمنظمة التي تعمل في بيئة تتسم بالاستقرار يختلف هيكلها التنظيمي عن منظمة تعمل في بيئة غير مستقرة. وبالتالي تؤثر درجة الاستقرار وعدم الاستقرار على الهيكل التنظيمي، إذ انه في الحالة الأولى يكون بسيطاً وغير معقد بينما في الحالة الثانية يكون أكثر تعقيداً .

مراحل تصميم الهيكل التنظيمي الرسمي :

يمر اعداد الهيكل التنظيمي بمجموعة من المراحل :

1- تحديد الأهداف الأساسية للمنظمة بشكل واضح لأن الأهداف تساعد في تحديد الاحتياجات التنظيمية والتي بدورها تؤثر على اختيار الهيكل التنظيمي .

2- تحديد النشاطات المختلفة التي من خلالها تتحقق الأهداف الأساسية والثانوية.

3- تقسيم النشاطات الى انشطة رئيسية وأخرى فرعية.

4- تحديد اختصاص كل وحدة تنظيمية وإجراء وصف وظيفي لكل وظيفة في الوحدة التنظيمية تبين فيها الواجبات والسلطات والمسؤوليات.

5- تحديد الوظائف الاشرافية والتنفيذية داخل كل وحدة من الوحدات التنظيمية.

6- اعداد الخريطة التنظيمية والدليل التنظيمي للمنظمة.

أنواع الهياكل التنظيمية :

في كثير من منظمات الأعمال يوجد نوعان من الهياكل التنظيمية وهي:

أ-الهياكل التنظيمية الرسمية :

وهي الهياكل التنظيمية التي تعكس الهيكل التنظيمي الرسمي للمنظمة والذي فيه تحدد الأعمال والأنشطة وتقسيمها والعلاقات الوظيفية والسلطة والمسؤولية.

ب-الهياكل التنظيمية غير الرسمية:

هي عبارة عن خرائط تنظيمية وهمية، تنشأ بطريقة عفوية نتيجة التفاعل الطبيعي بين الأفراد العاملين بالمنظمة، حيث اثبت (التون مايو) في دراسته ان الأفراد العاملين ينفقون جزءاً من وقتهم في أداء أنشطة اجتماعية ليس لها علاقة بالعمل الرسمي، وتوصل ايضاً الى وجود مبادئ ومعايير وقواعد تحكم هذا النوع من الهياكل التنظيمية [1] .

أوجه الاختلاف بين الهياكل التنظيمية الرسمية وغير الرسمية:

توجد مجموعة من الخصائص للهياكل التنظيمية غير الرسمية تميزها عن الهياكل التنظيمية الرسمية وهي كما يلي :

---

(1) اميمة الدهان، نظريات منظمة الاعمال، الطبعة الأولى، عمان : مطبعة الصفدي، 1992، ص 85-83 .

أولاً: يتكون التنظيم غير الرسمي بطريقة عفوية غير منظمة من خلال مجموعة من الأشخاص يتجمعون في موقع معين في المنظمة، أما الهيكل التنظيمي الرسمي فيتكون بطريقة مخطط لها ومدروسة مسبقاً.

ثانياً: تعتبر العلاقات الشخصية أساس الهيكل التنظيمي غير الرسمي بعكس الهيكل التنظيمي الرسمي الذي يتحدد من خلال مبادئ ومعايير مكتوبة.

ثالثاً: تشكل العلاقات الشخصية قوة ضغط على الاشخاص العاملين في المنظمة من اجل تبني مواقف واتجاهات معينة قد تتعارض مع القواعد والمعايير التي يحددها الهيكل التنظيمي الرسمي.

رابعاً: يكون الدافع الرئيسي للأشخاص العاملين في المنظمة نحو الدخول في الهيكل التنظيمي غير الرسمي هو أشباع حاجاتهم النفسية والاجتماعية، بينما تكون أهداف الأشخاص العاملين في الهيكل التنظيمي الرسمي القيام بالواجبات والمهام الوظيفية .

وبناء عليه لابد من دراسة التنظيمات غير الرسمية لغاية توجيه الأفراد نحو انجاز أهداف المنظمة بدرجة عالية من الكفاءة والفاعلية. وان من الخطأ اعتبار كل من التنظيم الرسمي وغير الرسمي مدخلين منفصلين داخل المؤسسة، فكلاهما مترابطان، وكل تنظيم رسمي له تنظيمات غير رسمية، وكل تنظيم غير رسمي يمكن ان يتطور ليشكل الى حد ما تنظيماً رسمياً، فالتنظيمات غير الرسمية

تعرف " بأنها مجموعة العلاقات والنماذج التي تنشأ بين الأفراد بطريقة غير رسمية داخل المنظمة" [1].

نماذج الهيكل التنظيمي الرسمي :

يوجد أربعة أنواع من الهياكل التنظيمية الرسمية وهي الهيكل التنظيمي الكلاسيكي والعضوي والشبكي وتنظيم الفريق .

أولاً: الهيكل التنظيمي الكلاسيكي   Classical Model

ويتألف من ثلاثة أنواع رئيسية وهي :

1-   التنظيم التنفيذي .

2-   التنظيم الوظيفي .

3-   التنظيم التنفيذي الاستشاري .

1-التنظيم التنفيذي: Line Organization

هو مستنبط من إدارة الجيوش الحديثة، ومبني على السلطة المركزية الموجودة في أعلى قمة المنظمة، وفي هذه الحالة يكون هناك رئيس أعلى واحد يتولى اتخاذ القرارات واصدار الأوامر الى المرؤوسين المباشرين ثم تتدرج السلطة بطريقة منظمة من مستوى الى آخر .

---

(1) مدني عبد القادر علاقي، الإدارة : دراسة تحليلية للوظائف والقرارات الإدارية ، الطبعة الأولى ، جدة : جامعة الملك عبد العزيز، 1981 ، ص 327 .

المزايا :

أ- الوضوح والبساطة .

ب- تسير السلطة بخطوط مستقيمة من الأعلى الى الأسفل.

ج- المسؤولية محددة .

د- اعتماد التنظيم على النظام واطاعة الأوامر والتعليمات الصادرة من الرؤساء الى المرؤوسين .

المآخذ :

أ- يهمل مبدأ التخصص (أي عدم الفصل بين الوظائف الادارية والفنية).

ب- يبالغ في أهمية الرؤساء الاداريين بمنحهم سلطة كاملة في التصرف في المسائل الداخلة في نطاق اختصاصهم .

ج- يحمل كبار الاداريين مسؤوليات تزيد عن طاقاتهم لأنهم يتولون البت في المسائل الإدارية والفنية .

د- يتعذر تحديد الادارات والأقسام إلا إذا فرضها إداري قوي.

هـ- يتعذر فيه تحقيق التعاون والتنسيق بين الادارات المختلفة .

ويوضح الشكل رقم (1) هذا النوع من الهياكل التنظيمية .

شكل رقم (1)

الهيكل التنظيمي التنفيذي

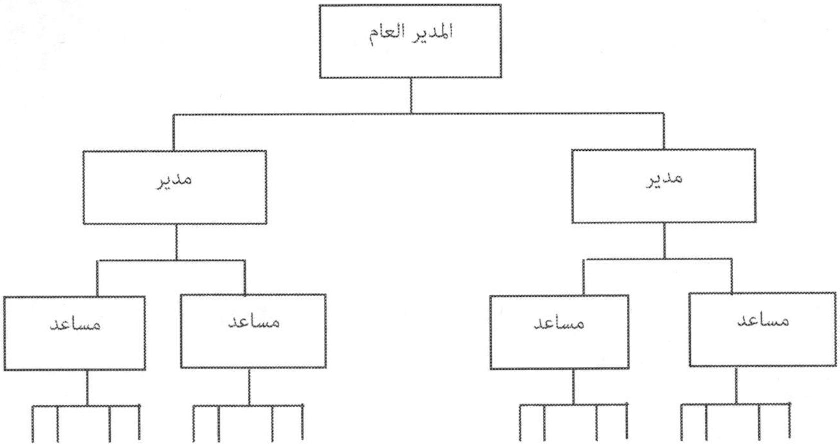

2-التنظيم الوظيفي : Functional Organization

استنبطه (فردريك تايلور) حينما وضع أسس الإدارة العلمية، وبين أن الأعمال يجب ان تخضع الى التخصص وتقسيم العمل، وان الأعمال يمكن تصنفيها الى أعمال يدوية وأعمال ذهنية، واعمال تنفيذية واعمال فنية، وأعمال استشارية وأعمال منصبية. ومعنى كل هذا أن العمل يجب أن يؤديه المتخصص فيه،وأن التخصص هو القاعدة الأساسية في تأدية الاعمال.

يتميز هذا النوع من التنظيم بما يلي :

أ- الافادة من مبدأ التخصص داخل الاقسام والادارات الوظيفية باستخدام الخبراء والمختصين.

ب- امكان ايجاد طبقة من العمال المدربين على تأدية المهام والأعمال.

ج- امكان تكوين طبقة من الملاحظين تستطيع أن تقوم بالاشراف على الاعمال.

د- تحقيق التعاون والتنسيق بين الأفراد والرؤساء في الأقسام المختلفة والحصول على معلومات من مصادرها المتخصصة .

هـ- سهولة الرقابة والاشراف على الأعمال.

و- تمكين الرئيس الإداري من الحصول على مساعدة إدارية وفنية تمكنه من معالجة قضايا المنظمة .

ومن جهة أخرى يعاب على هذا التنظيم ما يلي :

أ-   صعوبة فرض النظام في المستويات الدنيا من التنظيم مما يؤدي الى الفوضى الإدارية .

ب- الميل الى التهرب من المسؤولية حيث ان السلطة مشاعية بـين الرؤسـاء بمعنـى عـدم وضـوح السـلطة والمسؤولية نتيجة تداخل نطاق إشراف الفنيين والتنفيذيين.

والشكل رقم (2) يوضح التنظيم الوظيفي معبراً عنه بالخط المتقطع بين الإدارات المختلفة .

شكل رقم (2)

الهيكل التنظيمي الوظيفي

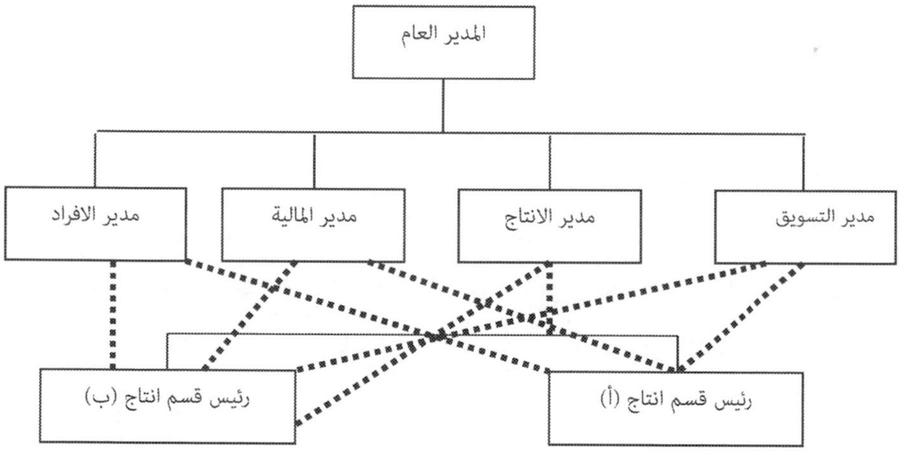

خطة السلطة الوظيفية ....

3-التنظيم التنفيذي الاستشاري : Line – Staff Organization

هذا النوع من التنظيم يجمع بين مزايا التنظيم التنفيذي من حيث استقامة سبل المسؤولية، ومن حيث السلطة الموحدة التي تستخدم في توجيه الأعمال، وبين مزايا التنظيم الوظيفي من حيث الافادة من التخصص واستخدام طبقة الخبراء الفنيين الذين يقومون بمساعدة الرؤساء الاداريين في المسائل التي لها طبيعة فنية والتي تحتاج الى استشارة من حيث تأديتها .

ومزايا هذا النوع من التنظيم :

أ‌- السلطة محددة .

ب- الافادة من مبدأ التخصص .

ج- تقوية مركز الرؤساء الاداريين بوجود مساعدين فنيين في المسائل التي لها طبيعة متخصصة .

د- توفير معلومات فنية لمراكز اتخاذ القرارات مما يجعلها قادرة على اتخاذ قرارات أكثر فعالية .

هـ- زيادة خبرة وتجارب طبقة الاداريين نتيجة للآراء الفنية مما يؤدي الى تنمية طبقة الرؤساء الاداريين الذين يتميزون بالسلطة الادارية والخبرة الفنية.

ولكن يُعاب على هذا النوع من التنظيم :

أ‌- الاحتكاك بين طبقة الاداريين والفنيين، إذ ان مهمة الفنيين تقتصر ـ على تقديم النصح والتوجيه الى التنفيذيين الذين يملكون السلطة التنفيذية مما يؤدي الى الصراع في المنظمة .

ب- ميل الفنيين الى ممارسة السلطة التنفيذية وهذا يؤدي الى تداخل السلطة واضطراب في تتابعها.

ج- صعوبة تحديد مجال ومدى السلطة في الاستعانة بخبرة الفنيين الاستشاريين من قبل التنفيذيين .

والشكل رقم (3) يوضح الهيكل التنفيذي الاستشاري

شكل رقم (3)

الهيكل التنظيمي التنفيذي الاستشاري

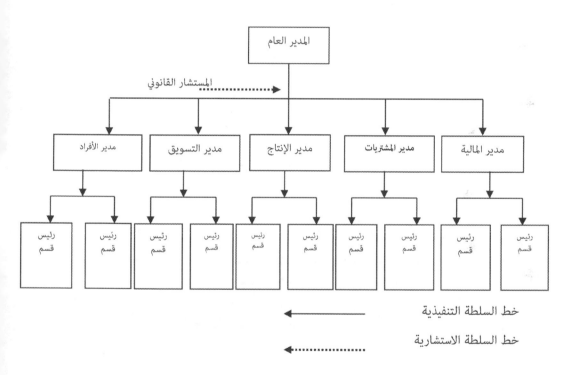

ثانياً : الهيكل التنظيمي العضوي   Organic Model

ومن الأنواع المستخدمة لهذا النموذج ما يسمى المصفوفة التنظيمية Matrix Organization
حيث تقسم المنظمة إلى عدة دوائر تعكس الوظائف الرئيسية، كما تقوم الإدارة العليا بإنشاء إدارات أخرى
بعدد المشاريع التي تقوم بتنفيذها المنظمة المعنية. ويعين كل مشروع مديراً خاصاً يستعين بأفراد وخبراء

متخصصين من أقسام المنشأة الرئيسية، ويكون كل عضو في هذا الفريق خاضعاً لأمر رئيس الوحدة الإدارية التي جاء منها أصلاً وكذلك الى مدير المشروع في آن واحد.

مزايا المصفوفة التنظيمية :

أ- سرعة الاستجابة للمتطلبات البيئية .

ب- الاستخدام الأمثل للموارد المادية والبشرية المتواجدة في الوحدات التنظيمية.

ج- تنويع الخبرة للعاملين في المنظمة نتيجة مشاركتهم في الكثير من المشاريع.

د- توفير الوقت والتكلفة.

هـ- يوفر الخبرة الفنية في الوقت والمكان المناسب .

و- يعتبر فعالاً في تنفيذ المشاريع المعقدة.

ي- يسهل عملية الرقابة على الاداء والنتائج .

ولكن يعاب عليه احتمال اثارة التناقضات بين العاملين لتعدد مصادر الأوامر والخروج عـن مبـدأ وحدة الأمر، لان الأفراد يتلقون الأوامر من مدير المشروع ومن مديري الادارات الأخرى في المركز مما يـؤدي الى الاحباط وانخفاض الروح المعنوية لهم .

والشكل رقم (4) يوضح الهيكل التنظيمي العضوي (المصفوفة التنظيمية).

شكل رقم (4)

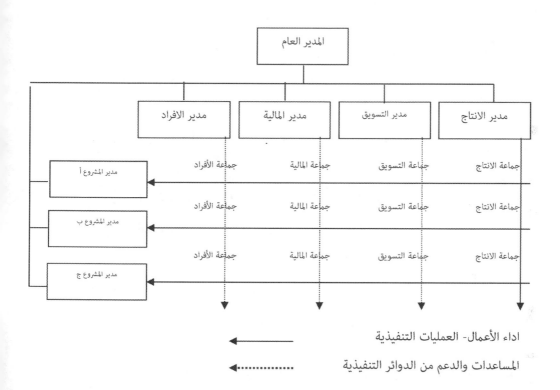

المصفوفة التنظيمية

اداء الأعمال- العمليات التنفيذية
المساعدات والدعم من الدوائر التنفيذية

وبين (Lawrence & Davis) الحالات التي تتطلب استخدام المصفوفة التنظيمية وهي:

1- وجود ضغوط خارجية تهدف إلى التركيز على الخبرة الفنية والناتج معاً، فعندما تكون المنظمة محددة الشكل الوظيفي بحيث يستلزم الوضع ضرورة توفر الخبرة والناتج في آن واحد فإن على المنظمة أن تتجه إلى استخدام المصفوفة التنظيمية .

2- الحاجة الى توفر المقدرة العالية لمعالجة المعلومات .

عندما تكون المنظمة غير قادرة على الاستفادة من المعلومات وتعتبر عملية معالجة المعلومات عملية مهمة لمتخذ القرار فإن على المنظمة أن تلجأ إلى استخدام المصفوفة التنظيمية .

3-عندما تكون ضغوط العمل كثيرة .

وفي هذه الحالة لابد للمنظمة من الاستفادة واستغلال طاقات الآلات والعاملين لديها لأقصى حد ممكن، وذلك من خلال وجود هيكل تنظيمي يمتاز بالمرونة العالية .

ان استخدام المصفوفة التنظيمية يحتاج إلى موارد مالية كبيرة، اذ ان تكلفته عالية بسبب الحاجة الى مهارات وقدرات وكفاءات ادارية متميزة، كما انه يستغرق وقتاً طويلاً لتحقيق النتائج المرغوب فيها .

ثالثاً: الهيكل التنظيمي الشبكي   Network Organization

بموجب هذا النموذج يتواجد تنظيم مركزي صغير يعتمد على منظمات أخرى غيره للقيام ببعض الأنشطة مثل الدراسات والبحوث والانتاج والتوزيع والتسويق والنقل أو أي أعمال أخرى رئيسية وذلك على أساس التعاقد. وجوهر هذا النوع من التنظيم يتمثل في مجموعة صغيرة من المديرين التنفيذيين يتركز عملهم في الاشراف على الأعمال التي تؤدى داخل المنظمة، وتنسيق العلاقات مع المنظمات الأخرى التي تقوم بالانتاج والمبيعات والتسويق والنقل أو أي أعمال أخرى للشبكة التنظيمية .

ومن مميزات هذا النموذج أنه يتيح للإدارة إمكانية استخدام أي موارد خارجية قد تحتاج إليها المنظمة من مواد خام وعمالة رخيصة تتوافر فقط خارج البلاد. أو قد تلجأ المنظمة إلى تحسين الجودة من خلال استخدام خبراء فنيين متخصصين في تحسين الجودة. ومن المآخذ الرئيسية على هذا النوع من التنظيم

عدم وجود رقابة مباشرة، فالإدارة العليا لا تملك السيطرة المباشرة على جميع العمليات داخل المنظمة فهي تلجأ إلى العقود الخارجية من أجل الزام المنظمات الأخرى بتنفيذ ما تم التعاقد عليه. كذلك هذا الهيكل التنظيمي يزيد من درجة المخاطرة على أعمال المنظمة من خلال عدم التزام المتعاقدين مع المنظمة بتنفيذ ما تم الاتفاق عليه .

والشكل رقم (5) يوضح الهيكل التنظيمي الشبكي

شكل رقم (5)

الهيكل التنظيمي الشبكي

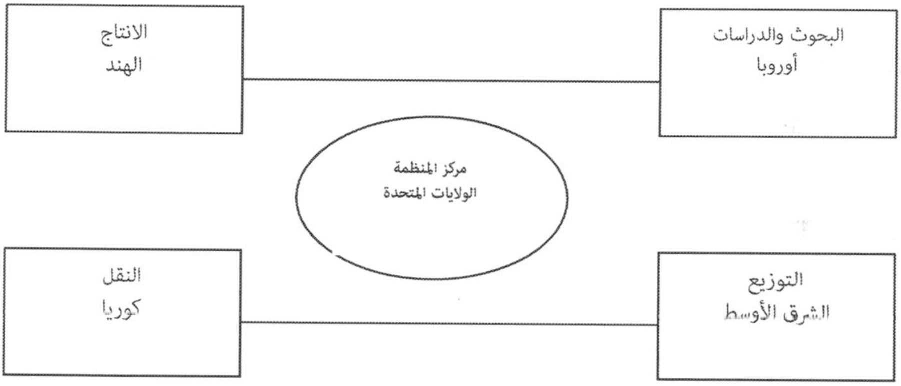

رابعاً: تنظيم الفريق Team Organization

تلجأ المنظمات في الوقت الحاضر الى أن تكون اكثر مرونة لمواجهة التغيرات البيئية المتسارعة والمنافسة الشديدة، فتقوم بانشاء فرق عمل تتولى مسؤولية حل المشاكل التي تواجهها في البيئة. ومن خلال هذا الأسلوب تستطيع المنظمة الاستفادة من كافة التخصصات الموجودة لديها، وبموجب هذا الشكل من اشكال الهياكل التنظيمية تتم الاستفادة من افكار الافراد العاملين في إدارة الانتاج والمشتريات وغيرها فيما يتعلق بالتسويق وغيره من انشطة المنظمة. وقد تكون

فرق العمل فرقاً دائمة على مستويات مختلفة أو تكون فرقة مؤقتة يوكل إليها مهام محددة في وقت معين .

مزايا تنظيم الفريق :

أ- يخفف من الحواجز التقليدية بين الوحدات المختلفة في المنظمة.

ب- يتيح للأفراد في كل وحدة تنظيمية معرفة مشاكل الوحدات التنظيمية الأخرى.

ج- يمكن المنظمة من التكيف مع الظروف البيئية المتغيرة .

د- يقوي الروح المعنوية للعاملين من خلال مشاركتهم في اتخاذ القرار.

المآخذ على تنظيم الفريق :

أ- شعور الأفراد العاملين بالصراع والولاء المزدوج بين مديري وحداتهم وبين متطلبات عمل الفريق .

ب- يحتاج تنظيم الفريق الى وقت طويل للاجتماعات والتنسيق بين اوقات افراد الفريق .

ج- يتطلب هذا النوع من التنظيم اللامركزية، مما يشعر مديري الوحدات التنظيمية التقليدية بأنهم فقدوا جزءاً من صلاحياتهم .

أشكال تقسيم الهياكل التنظيمية :

يوجد أمام المنظمة مجموعة خيارات بهدف تقسيم انشطتها التي تؤديها في وحدات تنظيمية. ويتم اختيار شكل الهيكل التنظيمي بطريقة مدروسة وفقاً لأهداف المنظمة وظروفها . وفيما يلي أهم الأشكال الشائعة في التقسيم[1]:

---

(1) محسن مخامرة، مرجع سابق، ص 158-172.

أولاً: التقسيم الوظيفي

يعتبر هذا النوع من التقسيم الأكثر استعمالاً وشيوعاً ومن خلاله يتم تقسيم المنظمة الى عدد من الوحدات التنظيمية، بحيث تكون كل وحدة تنظيمية مختصة في أداء مهام وواجبات محددة، كما هو موضح في الشكل رقم (6).

شكل رقم (6)

الهيكل التنظيمي حسب الوظائف

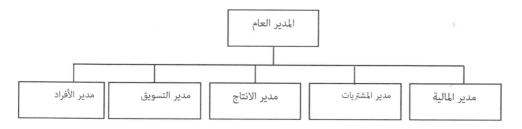

ويمتاز هذا التقسيم بأنه قائم على مبدأ التخصص في العمل من حيث نوعيته وطبيعته والذي بدوره يؤدي الى زيادة الكفاءة والفعالية وتحسين التنسيق في أداء الأنشطة المختلفة للمنظمة. ولكن ما يؤخذ عليه صعوبة التنسيق في حالة تعدد المنتجات وتعدد المناطق الجغرافية للمنظمة .

ثانياً : التقسيم حسب مراحل العمل

تقسم انشطة المنظمة حسب تسلسل مراحل العمل، حيث يتم التقسيم الى وحدات مختصة في عمل شيء محدد. والشكل رقم (7) يوضح هذا التقسيم من خلال صناعة الأثاث المعدني.

شكل رقم (7)

الهيكل التنظيمي حسب مراحل العمل

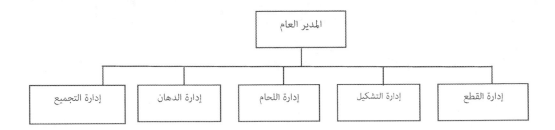

ومن مزايا هذا التقسيم الاستفادة من مبدأ التخصص وسهولة عملية الاشراف وما يؤخذ عليه صعوبة التنسيق بين الإدارات المختلفة .

ثالثاً : التقسيم حسب الموقع الجغرافي

وهنا يتم تقسيم انشطة المنظمة وفقاً للمناطق الجغرافية التي تعمل فيها، حيث تخصص وحدة تنظيمية لكل منطقة جغرافية ويشرف على هذه المنطقة مدير خاص، كما هو موضح في الشكل رقم (8).

شكل رقم (8)

الهيكل التنظيمي حسب الموقع الجغرافي

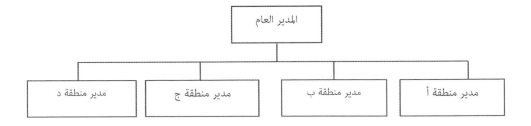

وما يميز هذا التقسيم هـو السرعة في اتخـاذ القـرار في الموقع دون الرجـوع الى المركـز الرئيسي ـ وسهولة التنسيق بين جميع العمليات والأنشطة التي تمارس في المنطقة الواحدة. وكذلك يساعد على تنميـة قدرات المديرين والاستفادة من توفر الايدي العاملة والمواد التي من شأنها تخفيض التكاليف .

ولكن أهم ما يعاب عليه صعوبة التنسيـق بـين المواقع الجغرافيـة المختلفـة واحيانـاً قـد يسيء المديرون استخدام الصلاحيات الممنوحة لهـم في المناطق المختلفـة ممـا يـؤثر سلبـاً عـلى السياسـة العامـة للمنظمة.

رابعاً: التقسيم حسب نوع السلعة أو الخدمة

وفق هذا التقسيم يتم تقسيم نشاطات المنظمة حسب السلع أو الخدمات التي تنتجهـا أو تقدمها. ويسود هذا النوع من التقسيم في المنظمات التي تم تنظيمها على أساس وظيفي .

مزايا هذا التقسيم :

أ-   الاستفادة الكاملة من تقسيم العمل والتخصص في الأداء .

ب- التنسيق بين العمليات التي تؤدي لكل سلعة أو خدمة على حدة .

المآخذ على هذا النوع من التقسيم :

أ- صعوبة التنسيق بين الأقسام المختلفة وخاصة الانشطة المتشابهة.

ب- صعوبة ايجاد الكفاءات للإدارات والوظائف المختلفة .

والشكل رقم (9) يوضح التقسيم حسب نوع السلطة أو الخدمة.

شكل رقم (9)

الهيكل التنظيمي حسب نوع السلعة أو الخدمة

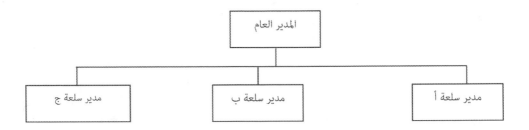

خامساً : التقسيم حسب مراحل العمل

يتم تقسيم نشاطات المنظمة حسب تسلسل مراحل العمل، ففي منظمة صناعية (صناعة الحديد) يمكن أن يتم التقسيم الى وحدات مختصة في عمل معين حيث تختص الأولى في صهر الحديد والثانية تختص في سكب الحديد والثالثة في صب الحديد والرابعة في تقطيع الحديد وهكذا، بحيث يكون لكل مرحلة من مراحل العمل وحدة خاصة بها.

ومن مزايا هذا التقسيم :

الاستفادة من مبدأ التخصص والتركيز على عملية معينة، بالاضافة الى عملية الاشراف ولكن يعاب عليه صعوبة التنسيق بين مراحل العمليات المختلفة. والشكل رقم (10) يوضح التقسيم حسب مراحل العمل .

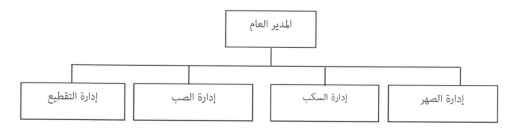

شكل رقم (10)

الهيكل التنظيمي حسب مراحل العمل

سادساً: التقسيم حسب نوع العملاء

وفق هذا التقسيم يتم تقسيم اعمال أو نشاطات المنظمة حسب العملاء الـذين يـتم التعامـل معهم. يوجد منظمات تجارية وخدمية تقوم ببيع منتجاتها الى صنفين أو اكثر مـن العمـلاء المختلفين مـن حيث خصائص ومواصفات طلباتهم .

مزايا هذا التقسيم :

أ- امكانية التنسيق بين العملاء بخصوص نوع معين من العملاء.

ب- دعم الخدمات المقدمة للعملاء .

المآخذ على هذا التقسيم :

أ- عدم وجود سياسات موحدة للتعامل مع العملاء .

ب- احتمالية عدم الاستخدام الاقتصادي الأمثل للامكانات المادية والبشرية للمنظمة نتيجة حدوث الـدورة التجارية وما يرافقها من ازدهار وكساد ، حيث في فترات الكساد قد تفقـد بعـض السـلع أهميتها أو عملاءها مما يؤدي الى تعطل العاملين في تلك الوحدات، ويحدث العكس في فـترات الازدهار حيث يزداد العبء على هذه الوحدات مما يؤدي الى حالة عـدم التـوازن في الجهـود الانتاجية للوحدات المتعاملة مع المجموعات المتنوعة للعملاء. والشكل رقم (11) يوضح هذا النوع من التقسيم .

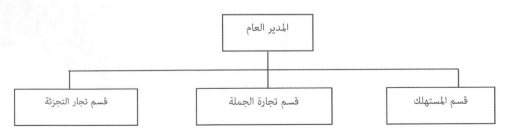

شكل رقم (11)

الهيكل التنظيمي حسب نوع العملاء

المدير العام
قسم المستهلك
قسم تجارة الجملة
قسم تجار التجزئة

سابعاً: التقسيم الزمني أو التقسيم على أساس وقت العمل

وبموجب هذا التقسيم يتم تقسيم أعمال ونشاطات المنظمة حسب وقت العمل الى ورديات حيث تقوم كل وردية عمل بممارسة الانتاج او تقديم خدمة معينة في فترة زمنية معينة. وتستخدم المنظمات هذا التقسيم حتى تستطيع استثمار امكانياتها المادية والبشرية وتنظيم أوقات عملها بشكل يحقق اهدافها وغاياتها.

ويمكن للمنظمة تقسيم نشاطاتها حسب الزمن مع استخدام التقسيمات الاخرى سالفة الذكر حيث يمكن تقسيم الانشطة حسب الوظائف أو حسب مراحل العمل ثم يتم التقسيم في هذه الوحدات على أساس الورديات بحيث تنتج كل وردية الوحدات المطلوبة منها في الوقت المحدد .

مزايا هذا التقسيم :

أ- استغلال الطاقة الانتاجية للموارد المتاحة .

ب- القدرة العالية على التكيف ومواجهة التغير في الطلب على السلع والخدمات وقياس نتائج كل وردية ومراقبتها .

ج- انجاز طلبات العملاء في الوقت المحدد.

المآخذ على هذا التقسيم :

أ‌- صعوبة التنسيق بين عمل الورديات المتابعة .

ب- ارتفاع تكاليف العمل نتيجة التغيير في الآلات والورديات وتجهيز الطلبات المختلفة .

والشكل رقم (12) يوضح التقسيم حسب وقت العمل.

شكل رقم (12)

الهيكل التنظيمي حسب وقت العمل

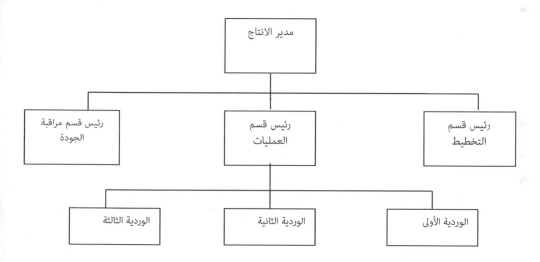

ثامناً: التقسيم المركب

تلجأ المنظمة الى استخدام اكثر من طريقة في التقسيم ضمن الهيكل التنظيمي الواحد، كما هو موضح في الشكل رقم (13) .

ان اختيار طريقة أو أكثر في تقسيم انشطة المنظمة يعتمد على مجموعة من العوامل الداخلية المرتبطة بالمنظمة والعوامل الخارجية المرتبطة بالبيئة التي تمارس نشاطها فيها ومن هذه العوامل :

- مدى سهولة الاشراف والتنسيق والرقابة .
- مدى توافر الامكانات المادية والبشرية للمنظمة .
- نوع التكنولوجيا المستخدمة.
- طبيعة المنتجات .
- الطبيعة الفنية للأنشطة .
- طبيعة العلاقات الداخلية والخارجية .

شكل رقم (13)

الهيكل التنظيمي المركب

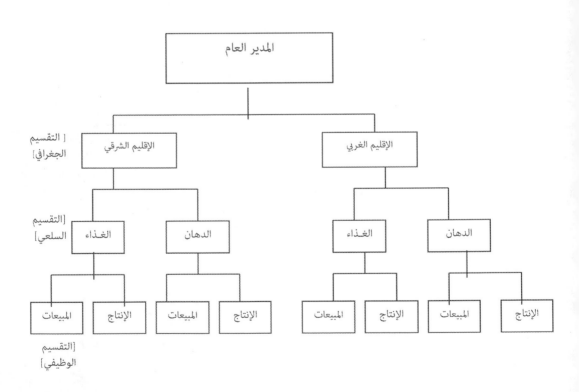

خصائص الهيكل التنظيمي الجيد :

ان الهدف الأساسي للوظيفة التنظيمية في المنظمة هو تسهيل مهمة الادارة في القيام بمهامها لتحقيق الأهداف المحددة. ويمكن تحديد أهم الخصائص الواجب توافرها في أي هيكل تنظيمي كما يلي [1]
:

أولاً : الاستفادة من التخصص

يقتضي مبدأ التخصص أن يقتصر عمل كل فرد على القيام بأعباء وظيفة واحدة، أو أن يتم انشاء وحدة تنظيمية مختصة بكل عمل، وأن يكون بالإمكان تشغيل هذا الفرد والوحدة التنظيمية لكل وقت العمل. هذا المبدأ يحقق بعض المزايا منها سرعة الانجاز واتقان العمل وخفض في التكلفة .

ثانياً : التنسيق بين أعمال المنظمة

ان التنسيق بين جهود الادارات والأقسام المختلفة في المنظمة يمكن من القضاء على التكرار والازدواجية، ويجب ملاحظة ان تعمل جميع الوحدات التنظيمية بأكبر كفاية ممكنة وفي وقت واحد وبشكل مستمر، ذلك لأن عمل كل جزء منها يتمم عمل الجزء الآخر أو يعتمد عليه. مثال ذلك قسم المبيعات وقسم الانتاج، إذ لا يمكن لقسم المبيعات ان يطلب طلبات المستهلكين إذا لم يقدم قسم الانتاج هذه الطلبات في الوقت المناسب وبالمواصفات المطلوبة.

ثالثاً: الاهتمام بالنشاطات المهمة للمنظمة

تختلف نشاطات المنظمة حسب الأولويات، فهناك انشطة رئيسية وانشطة ثانوية، فالهيكل التنظيمي الجيد يعطي اهتماماً خاصاً للأنشطة الرئيسية من حيث وضعها في مستوى إداري مناسب لأهميتها .

---

(1) محسن مخامرة وآخرون، مرجع سابق، ص 134-136.

رابعاً: تحقيق الرقابة التلقائية

يقضي مبدأ التلقائية بأن لا تخضع وظيفتان قصد من أحداهما مراقبة الأخرى لرئاسة شخص واحد، مثال ذلك: لا يحق أن يكون مسؤول الشراء في المنظمة هو نفسه الذي يستلم البضاعة عند وصولها الى المستودعات وإلا قد تتعرض المنظمة الى الضرر بسبب عدم وجود رقابة فعالة أو بسبب التلاعب او اساءة استعمال السلطة .

خامساً: عدم الاسراف

ان التوسع في التخصص والرغبة في التنسيق والرقابة له تكلفته، وعلى الرغم من ان مجرد التوفير يجب ان لا ينظر إليه كهدف إلا أنه من الضروري الاهتمام به، ويعتبر الهيكل التنظيمي جيداً إذا تمكن المنظم من تقدير التكاليف والإيرادات المتوقعة لإنشاء الوحدات التنظيمية ومن ثم يقرر التقسيمات التنظيمية التي يتوقع ان تكون فوائدها طويلة الأجل أكبر مما ستكلفه من جهود ونفقات .

سادساً: مراعاة الظروف البيئية

تؤثر الظروف البيئية للمنظمة على هيكلها التنظيمي. وبالتالي فإن الهيكل التنظيمي الجيد هو الذي يهتم بالظروف المحلية للمنظمة والتغيرات التي تطرأ عليها بحيث يتكيف ويستجيب التنظيم لهذه التغيرات كالتغيرات التي تطرأ على الانتاج أو القوى العاملة أو نوع التكنولوجيا المستخدمة وغيرها من العناصر البيئية المحيطة بالمنظمة.

إعادة تصميم الهيكل التنظيمي:

تعتبر عملية تصميم وبناء الهيكل التنظيمي عملية مستمرة لأن مجرد التغيير في أهداف المنظمة أو في حجمها أو في الظروف البيئية التي تمارس نشاطها فيها أو التغير في التكنولوجيا السائدة فيها له تأثيره على الهيكل التنظيمي مما يتطلب إعادة التنظيم .

وفيما يلي أهم العوامل التي توجب إعادة تصميم الهيكل التنظيمي:

1- وقوع خطأ في تصميم الهيكل التنظيمي الأساسي برز بعد اقراره. مثال ذلك زيادة في عدد المستويات الإدارية دون مبرر، زيادة نطاق الاشراف، عدم اتباع مبدأ التخصص، التوزيع الجغرافي غير الملائم .. الخ.

2- إعادة التنظيم منعاً لتصرفات إدارية غير مرغوبة كإساءة استخدام السلطة، وعدم صلاحية الإداريين لمراكزهم وعدم قدرتهم على تحمل المسؤوليات الملقاة على عاتقهم .

3- تغيير المعايير والأسس التي اعتمدتها المنظمة مثل اكتشاف اساليب عمل جديدة وادخال الآت حديثة مما يستلزم تغييراً جذرياً في الهيكل التنظيمي.

4- تغير ظروف المنشأة الاقتصادية كأن تمر في فترات من الانتعاش أو التراجع أو تغيير في الالتزامات القانونية مما يتطلب اعادة النظر في الهيكل التنظيمي لمواجهتها .

5- حدوث تغيير في أهداف المنشأة .

مخاطر إعادة تصميم الهيكل التنظيمي :

1- ان تتم عملية إعادة التنظيم على عجل فيترتب على ذلك بعض الأخطاء .

2- خلق أعمال لوحدات معينة حتى تبقى هذه الوحدات مشغولة كتبرير لوجودها.

3- المثالية دون النظر لواقعية تعديل الهيكل التنظيمي وظروف العمل.

كيفية معالجة مخاطر إعادة تصميم الهيكل التنظيمي :

1- التأني في إعادة التنظيم لإستكمال متطلباته وتجنب إعادة التنظيم غير المبرر.

2- توعية العاملين بأهداف المنظمة وغرس روح الالتزام والتشجيع على تحمل المسؤوليات والعمل على تفويض السلطة مما يقلل من طلب اللجوء الى إعادة تصميم الهيكل التنظيمي .

3- اعتماد خبراء مختصين للقيام بدراسة اعادة التنظيم .

4- اجراء متابعة دورية بشأن تطبيق عملية اعادة التنظيم وبيان مدى صلاحياتها والتأكد مـن مـبررات القيام بها .

والسؤال الذي يطرح هو: من يقوم بعملية إعادة تصميم الهيكل التنظيمي ؟

توجد عدة جهات مخولة للقيام بهذه المهمة وهي :

- الإدارة العليا .

- مدير الوحدة التنظيمية المعنية بموافقة الإدارة العليا.

- لجان مختصة من داخل المنظمة وخارجها .

- منظمات استشارية .

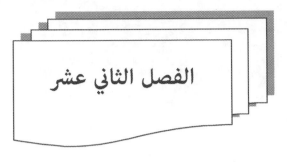

الفصل الثاني عشر

الاتصــال

Communication

- مفهوم الاتصال
- عملية الاتصال
- اتجاهات الاتصال
- طرق الاتصال
- خصائص الاتصال الجيد
- معوقات الاتصال

مفهوم الاتصال:

الاتصال وظيفة ادارية، تتصل بطبيعة العمل الإداري من تخطيط وتنظيم وتنسيق وتوجيه ورقابة. ويعني الاتصال تبادل الأفكار والآراء والمعاني بقصد احداث تصرفات معينة. ومعنى ذلك ان العمل الاداري يتطلب فهما بطبيعة العمل وعلاقاته الوظيفية ومجال السلطة المستخدمة وطبيعة المسؤوليات والاختصاصات، وكل هذا يقتضي تبادل المعلومات بغرض ايجاد فهم مشترك لطبيعة الاعمال والمهام. يضاف الى ذلك ان الاتصال هو الذي يحدد الترابط التنظيمي، أي يحدد تماسك العناصر التنظيمية، عن طريق ايجاد الفهم المشترك لطبيعة الاهداف الواجب تأديتها.

والاتصال يتكون من طرفين: طرف يقوم بتبليغ التوجيهات والتعليمات، والطرف الآخر يتلقاها ويتصرف بمقتضاها. فالاتصال ليس مجرد تبادل في المعاني ولكن تبادل يؤدي الى اعمال متوقعة تتصل بطبيعة العلاقات التنظيمية والإدارية، كذلك يحتاج الاتصال الى رسالة، وواسطة تستخدم في نقل الرسالة، وتحديد اللغة التي تستخدم في المراسلات بين العناصر التنظيمية والإدارية، فاللغة والكلمات التي تعبر عن اللغة هي وسيلة الاتصال في المنظمة. وتتمثل المشكلة في كيفية اختيار الكلمات التي تؤدي الى معان محددة ويترتب عليها سلوك او تصرف معين ، ويوجد عدة عوامل تؤثر في المعنى وهي:

1- العلاقات الوظيفية بين مرسل الرسالة وبين متلقيها.

ومعنى ذلك يجب تحديد لغة تستخدم في مجال وظيفي معين ويتعلمها جميع الافراد الذين يعملون في المجال الواحد.

2- العلاقات المنصبية بين المرسل والمستقبل.

وهذه تتصل بمركز الفرد من الناحية الادارية، أي تحديد التبعية الادارية بين الرؤساء والمرؤوسين، إذ يستخدم الإداري لغة يظهر فيها اثر السلطة التي

يتمتع بها، ويجب على المرؤوس ان يتقبل هذه اللغة ويتفهم مضمونها وبالتالي يتصرف على هذيٍ منها.

3- البيئة الخلقية للافراد والجماعات، أي المنبت الاصلي لهم.

من المعروف ان الافراد الذين يتشابهون في البيئة والمنبت والخلقية الوراثية يفهمون بعضهم البعض بسرعة.

4- مستوى التعليم.

ان الانسان يتأثر في فهمه وادراكه وتصرفه بالقدر من التعليم الذي يحصل عليه، وبالتالي يجب ان تكون الرسالة مصاغة على حسب المستوى التعليمي للفرد او الجماعة.

5- الخبرة السابقة.

وتعني طبيعة العلاقات بين الافراد، فالانسان يتأثر بتجاربه الماضية مع الافراد، فاذا كانت تلك التجارب ملائمة فان الفرد يستجيب بسرعة، واما اذا كانت غير ملائمة فانه يتردد في الاستجابة.

6- الحالة الانفعالية التي يكون عليها الشخص.

عندما يكون متلقي الرسالة منفعلا – أي عندما يكون رد فعله بخصوص تصرف معين حاداً وعنيفا – فانه لا يتفهم المعاني ولا يدركها بالطريقة السليمة.

7- الاتجاه الذي ينشأ من سوء فهم الكلمات.

ان الاداري يستخدم لغة ادارية، والمحاسب لغة محاسبية والطبيب لغة طبية، فاذا كان المرء لا يتفهم المعنى المقصود من الكلمة فانه يخطيء في استجابته وبالتالي يخطيء في تصرفه.

العوامل المؤثرة في الاتصال الاداري:

1- تحديد الهدف من الاتصال

ان عملية الاتصال السليم تتطلب تحديد هدف معين. فهل الهدف هو مجرد تبليغ معلومات عن وضع قائم؟ أم هو تقارير عن نشاط يستلزم قرارات معينة؟ أم هو توضيح لبعض السياسات او الخطط؟

2- معرفة مركز متلقي الرسالة

يجب التحقق من طبيعة مستلم الرسالة من حيث مركزه وعمله وتخصصه الوظيفي حتى يتم اختيار الرسالة في كلمات تحمل المعاني التي تؤدي الى الاستجابة الملائمة.

3- وسيلة الاتصال

يجب اختيار وسيلة الاتصال المناسبة، هل يكون الاتصال شفهيا ام كتابيا، فاذا كان شفهيا هل يتم عن طريق الاتصال الشخصي ام بطرق اخرى كالهاتف؟ واذا كان خطيا فهل يكون عن طريق الخطابات الرسمية، ام التوضيحات المكتوبة؟

4- توقيت الرسالة

يجب اختيار التوقيت الملائم. أي اختيار الفترة الزمنية التي يكون فيها متلقي الرسالة مهيئا لقبول الآراء والاستجابة معا.

5- المصلحة المشتركة

يجب تحديد المصلحة المشتركة عند اعداد الرسالة. ومعنى ذلك ان متلقي الرسالة لا يستجيب عادة الا اذا كانت له مصلحة مادية او معنوية في التصرف المعين، وبالتالي فان الاتصال الاداري يظهر اثره في حالة توضيح السياسات الجديدة والتعليمات والتوجيهات بما يبين ان هناك فائدة او مصلحة تعود على متلقي الرسالة من العمل بمضمونها.

6- قياس النتائج في الرسالة

يجب ان تعد الرسالة بطريقة يمكن معها معرفة النتائج المترتبة عليها وامكان تقييمها للحصول

على فكرة سليمة للاثر الذي تحدثه.

عملية الاتصال: The Communication process

تتألف عملية الاتصال من ثلاثة عناصر رئيسة كحد أدنى وهي المصدر

(المرسل)، الرسالة، ومستقبل الرسالة. هذا بشكل بسيط، إلا أنه في الحياة العملية تعتبر عملية الاتصال

أكثر تعقيدا والشكل رقم (1) يوضح عملية الاتصال بعناصرها المتنوعة وهي[1]:

شكل رقم (1)
عناصر عملية الاتصال

(1) محسن مخامرة وآخرون، المفاهيم الادارية الحديثة، عمان: مركز الكتب الاردني، 2000، ص232-235.

1-المصدر   Source

قد يكون شخصاً او جماعة او أي مصدر آخر مثل الراديو والتلفزيون والصحف والمجلات وغيرها. وفعالية الاتصال تعتمد على صفات معينة في مصدر عملية الاتصال كالثقة والتقدير والقدرة على التأثير.

2-ترميز عملية الاتصال   Encoding

وضع محتويات الرسالة بشكل يفهمه المستلم كاستعمال اللغة والرموز وأية تعابير يتم الاتفاق عليها تساعد على تسهيل وفهم مضمون عملية الاتصال.

3-الرسالة   Message

وهي جوهر عملية الاتصال أي بدون رسالة سواء كانت مكتوبة أو غير مكتوبة لا يكون هناك اتصال. ويجب أن تكون الرسالة واضحة من حيث الهدف ومن حيث استخدام الرموز والمصطلحات حتى لا تحتمل تفسيرات مختلفة، وأن تكون لغة الرسالة سليمة وتتناسب مع مقدرة المستلم اللغوية.

4-تحديد وسيلة الاتصال   The channel

وهنا نقوم بتحديد واختيار وسيلة الاتصال المناسبة بشكل يؤدي إلى فهم مضمون الرسالة. وقد تكون سمعية او مرئية او حسية او كتابية او جميعها معا، واختيار وسيلة الاتصال يعتمد على امور منها: موضوع عملية الاتصال وطبيعة الافراد والعلاقات بينهم، وسرعة الاتصال وتكلفتها ومدى الثقة بها.

5- تحليل رموز الرسالة   Decoding

يتطلب من المستلم عند استلام الرسالة فك رموزها حتى تعطي معنى كاملا ومتكاملا، وقد يقوم المستلم بتحليل وفهم الرسالة بشكل مخالف للمعنى المقصود منها. لذلك كلما كان هناك تجانس وتماثل بين المرسل والمرسل اليه من حيث المركز والتخصص والمستوى الثقافي والتعليمي والخلفية الفكرية والحضارية

واتفاق على معاني الرموز، كان هناك درجة اكبر في فهم المعنى المقصود من الطرفين.

6- المستقبل   The Receiver

المستقبل قد يكون فرداً أو جماعة او أي مركز آخر للاستلام.

ويوجد مجموعة عوامل قد تؤثر على فهم الرسالة من قبل المستلم وهي:

* المستوى التعليمي للمستلم.

* الخبرات السابقة بمعنى أن يقوم بتفسير الرسالة بشكل يعتمد على تجاربه السابقة.

* المهارات والمعرفة والاتجاهات الموجودة لدى المستقبل.

7- التغذية الراجعة   Feedback

ان عملية الاتصال لا تنتهي باستلام الرسالة من قبل المستقبل، بل يتعين على المرسل التأكد من ان الرسالة قد تم فهمها بالشكل الصحيح. وملاحظة الموافقة او عدم الموافقة على مضمون الرسالة من قبل المستقبل. إن سرعة حدوث عملية التغذية الراجعة تختلف باختلاف الموقف، فمثلا في المحادثة الشخصية يتم استنتاج ردود الفعل في نفس اللحظة، بينما ردود الحملة الاعلامية قد لا تحدث الا بعد فترة طويلة. وعملية قياس ردود الفعل مهمة في عملية الاتصال حيث يتبين فيما اذا تمت عملية الاتصال بطريقة جيدة في جميع مراحلها ام العكس.

اتجاهات الاتصال: The Communication Flow

تتدفق الاتصالات في اتجاهين : خارجي (External) وداخلي (Internal). فالاتصال الخارجي يتم بين المنظمة والجهات الخارجية او العكس كالاتصال بين المنظمة والمنظمات الاخرى، والموردين والمستهلكين والنقابات. بينما الاتصال الداخلي يتم داخل المنظمة المعنية، ويمكن ان يتدفق بطريقة عمودية أو افقية أو قطرية كما يلي(1):

1- الاتصالات العمودية Vertical Communication

وهذه قد تأخذ الأشكال التالية:

أ- الاتصال من اعلى الى اسفل (اتصال هابط) Downward Communication

يهدف هذا النوع من الاتصال الى ايصال التعليمات والسياسات والاجراءات المرتبطة بالعمل الى الافراد الذين يعملون في المنظمة. ومن اكثر الطرق المستخدمة في هذا النوع من الاتصال الاجتماعات الرسمية والنشرات الخاصة بالموظفين.

وتجدر الاشارة إلى ضرورة متابعة المعلومات المنسابة من الاعلى الى الاسفل حتى تضمن وصولها وفهمها بطريقة صحيحة وهذا يكون عن طريق التغذية الراجعة.

ب- الاتصال من اسفل الى اعلى (اتصال صاعد) Upward Communication

يهدف هذا النوع من الاتصال الى ايصال المعلومات من المرؤوسين الى رؤسائهم، وهو يأخذ عدة اشكال، فقد يكون عن طريق الاجتماعات وتقارير الأداء

---

(1) Harold Jamis and Howard Dressner, Business writing, Second Edition, New York: Barnes Nobale Books, 1972. PP.5-6.

وصناديق الاقتراحات واتباع سياسة الباب المفتوح من قبل الرؤساء. وهـذا الاتصـال يـؤدي إلى رفع الـروح المعنوية لدى المرؤوسين بسبب شعورهم بالمشاركة الادارية.

2- الاتصالات الافقية   Lateral Communication

وتعود إلى انسياب المعلومات على نفس المستوى الاداري من التنظيم، مثال: قيام مـديري الادارة العليا بالاتصال مع بعضهم البعض او قيام رؤساء الاقسام في الادارة الوسطى بالاتصال مع بعضـهم البـعض. وهذا النوع من الاتصال ضروري لزيادة درجة التنسيق بين العاملين والانظمة الفرعية في المنظمة.

3- الاتصالات القطرية   Diagonal Communication

تنساب الاتصالات القطرية بين الافراد في مستويات ادارية مختلفة ليس بينهم علاقات رسمية في المنظمة كأن يتصل مدير الانتاج بأحد اقسام ادارة التسويق.

طرق الاتصال: Communication Methods

يتم الاتصال في جميع أقسام النشاط الاداري، وذلك عند تقرير اوضاع السياسـة العامـة او وضـع خطة، وعند اصدار التعليمات والتوجيهات، وحين اتخاذ القرارات واجراء التنسيق في العمـل وعنـد تسـوية الاختلافات وابداء النصيحة الفنية او الاستشارية، فالامر يتطلب تبادل المعلومات بطرق اتصال مختلفة.

وفيما يلي عرض لطرق الاتصال:

اولا: الاتصالات المكتوبة Written Communication

بهذه الطريقة تكون المعلومات مدونة ومكتوبة ويمكن ايصالها عن طريق البريد او بطريقـة شخصية، ومـن مزاياها امكانية حفظها كسجلات رسمية او كمراجع للاستنارة بها في المستقبل. وكذلك تتصف بدقة اكثر في التعبير مقارنة

بالاتصال الشفهي. ولكن يعاب عليها ان عملية اعدادها وصياغتها تأخذ جهدا كبيرا، وكثيرا ما يفشل المرسل في دقة التعبير، مما يؤدي الى عدم فهم المستلم مغزى الرسالة. بالاضافة الى انها تحتاج الى نفقـات كبيرة في التخزين والحماية.

والاتصالات المكتوبة تأخذ عدة اشكال اهمها:

1- التبليغات التي تتم عن السياسة العامة للمنظمة وعـن المسائل الادارية والاجـراءات، وذلك ان أي تغيير للسياسة الموضوعة او أي وضع لاجراءات جديدة يستلزم التبليغ كتابة.

2- النشرات العامة، وهي تحتوي على معلومات تتصل بطبيعة العمل الاداري. وهذه تساعد على ايجـاد فهم مشترك لبعض النواحي الادارية.

3- الخطابات الادارية الخاصة – وهي خطابات توجه الى بعض الاداريين وتحتوي على معلومات اداريـة خاصة بهم.

4- التقارير المرسلة من المستويات التشغيلية الى المستويات الاعلى، وهي اهـم وسائل الاتصال الكتـابي، وتعتبر وسيلة الاتصال الرسمي الاكثر فاعلية، اذ تستخدم هذه التقارير لغة ارقام رسمية وتُذكر فيهـا الحقائق ويتم التعليق عليها بالاقتراحات من قبل المنفذين، وبذلك يستطيع الاداري ان يتعـرف عـلى طبيعة الاعمال التي تـتم في مستويات التنفيذ، ويتفهم الصعوبات المتصلة بالتنفيذ ويقـف عـلى الاقتراحات والحلول التي يرفعها الافراد في مناطق تأدية العمل،.

ثانيا: الاتصالات الشفهية Oral Communication

وهـذه تتصـف بالسرعة والتفاعـل التـام وتحتـل في الوقت الحـالي مركـزا بـارزا في الفكـر الاداري، باعتبـار ان العلاقـات الانسانية والسـلوكية تشجع عـلى ضرورة

التفاهم عن طريق الاتصال المباشر لفهم الاستجابة النفسانية الملائمة للعمل الواجب تأديته، وهذا النوع من الاتصالات يأخذ عدة اشكال اهمها:

1- الاتصال الشخصي المباشر وجها لوجه ما بين المرسل والمستمع كاللقاء المباشر بين الرئيس والمرؤوس او بواسطة التلفون مثلا. وهذا يفسح المجال للمناقشة وتفهم الرسالة بصورة اوضح بسبب ما يبديه كل منهما من انفعلات نفسية وحركات جسمية والوقوف على ردة فعل المستقبل، بالاضافة الى رفع الروح المعنوية لدى المرؤوسين عندما يتم الاتصال الشفهي المباشر بينهم وبين رؤسائهم.

2- الاجتماعات الرسمية ومثال ذلك اجتماعات تتم في المصانع لتوضيح اجراءات الوقاية من الحوادث واصابات العمل ويتم في هذه الاجتماعات تبادل الآراء فيما يختص بظروف العمل وادواته وصعوباته وهذا يساعد الافراد على تكوين صورة سليمة عن طبيعة المصنع.

3- الاجتماعات غير الرسمية، وهذه تتم عبر اللقاءات غير الرسمية في اوقات الراحة، ويلاحظ ان كتاب الادارة يبرزون أهمية هذه الاجتماعات لأنها تجعل الفرد متحررا من الرسميات ويتكلم بحرية ولذلك يمكن معرفة حقيقة شعوره وما ينتظر منه في العمل المعين.

ثالثا: الاتصالات غير اللفظية Nonverbal Communication

وهي تكون عن طريق ملامح الوجه ولغة العيون وحركات الجسم للفرد، وهذه الملامح الجسمية والحركات تعطي دلالات ومؤشرات مختلفة عن القبول وعدم القبول.

انماط شبكات الاتصال: The Communication Networks

تقسم شبكات الاتصال الى قسمين : رسمية وغير رسمية.

اولا: شبكات الاتصال الرسمية Formal Communication Networks

تكون هذه الاتصالات بطريقة عمودية وتتدفق الاتصالات وفق تسلسل السلطة وتكون هذه الاتصالات محددة ومرتبطة بالمهام والواجبات، ويوجد عدة انماط من شبكات الاتصال الرسمية وهي:

1. نمط الدائرة

وهذا يمكن الشخص من الاتصال بجاريه (عن اليمين وعن اليسار) ولكنه لا يستطيع الاتصال بالآخرين.

2. نمط السلسلة

وهذا النمط يمكن الفرد من الاتصال بجاريه الا ان الشخصين في طرفي السلسلة لا يقدران على الاتصال الا بشخص واحد فقط. وفي هذا النمط تنتقل الرسالة من حلقة الى اخرى حتى يتم استلامها من قبل الشخص الذي يجب عليه القيام باجراء اللازم، ويمتاز هذا النمط من الاتصال بالبطء الشديد.

3. نمط العنقود

وهذا يمكن شخصا واحدا من الاتصال (مساعد المدير) بأربعة اشخاص آخرين، الا انه لا يمكن لأي من هؤلاء الاربعة الاتصال ببعضهم البعض بصورة مباشرة. فالمدير نفسه لا يستطيع الاتصال بأي من المرؤوسين الا من خلال مساعده الذي يعتبر عنق الزجاجة.

4. نمط العجلة

وضمن هذا النمط يكون هناك شخص محوري وفي الغالب يكون المدير حيث يكون هو المصـدر الرئيسي للاتصال ومن ثم تتم اتصالات الافراد من خلاله فقط.

5. نمط النجمة

وفي هذا النمط يمكن لأي شخص الاتصال مع أي شخص آخر وبدون أي قيود وباستخدام جميـع قنوات الاتصال. ولذا فان هذا النمط يمثل الديموقراطية المطلقة في المنظمة.

والشكل رقم (2) يوضح أنماط شبكات الاتصال الرسمية.

شكل رقم (2)

أنماط شبكات الاتصال الرسمية

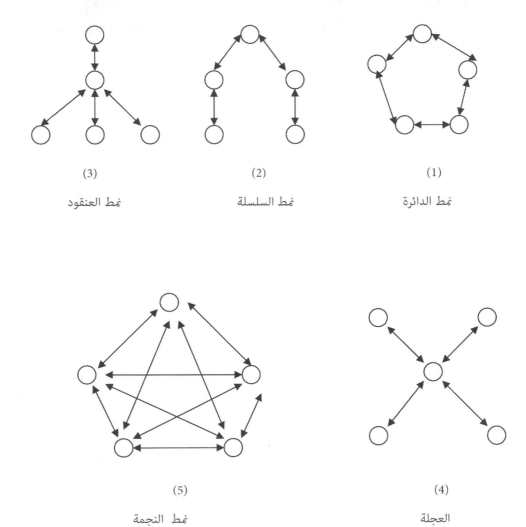

(3)	(2)	(1)
نمط العنقود	نمط السلسلة	نمط الدائرة

(5)	(4)
نمط النجمة	العجلة

ثانيا: شبكات الاتصال غير الرسمية Informal Communication Networks

تعتبر الاتصالات غير الرسمية أسرع من أنماط الاتصال الرسمية وتتم خارج التنظيم الرسمي من خلال الجماعات غير الرسمية وتهدف إلى إشباع حاجات الأفراد والجماعات.

يوجد عوامل ودوافع تجعل الأفراد في المنظمة يتصلون معا بطريقة غير رسمية مما يؤدي الى ظهور ما يسمى بالتنظيم غير الرسمي. وهذه الدوافع هي:

1. وجود حاجات ورغبات واتجاهات للأفراد يرغبون في اشباعها.

2. ان التنظيم الرسمي لا يتمتع بالمرونة ولا يتطور بشكل ملائم لظروف المنظمة.

3. رغبة الأفراد القياديين في المنظمة او بعضهم في السيطرة على جميع الأمور في المنظمة.

4. عدم توفر مبدأ العدالة في المنظمة وظهور ما يسمى بالأفراد الموالين والمقربين.

5. اتباع المنظمة لنمط القيادة الديكتاتورية والمركزية الزائدة ومنع حرية التعبير والمشاركة للأفراد والعاملين.

6. عدم التقيد والالتزام بقنوات التنظيم الرسمية ويعود السبب في ذلك الى غموضها وعدم وضوحها للأفراد العاملين.

خصائص الاتصال الجيد:

حتى تكون عملية الاتصال ناجحة لا بد من توفر الشروط التالية[1]:

1. ان يكون الاتصال مبنياً على اهداف محددة مسبقا ومخططا لها بشكل سليم.

2. ضرورة توفر الثقة والمصداقية بين العاملين والادارة.

3. ان يتناسب الاتصال مع ادراك الافراد ودرجة فهمهم للمعاني وكذلك ان يكون الاتصال مناسبا لخبراتهم ومعتقداتهم.

4. ان يكون الاتصال في ضوء احتياجات المنظمة.

5. اتباع التسلسل الهرمي في التنظيم بحيث لا يكون هناك تجاوز مرجع، بمعنى ان لا يتصل اداري مع مرؤوس تابع الى اداري آخر والعكس صحيح.

6. الاصغاء الجيد يؤدي الى تقوية الاتصال وزيادة فعاليته.

معوقات الاتصال: Barriers to Communication

إن عملية الاتصال تبدأ من المرسل وتنتهي إلى المستلم وخلال هذه العملية تتعرض إلى معوقات مختلفة تعمل على تشويش المعلومات، مما يؤدي إلى الحد من فاعلية عملية الاتصال. ولذا لا بد من التعرف على هذه المعوقات حتى يتم تجنبها ومعالجتها بشكل يؤدي إلى زيادة فعالية الاتصال والوصول إلى الأهداف المطلوبة.

وهناك ثلاثة انواع من المعوقات وهي:[2]

---

(1) كامل المغربي، السلوك التنظيمي: مفاهيم وأسس سلوك الفرد والجماعة في التنظيم، الطبعة الثانية، عمان: دار الفكر للنشر والتوزيع، 1994،ص242 .

(2) لطفي راشد محمد، الاتصالات الادارية 1983، الرياض: مطابع الفرزدق، 1983.

اولا: المعوقات الشخصية Personal Constraints

وهذه تتعلق بالعناصر الانسانية في عملية الاتصال المتمثلة بالمرسل والمستقبل، وتحدث اثرا عكسيا بسبب الفروقات الفردية مما يجعل الافراد يختلفون في احكامهم على الاشياء وبالتالي فهمهم لعملية الاتصال. واهم هذه المعوقات هي:

1. تباين الادراك: ان التباين بين الافراد في ادراكهم للمواقف المختلفة يعود الى اختلافاتهم الفردية والبيئية مما يؤدي الى اختلاف المعاني التي يعطونها للاشياء.

2. الادراك الانتقائي: يميل الفرد للاستماع الى ما يتناسب مع معتقداته وافكاره وآرائه والعمل على اعاقة المعلومات التي تتعارض مع ما يؤمن به من قيم واتجاهات وآراء وأفكار.

3. الانطواء: عدم مخالطة الآخرين او تبادل المعلومات معهم.

4. حبس المعلومات وعدم الادلاء بها او المبالغة في عملية الاتصال كالافراط في كتابة التقارير والادلاء بالمعلومات.

5. تشويه وترشيح المعلومات مما يؤدي الى انحراف العمل عن تحقيق اهدافه.

6. سوء العلاقات بين الافراد وبالتالي تكون المعلومات المتبادلة مشوهة او ناقصة ولا تنساب بسلاسة.

ثانيا: المعوقات التنظيمية Organizational Constraints

وتتعلق بشكل رئيسي بالهيكل التنظيمي للمنشأة، وأهم هذه المعوقات هي:

1- عدم وجود هيكل تنظيمي مما يؤدي الى عدم وضوح الاختصاصات والسلطات والمسؤوليات.

2- عدم كفاءة الهيكل التنظيمي من حيث المستويات الادارية التي تمر بها عملية الاتصال مما يؤدي الى ترشيح المعلومات.

3- عدم الاستقرار التنظيمي والتغييرات المتتالية في فترات متقاربة لا يوفر المناخ الملائم للاتصال الجيد.

4- عدم وجود ادارة للمعلومات او القصور فيها ممـا يـؤدي الى عجـز في جمع المعلومـات وتصنيفها وتوزيعها بحيث تسهم في رفع كفاءة عملية الاتصال.

5- القصور في ربط المنظمـة بالبيئـة الخارجية: ان البيئـة تـزود المنظمـة بالمعلومـات عن المستهلكين والموردين وسوق العمل... الخ.

ثالثا: المعوقات البيئية   Environmental Constraints

تنجم هذه المعوقات عن المجتمع الذي يعيش فيه الفرد سواء داخل المنظمـة او خارجهـا واهـم هذه المعوقات ما يلي:

1- اللغة: ان طبيعة اللغة تشكل عائقا في عملية الاتصال حيث يوجد الكثير من الكلمات تحمل معـاني مختلفة وبالتالي امكانية الوقوع في خطأ تفسيرها من قبل المستقبل بعكس ما قصده المرسل. فالمعاني هي من الممتلكات الخاصة بالفرد فهـو يستخرجها في ضوء خبراتـه وعاداتـه وتقاليـده المتواجـده في البيئة التي يعيش فيها.

2- التشتت الجغرافي: ان المسافة بين مراكز اتخاذ القرارات ومواقع التنفيـذ تـؤدي الى صعوبة الاتصـال بينهما في الوقت المناسب.

زيادة فعالية الاتصال:

من اجل العمل على تطوير وزيادة فعالية الاتصال تتوفر مجموعة مـن الطـرق والاسـاليب التـي من شأنها ان تعمل على ازالة العوائق التي تواجه عملية الاتصال وهي:

1. ان تكون الرسالة موجزة مع تجنب الاطالة غير المبررة وارسالها برموز واضحة ومفهومة بشكل يسهل تحليلها من قبل المستلم.

2. اختيار وسيلة الاتصال المناسبة

3. محاولة جذب انتباه وتفكير المستقبل.

4. تقديم المعلومات بتسلسل منطقي وارسالها بالحجم الامثل.

5. تطوير وبناء الثقة بين اطراف عملية الاتصال (المرسل والمستقبل) .

6. المتابعة من قبل المرسل للتأكد من فهم المستقبل للرسالة وذلك من خلال التغذية الراجعة.

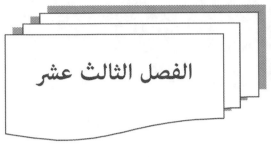

الفصل الثالث عشر

القيــادة

Leadership

- مفهوم القيادة
- مصادر قوة القيادة
- أساليب القيادة :
- القيادة الدكتاتورية
ÿ القيادة الديمقراطية
- قيادة عدم التدخل
- نظريات القيادة :
- نظرية الرجل العظيم
- نظرية السمات
- نظرية الخط المستمر في القيادة
- نظرية ليكرت في القيادة
- نظرية البعدين
- نظرية الشبكة الادارية
- النظرية الظرفية لفيدلر
- نظرية المسار والهدف
- اختيار النمط الفعال في القيادة

مفهوم القيادة :

القيادة هي التأثير في الآخرين وتوجيه جهودهم لتحقيق ما يصبو اليه القائد. ومن وجهة نظر تنظيمية، فان القيادة تمثل عملية التأثير على الفرد والجماعة لتوجيههم نحو تحقيق غايات واهداف المنظمة. وتركز القيادة على العنصر البشري، وترتكز على الافتراض القائل بأن فعالية المنظمة تعتمد بشكل رئيسي على حفز الافراد العاملين وعلى تظافر جهودهم واستغلال قدراتهم. وفي فترة مدرسة الادارة العلمية ركز المديرون انتباههم على الظروف المادية للانتاج واهمال الجانب الانساني للتنظيم، وكانت النتيجة انخفاض الانتاجية، وانخفاض معنويات الافراد واصبح العاملون اكثر ابتعاداً عن الولاء التنظيمي. اما في فترة مدرسة العلاقات الانسانية فقد تركز الانتباه على اهمية الحفز واهمية كل من الفرد والجماعة في نجاح المنظمة، وهذا ادى الى الاعتراف بفعالية القيادة كعامل مهم في فعالية المنظمة، فالمدير من خلال دوره القيادي يستطيع تشجيع وحفز المرؤوسين لتأدية اعمالهم بكل رغبة وتعاون وحماس لتحقيق اهداف المنشأة .

وقد تعددت تعريفات القيادة في ادبيات الادارة :

يعرف Koontz القيادة على انها " القدرة على التأثير الشخصي بواسطة الاتصال لتحقيق هدف ". ويعرفها Kelly and Lazer على انها " عملية التأثير على نشاط مجموعة منظمة في مهمة تحديدها للأهداف وتحقيقها لهذه الاهداف". أما Fiffner فيعرف القيادة على انها " فن تنسيق للافراد والجماعات ورفع حالتهم المعنوية للوصول الى اهداف محددة " .

أما Brown فيقول ان القيادة عبارة عن " عملية نفسية لتوجيه التابعين"[1]. ويعرف Tead القيادة على انها " ائتلاف مجموعة سمات تمكن الفرد من حمل الآخرين على اتباع توجيهات مطلوبة لبلوغ الاهداف ". ويعتبرها Borgadus بمثابة تعبير عن الشخصية في العمل تحت ظروف المجموعة، ويصف Goulduer القيادة في ضوء ما يمتلكه القائد من سمات .

مصادر قوة القيادة :

تعرف القوة على انها القدرة على التأثير في سلوك الآخرين ويعتمد القادة في المنظمات على انواع ومصادر مختلفة للقيادة كالتالي :

1- السلطة الشرعية   Legitimate Power

وهي القوة المستندة الى الصلاحيات المخولة للوظيفة حسب موقعها في الهيكل التنظيمي الرسمي. وتتدرج هذه القوة من الاعلى الى الاسفل، فالوظيفة الاعلى تمارس سلطة قانونية على الأدنى منها .

2- سلطة منح المكافأة   Reward Power

هذه القوة مصدرها توقعات الفرد من قيامه بمهامه على الوجه المطلوب وأن امتثاله لأوامر رئيسة سيعود عليه بمكافأة مادية او معنوية من قبل الرئيس.

3- القوة القسرية   Coercive Power

أساس هذه القوة هو الخوف، وهي مرتبطة بتوقعات الفرد، من ان تقاعسه او قصوره في تأدية واجباته أو عدم امتثاله لأوامر رئيسة سيعرضه الى العقاب المادي او المعنوي من قبل الرئيس .

---

(1) سيد الهواري، الادارة : الاصول والاسس العلمية ، القاهرة : مكتبة عين شمس، 1982، ص 329-330 .

4-القوة المبنية على الخبرة **Expert Power**

أساس هذه القوة هو المعرفة والمهارة المكتسبة لدى الفرد حيث ينفرد بهذه الصفة عن غيره من الافراد، فالمهندس يمارس نوعاً من القوة الفنية على صاحب المشروع تجعل الأخير يقبل قيادته نتيجة قبوله وقناعته بهذه الخبرة الفنية.

5-القوة المبنية على امتلاك مصادر المعلومات Access to Information

تنتج هذه القوة نظراً لتمتع القادة بصلاحية الوصول الى مصادر المعلومات ومعـرفتهم بـالخطط وسياسات المنظمة والتي تعتبر اموراً هامة وسرية في بعض الاحيان .

6-قوة الاعجاب Referent Power

ويحصل عليها الفرد عادة نتيجة اعجاب تابعية ببعض سـماته الشخصـية، بحيـث تشـدهم اليـه نتيجة توافر الجاذبية في شخصية القائد.

أساليب القيادة : Styles of Leadership

هناك ثلاثة أساليب للقيادة يستعملها القادة الاداريون لقيادة مرؤوسيهم وحفزهم وهي[1] :

أولاً: القيادة الدكتاتورية أو الاوتوقراطية

Autocratic or Authoritarian Leaders

يقوم القادة باصدار الاوامر المحددة، وطلب الاذعان والولاء من مرؤوسيهم، والتأكيد على ضرورة انجاز العمل، وممارسة الرقابة عن كثب، واتخاذ القرارات الفردية دونما مشاركة من المرؤوسين، ولا يتقبلون الاقتراحات واللجوء الى اسلوب الاكراه والعقاب والتهديد باستعمال السلطة لفرض النظام والقيام بالانجاز.

---

(1) R. Agarwal, Organization and Management , New Delhi.: McGraw – Hill, 1982. Pp.226-227.

ان هـذا الـنمط الـقيـادي وان كـان سـائداً في المـاضي إلا انـه بـدأ يـتلاشى في الوقـت الحـاضر في المنظمات لعدة أسباب منها ارتفاع المستوى الثقافي للعاملين ونمو قوة النقابات العمالية وزيادة فعاليتها في العمل.

وعلى الرغم من أن هذا النمط من القيادة يكون ناجحاً في بعـض الحـالات الـتي تفشـل فيهـا اساليب القيادة الأخرى، إلا أن له مساوئ كثيرة اهمها :

1- انخفاض الروح المعنوية للأفراد وبالتالي عدم الرضى الوظيفي لديهم.

2- تولد الكراهية والعداء بين القائد والتابعين .

3- يؤدي الى عدم ولاء التابعين للقائد .

4- قتل روح المبادأة والابداع لدى المرؤوسين .

5- انعدام الاتصال الصاعد وبالتالي انعدام التفاهم المتبادل .

6- يؤدي الى خلق التنظيمات غير الرسمية للتخفيف من القلق النفسي والتوتر والاحباط لدى المرؤوسين مما يؤثر على الاداء بسبب الصراع بين التنظيم الرسمي والتنظيم غير الرسمي.

7- ارتفاع نسبة التذمر والشكاوي والتظلمات والغياب ودوران العمل .

8- يصعب تحقيقه في الواقع العملي حيث يتطلب أن يكون القائد على درجة كبيرة من الخبـرة والكفـاءة والمعرفة تمكنه من القيام بكل المهام المعقدة .

ثانياً: القيادة الديموقراطية أو المشاركة

Democratic or Participative Leaders

يقوم هذا الاسلوب من القيادة على اشراك المرؤوسين في اتخاذ القرارات فيما يخصهم من أعـمال، وافساح المجال للمبادأة والابداع، وتقدير جهود العـاملين، ويمـارس القائـد إشرافـاً عامـاً لحفـز الافـراد عـلى زيادة الانتاجية . واعتماد اسلوب التأثير بدلاً من استخدام السلطة الرسمية في تحريك المرؤوسين، وإقامـة الاتصال ذي الاتجاهين بين القائد والتابعين .

مزايا هذا النمط القيادي ما يلي :

1- رفع الروح المعنوية للعاملين واقبالهم على العمل برغبة ونشاط.

2- تحقيق الترابط الجماعي وخلق جو اجتماعي سليم.

3- تعميق الاحساس بالانتماء للجماعة.

4- تحقيق الاستقرار النفسي والامان للعاملين .

5- تنمية روح الابتكار والعطاء بين العاملين.

6- المزايا المترتبة على تطبيق المشاركة في اتخاذ القرارات من تفعيل القرارات المتخذة والالتزام بتنفيذها .

7- انخفاض معدل الشكاوي والتظلمات والغياب ودوران العمل .

8- خلق اتجاه إيجابي نحو القائد .

9- زيادة الانتاج والأداء .

وبالمقابل يؤخذ على هذا الاسلوب من القيادة ما يلي :

1- أنها تشكل مظهراً لتنازل القائد عن بعض مهامه القيادية التي يفرضها منصبه.

2- ان استشارة المرؤوسين اسلوب غير عملي ولا يتناسب مع الشخصية البيروقراطية للرؤساء.

3- اثبتت بعض الدراسات ان السلوك القيادي الذي يركز اهتمامه على المرؤوسين لا يـؤدي بالضرورة الى رفع روحهم المعنوية مـما يـؤثر سلباً علـى الانتاجيـة. فعنـدما يصـرف القائد اهتمامـه عـن الانتـاج ومسؤوليته عنه يكون لذلك أثر عكسي على الروح المعنوية للمرؤوسين وعلى انتاجيتهم.

ثالثاً : قيادة عدم التدخل أو القيادة الحرة   Laissez-Faire Leaders

في ظل هذا الاسلوب من القيادة لا يملك القائد سلطة رسمية وانما يمثل رمزاً للمنظمة ويترك حرية كاملة للمرؤوسين في تحديد اهدافهم واتخاذ القرارات المتعلقة بأعمالهم .

مزايا هذا النمط القيادي ما يلي :

1- قد يؤدي هذا الاسلوب الى نتائج حسنة اذا كانت الظروف ملائمة لتطبيقه، وتوفرت المهارة لـدى القائد لتطبيقه حيث يؤدي الى تشجيع الأفراد على التقدم والمساهمة بالفكر المستقل وتحقيـق الابداع الشخصي والحصول على الخبرة عن طريق الاستقلال في العمل ويتم التفويض الى المرؤوسين الاكفاء ونتيجة الثقة يتجاوب هؤلاء المرؤوسين .

2- قد ينجح هذا الاسلوب عندما يتعامل القائد مع افراد ذوي مستويات عقلية وعلمية عاليـة كمـا في مؤسسات الدراسات والأبحاث .

مآخذ هذا النمط القيادي ما يلي :

1- أنه أسلوب نادر التطبيق وهو غير عملي للقيادة حيث يضعف الاهتمام بالعمل ويساعد علـى التهـرب من المسؤولية .

2- يؤدي الى افساد مناخ العمل حيث تسود الفوضى والقلق ويفقد التوجيه السليم والرقابة الفعالة. فقـد ثبت ان الفرد الذي يعمل بحرية مطلقة لا يكون مسروراً دائماً في عمله، فعلى الـرغم مـن أن الجماعـة قد يقل فيها التوتر إلا أن السلوك العدواني هو الذي يشيع بين افرادها ، وهذا سيؤدي الى ضعف حرية العاملين وانخفاض مستوى الجـودة حيـث يحـاول كـل فـرد السـيطرة علـى زملائـه ، ويرجـع السـلوك العدواني الى عدم احساس افراد الجماعة بالامن.

3- ان هذا الاسلوب لا يعد مـن الاسـاليب القياديـة لأن القيـادة هـي النشـاط الايجابـي الـذي يبـاشره شـخص معـين في مجـال الاشراف الاداري علـى الآخـرين لتحقيـق

هدف معين بوسيلة التأثير أو الاستمالة. ولكن في ظل اسلوب عدم التدخل من قبل القائد فان المجموعات العاملة تفتقر الى الضبط والتنظيم، مع زيادة حدة الروح الفردية مما يجعل من الصعب قيادتها وتوجيهها نحو الاهداف المطلوبة .

نظريات القيادة : The Leadership Theories

أولاً: نظرية الرجل العظيم The Great Man Theory

يرى اصحاب هذه النظرية ان الرجال العظام يبرزون في المجتمع لما يتمتعون به من قدرات غير مألوفة وامتلاكهم مواهب عظيمة وسمات وراثية تجعل منهم قادة أيا كانت المواقف التي يواجهونها .

وتستند هذه النظرية الى الافتراضات التالية[1] :

أ- يمتلك الرجال العظام حرية الإرادة المطلقة .

ب- يتمتعون بالقدرة على رسم مسارات التاريخ الحالية والمستقبلية من خلال كفاحهم.

ج- يتمتعون بقدرة السيطرة على الازمات بما ينسجم مع رؤيتهم.

ثانياً: نظرية السمات Traits Theory

نتيجة الجدل الذي دار حول نظرية " الرجل العظيم " التي انطلقت من حقيقة وراثية السمات وان القائد يولد ولا يصنع Leaders are born not made وتأثير المدرسة السلوكية التي اكدت اهمية التعلم والخبرة والتجربة في امتلاك الأفراد سمات القيادة . ظهرت نظرية جديدة عرفت بـ " نظرية السمات " [2].

---

(1) نعمة عباس خضير وآخرون، " قياس السمات القيادية للمدراء، دراسة أختبارية في منظمات صناعية " ، المجلة العربية للإدارة المجلد : 16، العدد الأول ، 1994، ص 59-61 .

(2) R.M. Stogdill " Personal Factors Associated With Leadership: A Survey of Literature " Journal of Psychology . Vol. 25. 1948. PP35-71.

تدور فلسفة هذه النظرية حول انفراد القادة بسمات تميزهم عمن سواهم. ومن اهم هذه السمات ما يلي :

- **سمات جسمية** : مثل الطول، حسن المظهر، الصحة،الحيوية والنشاط .

- **ذهنية** : مثل الذكاء، الفهم والتفكير، الادراك، بعد النظر، القدرة على التنبؤ والتخطيط.

- **شخصية**: مثل التسامح والتحمل، الشجاعة والحسم، الثقة بالنفس.

- **وظيفية** : مثل الاهتمام بالانجاز ، المبادأة والابتكار، المثابرة، القدرة على الاشراف وتسيير الأمور .

- **اجتماعية**: مثل النضوج الاجتماعي، الاهتمام بالعلاقات الانسانية، القدرة على التداخل وإقامة علاقات مع الغير، الرغبة في التعاون مع الآخرين .

لقد وجهت انتقادات كثيرة الى نظرية السمات اهمها: صعوبة توفر جميع السمات المذكورة في شخص واحد، بالاضافة الى اختلاف الباحثين في تحديد السمات القيادية، وعدم تحديد الخصائص التي تميز القادة عن التابعين، وتجاهل دور المرؤوسين في فعالية عملية القيادة. كذلك لم تبين هذه النظرية الأهمية النسبية للسمات المختلفة في التأثير على القائد ونجاحه .

ثالثاً: نظرية الخط المستمر في القيادة A Continuum of Leadership

لقد حدد تانينبوم وشميدث Tannenbaum & Schmidth في هذه النظرية العلاقة بين القائد ومرؤوسيه على أساس خط متواصل كما يظهر في الشكل رقم (1). ويبين نهاية الطرف الايسر من هذا الخط سلوك القائد المركزي بينما يبين نهاية الطرف الأيمن سلوك القائد الديموقراطي. وهناك سبعة اساليب قيادية

تمثل السلوك القيادي على الخط المذكور وذلك بناء على كيفية اتخاذ القرار في المنظمة[1] :

وتشير هذه النظرية الى انه لا يوجد سلوك قيادي واحد ناجح في كل الأوقات، وان اعتماد أسلوب معين يعتمد على عدة عوامل كامنة لدى المدير والمرؤوسين والموقف .

1- العوامل المتعلقة بالمدير :

أ- قدرة المدير على حل المشكلة واتخاذ القرار وحده.

ب- مدى ثقته بكفاءة مرؤوسيه وقدرتهم على تحمل المسؤولية.

ج- مدى إستعداد المدير بابداء التسامح تجاه مرؤوسيه عند وقوعهم في أخطاء .

د- الفلسفة الادارية التي يؤمن بها المدير وهل يرغب في لعب دور الموجه والآمر أم الأخذ بقيادة الفريق الواحد .

2- العوامل المتعلقة بالمرؤوسين:

أ- الرغبة لديهم في الاستقلالية بالعمل.

ب- القدرة على تحمل مسؤولية اتخاذ القرار.

ج- الاهتمام بموضوع القرار.

د- فهم اهداف المنظمة وتوفر الولاء التنظيمي لديهم.

هـ- توفر المعرفة والكفاءة لاتخاذ القرار.

---

(1) Robert Tannebaum and W. Schmidth . " Retrospective Commentary " . In : " How to choose a leadership patterns " . Harvard Business Review . Vo. . 51. No. 3. 1973.

3- العوامل المتعلقة بالموقف /الوضع :

أ- التقاليد والاعراف التنظيمية (المدخل الفردي/الجماعي لاتخاذ القرار، المركزية/اللامركزية).

ب- حجم المنظمة .

ج- التشتت الجغرافي للمنظمة .

د- قدرة الجماعة التنظيمية في العمل معاً كفريق .

هـ- مدى اتساع او ضيق الوقت لاتخاذ القرار.

شكل رقم (1)

نظرية الخط المستمر في القيادة

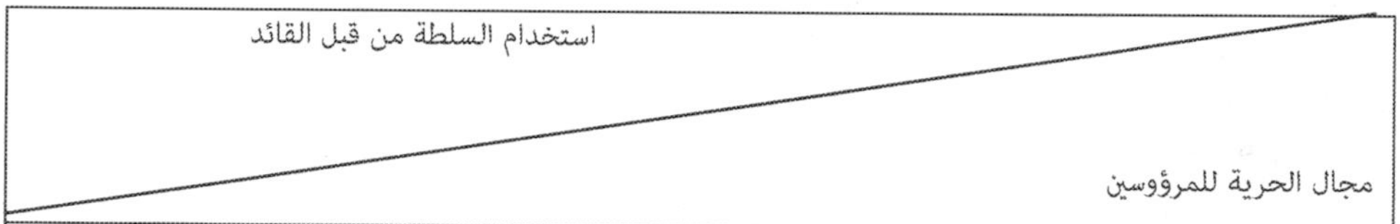

استخدام السلطة من قبل القائد
مجال الحرية للمرؤوسين

يسمح المدير للمرؤوسين باتخاذ القرار ضمن حدود يضعها لهم	يحدد المدير ابعاد المشكلة موضوع القرار ويطلب من المرؤوسين اتخاذ القرار	يقدم المدير المشكلة ويطلب حلولاً واقتراحات ويتخذ هو القرار	يشخص المدير المشكلة ويعرض قراراً مبدئياً خاضعاً للتعديل	يعرض المدير افكاره ويشجع المرؤوسين على الأسئلة	يتخذ المدير القرار ويقنع به المرؤوسين	يتخذ المدير القرار ويعلنه للمرؤوسين

رابعاً: نظرية ليكرت في القيادة Likert Theory

يعتبر رنسس ليكرت أن القيادة تمثل محور العملية الادارية، وأن فعالية المنظمات تعتمد بشكل رئيسي على الأسلوب الذي يتبعه الاداريون في قيادة مرؤوسيهم. ويرى أن اكثر الأساليب القيادية نجاحاً يكمن في اشراك المرؤوسين في عملية اتخاذ القرارات، وإقامة نظام اتصال فعال معهم، وخلق بيئة تنظيمية تمنحهم فرص اشباع حاجاتهم والشعور باهميتهم وتحقيق الرضى الوظيفي لهم.

وقد صنف ليكرت أساليب القيادة الى اربعة انظمة [1]:

1-نظام رقم (1) : تسلطي - استغلالي System 1: Exploitative Authoritative

يركز القادة هنا على الانجاز، ولا يظهرون ثقة بمرؤوسيهم، مع عدم اشراكهم في اتخاذ القرارات والأخذ بأسلوب الاتصال الهابط، واللجوء الى التهديد والعقاب لفرض الطاعة والامتثال الى الأوامر.

2-نظام رقم (2): تسلطي - نفعي

System 2 : Benevolent - Authoritative

اقل مركزية من سابقه، يتقبل القادة احياناً آراء ومقترحات مرؤوسيهم وتفوض السلطة لهم والسماح بالاتصال الصاعد ومنح الثواب والمكافأة. ولكن من ناحية أخرى يراقبون عن كثب ويلجأون الى التهديد والعقاب لتحقيق الانجاز، بالاضافة الى ذلك فإن المناخ التنظيمي لا يشجع المرؤوسين على التحدث بحرية مع رؤسائهم عن قضاياهم ومشاكلهم.

---

(1) Rensis Likert. The Human Organization : Its Management and Values . New York : McGraw - Hill. 1967.

3-نظام رقم (3) : استشاري System 3: Consultative Type

يظهر القادة ثقة بمرؤوسيهم والحرص على استشارتهم قبل اتخاذ القرارات، ويتخذ القادة القرارات الرئيسية والمهمة وتفويض الروتينية منها الى المرؤوسين. وإفساح المجال إلى العاملين بإبداء الآراء والمقترحات وتعزيز الاتصال ذي الاتجاهين: هابط وصاعد، وحفز الأفراد عن طريق الثواب وأحياناً العقاب.

4-نظام رقم (4) : جماعي - مشارك

System 4 : Participative – Group Leaders

ان ليكرت من مؤيدي هذا الأسلوب القيادي والذي يستلزم وجود هيكل تنظيمي رسمي كما يظهر في الشكل رقم (2).

يبدي القادة ثقة كبيرة بمرؤوسيهم، ويتم التركيز على الهدف الجماعي وعمل الفريق الواحد، وتشجيع تقديم الافكار والمقترحات والاتصال مع كافة المستويات التنظيمية من خلال تأسيس فرق العمل المشتركة انطلاقاً من الحرص على اشراك العاملين في عملية اتخاذ القرارات، ومنح الثواب والمكافأة بناء على تقييم الأداء والمساهمة مع الجماعة في رسم الاهداف.

وحسب رأي ليكرت فإن هذا الأسلوب القيادي الفعال يؤدي الى تحقيق الهدف وخلق بيئة تنظيمية صحية، ورفع معنويات الأفراد وبالتالي تحقيق الرضى الوظيفي لهم .

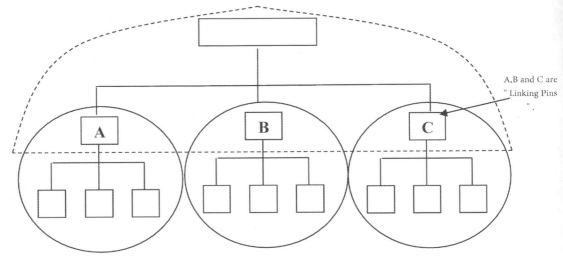

شكل رقم (2)

Likert's Linking pins

A,B and C are
" Linking Pins
"

McGraw- Source : Rensis Likert, New patterns of Management , New York:

Hill, 1961, p. 183

خامساً: نظرية البعدين The Two Dimensional Theory

يطلق على هذه النظرية اسم دراسات جامعة ولاية أوهايو في القيادة حيث قامت مجموعة من الباحثين في تلك الجامعة ولفترة طويلة بإجراء ابحاث بهدف تحليل انماط السلوك القيادي وتمكنوا مـن تحديد بعدين لسلوك القيادة هما:

1-هيكلية المهام Initiating Structure

ويقصد به تحديد الأدوار بين القائد والمرؤوسين. ويعبر عن مدى اهتمام القائد بتخطيط العمـل وتنظيمه وتوزيعه على مرؤوسيه والرقابة عليهم، وتجربة أساليب العمل المبتكرة .

2-الاهتمام بمشاعر الآخرين Considerations

يأخذ القائد في الاعتبار آراء وأفكار ومشاعر المرؤوسين، وينمي جواً من الصداقة والثقة، والانفتاح عليهم وإقامة اتصال ذي اتجاهين : هابط وصاعد.

وبموجب هذا التحليل فإن هذين البعدين ليسا متعارضين، والقائد الفعال هو الذي يستطيع تحقيق درجة عالية في كليهما بنفس الوقت، وبالتالي يحقق الرضى والانجاز الجماعي لمرؤوسيه .

سادساً: نظرية الشبكة الادارية   The Managerial Grid Theory

قام بتطوير هذه النظرية كل من Robert Blake and James Mouton واستطاعا تحديد أسلوبين لسلوك القائد هما: الاهتمام بالانتاج والاهتمام بالأفراد. وقد قام الباحثان بتوضيح هذين الأسلوبين على صورة شبكة ذات محورين يظهر عليها اساليب القيادة المختلفة. المحور الافقي ويمثل الاهتمام بالانتاج بينما المحور العمودي يمثل الاهتمام بالافراد. كما في الشكل رقم (3) ويشير رقم (1) على كل محور الى أدنى درجة اهتمام ورقم (9) الى أقصى درجة اهتمام .

وبالرغم من ان الشبكة الادارية تظهر أنواعاً مختلفة من أساليب القيادة (81 أسلوب قيادي) وتعتمد على درجات متفاوتة من الاهتمام بالانتاج وبالأفراد إلا أن Black & Mouton أكدا على خمس نماذج قيادية : أربع منها على زوايا الشبكة وواحدة في الوسط كالتالي:

أولاً: نموذج رقم 1,1 - يبدي القائد اهتماماً ضعيفاً بكل من الانتاج والأفراد وتسمى " الإدارة المسلوبة القوة " " Impoverished Management " : ويشبه هذا النموذج قيادة عدم التدخل والتي تقول : " دع الأمور تنساب لوحدها   " Lets things drift " .

ثانياً: نموذج 1.9 - يظهر القائد اهتماماً عالياً بالانتاج واهتماماً ضعيفاً بالأفراد وهذا القائد متسلط ويطلب الاذعان والامتثال من المرؤوسين باستخدام اسلوب التهديد والتلويح بالعقاب، ويراقب عن كثب، ولا يسمح للمرؤوسين بالمشاركة في اتخاذ القرارات مما يؤدي الى الاحباط وعدم الولاء التنظيمي.

ثالثاً : نموذج 9.1- يظهر القائد اهتماماً عالياً بالأفراد واهتماماً ضعيفاً بالانتاج وهدف القائد هنا الاحتفاظ برضى العاملين. ويرى مؤيدو هذا النموذج من القادة أن الاهتمام بالمرؤوسين سيؤدي الى زيادة الانتاج تلقائياً. ولكن اشارت الدراسات أن العامل السعيد في عمله ليس بالضرورة مرتفع الانتاجية .

رابعاً: نموذج 5,5- يتميز القائد باهتمام معتدل في كل من الانتاج والأفراد إذ يتم الحصول على انتاج مقبول، وبالمقابل يتم اشراك المرؤوسين في اتخاذ القرارات، والاهتمام بمقترحاتهم، وتشجيع الاتصال الهابط والصاعد، والعمل على خلق بيئة عمل مناسبة، والقيام بكل تلك الممارسات الإدارية بشكل معتدل وليس بالدرجة القصوى .

خامساً: 9,9- يتميز أسلوب القائد باهتمام عال بكل من الانتاج والأفراد على حد سواء، ويركز القائد هنا على روح الفريق الواحد في العمل. وهذا النموذج يشبه نظام ليكرت رقم (4) ففي كل من النموذجين يحاول القادة دمج أهداف الفرد باهداف المنظمة وبالتالي تحقيق رضى العاملين والحصول على أقصى-انتاج، وبهذا يصبح المديرون قادة فعالين .

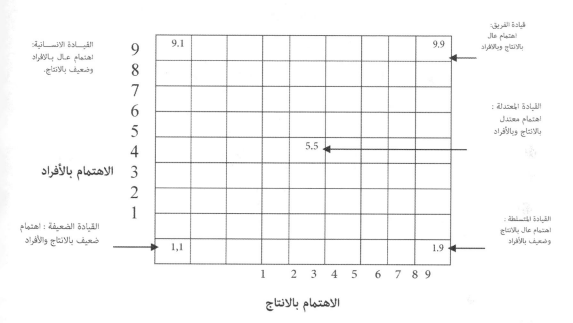

شكل رقم (3)

نظرية الشبكة الادارية

Source : R. Blake and J. Mouton. The Managerial Grid. New York : Houston- Gulf Publishing Company , 1964, P.10

سابعاً: النظرية الظرفية لفيدلر Fiedler Contingency Theory

قـام فيـدلر بتطـوير نمـوذج في القيـادة الموقفيـة [1] وتقـوم هـذه النظريـة عـلى فرضية أن القادة يختلفـون في اتجاهـاتهم سـواء في أعمالهـم أو نحـو مرؤوسـيهم، كـذلك

(1) F. E. Fiedler . A Theory of Leadership Effectiveness . New York : McGraw – Hill. 1961.

تشير هذه النظرية إلى أنه ليس هناك أسلوب واحد في القيادة يصلح لكل زمان ومكان وبالتالي يتعين على القائد التكيف مع طبيعة الموقف .

ان مدى ملاءمة الموقف للنمط القيادي مرهون بتوفر ثلاثة عوامل رئيسية كالتالي:

1-العلاقة بين القائد والتابعين

يقصد بذلك تقبل المرؤوسين للقائد، ويعتبر فيدلر هذا العامل من أهم العوامل الموقفية لأن ذلك يدل على مدى تجاوب وانصياع المرؤوسين للقرارات الصادرة من القائد ومدى مساندتهم وتقبلهم ومدى توفر الثقة بين الرئيس والمرؤوسين.

2-هيكلة المهام

ويقصد بذلك مدى وضوح الأهداف والعمل والواجبات الملقاة على عاتق المرؤوسين، وتحديد أساليب العمل ومعايير الأداء.

3-وضوح السلطة الرسمية للقائد

وتعني درجة القوة في مركز القائد لأداء مهامه والمتعلقة بالسلطات الممنوحة له في منح المكافآت وفرض العقوبات وتفويض السلطة.

ويعتقد فيدلر ان المواقف تكون ملائمة للقائد إذا كانت الأبعاد والعوامل الثلاثة آنفة الذكر مرتفعة بمعنى أن القائد يلقي قبولاً من المرؤوسين والمهام محددة الأبعاد والأهداف، والقائد يتمتع بسلطة قوية والعكس صحيح .

ثامناً: نظرية المسار والهدف The path – Goal Theory

قام بتطوير هذه النظرية روبرت هاوس Robert House والتي تؤكد أن القائد الفعـال هـو الـذي يقـوم بمسـاعدة مرؤوسيه في تحديـد أهـدافهم ورسم المسـارات لتحقيق هذه الأهـداف، وإزالـة العقبـات التي تعـترض طريقهم وتـدريبهم ومكافأتهم

على انجازهم[1] . ويعتمد هذا النموذج على نظرية التوقع في الحفز وتحدد هذه النظرية اربعة نماذج من السلوك القيادي يمكن استخدامها جميعها من قبل القائد ولكن في مواقف وظروف مختلفة وهي :

1-السلوك التوجيهي Directive

التركيز على المهام ومتطلباتها، إذ يقوم القائد بتعريف المرؤوسين بما هو متوقع منهم القيام به من مهام ومسؤوليات ومعدلات أداء وأساليب عمل وأساليب مكافأة .

2-السلوك المساند Supportive

توفير المشورة والرعاية والاهتمام باحتياجات المرؤوسين، وخلق جو عمل إيجابي داخل المنظمة .

3-السلوك المشارك Participative

مشاركة الرئيس والمرؤوسين في وضع الحلول للمشاكل وتشجيع الاقتراحات والآراء عند اتخاذ القرارات .

4-السلوك الانجازي Achievement Oriented

يقوم القائد هنا بتحديد أهداف مثيرة Challenging goals تتطلب بذل الطاقة القصوى في العمل ويظهر ثقة عالية بمرؤوسيه في تحقيق هذه الاهداف.

اختيار النمط الفعال في القيادة :

يعرف سيد هواري النمط القيادي بأنه : " السلوك المتكرر للمدير في طريق أدائه للعمل " ويعرفه علي السلمي بأنه السلوك الذي يتبعه القائد حتى يستطيع كسب تعاون جماعته واقناعهم بان تحقيق اهداف المنظمة هو تحقيق لأهدافهم. أما

(1) Robet House . " A path - Goal Theory of Leader Effictiveness " Admistrative Science Quarterly . Vol . 16. 1971. PP 321-338.

Robert Oens فيعرفه بأنه " السلوك الذي يمارسه القائد الفعال على افراد المجموعة العاملة معه بهدف تحسين نوعية العمل والانتاج في المنظمة "[1].

وعليه فان القائد الفعال يوازن بين حاجات المنظمة من خلال الاهتمام بالعمل والانتاج وحاجات العاملين باشباع حاجاتهم وتحقيق الرضى الوظيفي لهم. وبالتالي فإن النمط القيادي الفعال هو الذي يبدي اهتماماً عالياً بالانتاج وبالأفراد على حد سواء، لأن الاهتمام بالعمل والانتاج على حساب العاملين وجني الثمار على المدى القصير يؤدي الى نتائج سلبية على المدى الطويل كالإعراب عن التذمر والشكوى والتأخير عن العمل والغياب وعدم الرضى الوظيفي ودوران العمل. كما أن الاهتمام بالأفراد على حساب العمل والانتاج قد يفقد المنظمة صفتها المؤسسية.

وعلى ذلك فإن النمط القيادي الفعال يختلف باختلاف الموقف ويعتبر اسلوب القيادة الموقفية اكثر واقعية من الاساليب الأخرى لأنه يعتمد على المرونة والتكيف في اختيار النمط القيادي حسب متطلبات الموقف. فالقائد الفعال يجب ان يدرس الموقف بجميع عناصره مثل [2]:

- الوقوف على قدرات وخبرات العاملين .
- تحليل توقعات العاملين من الأعمال التي يؤدونها .
- تحليل العوامل في الموقف التي بالامكان تغييرها ايجابياً لتناسب توقعات العاملين (زيادة الحوافز).
- دراسة المناخ العام السائد في المنظمة .

---

(1) ابو بكر مصطفى بعيره ، " القيادة الادارية : الاسس والنظريات " ، المجلة العربية للإدارة، المجلد الثامن، العدد الأول، 1984، ص 3-22.

(2) Andrew S. Grove . High Output Management . New York : Random House , 1973. PP 172-177.

وعلى ضوء ذلك يتم تحديد النمط القيادي الفعال الواجب اتباعه، فالقائد الناجح هو الـذي يستطيع التحول من نمط قيادي الى آخر وفق متطلبات الظروف والمواقف المتغيرة في المنظمة .

الفصل الرابع عشر

الدافعية والحفز الإنساني

Motivation

- الحاجات
- عملية الحفز
- نظريات الحفز:
- نظرية الحاجات لماسلو
- نظرية ذات العاملين
- نظرية مكليلاند في الحاجات
- نظرية التوقع
- نموذج بورتر ولولر
- نظرية الدرفر
- نظرية التعزيز
- نظرية العداله
- حفز المديرين

مقدمة:

إن من أهم واجبات المدير حفز المرؤوسين لبذل أقصى جهد ممكن لتحقيق الأهداف التنظيمية، لذلك من المهم للإداري الوقوف على حاجات المرؤوسين والعمل على اشباعها. إن حاجات الفرد والمنظمة ليست دائماً واحدة، وبالتالي يتعين على الإداريين العمل على توحيدها وتكاملها وذلك بالنظرة الثاقبة ومعرفة حاجات الأفراد وتوجيهها نحو الحاجات التنظيمية.

الحاجات : Needs

يعتمد الحفز الإنساني على وجود حاجات، فالأفراد لهم حاجات مختلفة في جميع الأوقات سواء بطريقة شعورية أو لا شعورية، وهذه الحاجات تختلف من فرد إلى آخر، ومن وقت إلى آخر للفرد الواحد. ويمكن تصنيف الحاجات إلى مجموعتين هما:[1]

أولاً : حاجات أساسية Primary Needs

يغلب عليها الطبيعة الفسيولوجية مثل الحاجة إلى الهواء، الماء، المأكل، الأمن والحماية، الجنس ... الخ . وهذه الحاجات محدوده بطبيعتها (Finite) على اعتبار أن الإنسان يستهلك كمية محدوده من الهواء والطعام ... الخ .

ثانياً : حاجات ثانوية Secondary Needs

وهي حاجات اجتماعية ونفسية بطبيعتها ، وتشمل حاجات الانتماء والانضمام إلى الغير، القوه، الشهره، التميز، التقدير والاحترام، اقامة علاقات صداقة مع الآخرين ، الانجاز ... الخ . وهذه الحاجات غير محدودة بطبيعتها

(1) R. O. Agarwal. Organization and Management, New Delhi: Mcgraw-Hill 1982, pp. 192-200.

(Infinite) . بمعنى عدم وجود حد أعلى من الإشباع إلى من يرغب الحصول عليها كحاجته من القوة والإنجاز والتقدير ... الخ.

يختلف الأفراد في الحاجات الثانوية أكثر من اختلافهم في الحاجات الأساسيه، إذ أن كل إنسان يحتاج إلى كمية من الهواء والماء، أكثر أو أقل، في كل الأوقات. وهذا لا ينطبق على الحاجات الثانوية، فقد نجد فرداً ما لديه حاجة ماسه إلى القوة بينما فرد آخر تطغى عليه حاجة الانتماء. لهذا تنفرد الحاجات الثانوية بالخصائص التالية :

1. أهمية توفر المعرفة والخبرة فيها لدى الفرد .

2. تتغير من وقت إلى آخر للفرد الواحد .

3. تختلف من حيث النوع والكثافة بين الأفراد .

4. تعمل كمجموعة وليس بشكل فردي.

5. تأخذ الشكل المعنوي وغالباً ما تأخذ الصبغة اللاشعورية بمعنى أنها غير ملموسة بدلاً من كونها حاجات مادية ملموسة.

عملية الحفز : Process of Motivation

الحفز عبارة عن قوة أو شعور داخلي يحرك سلوك الفرد لإشباع حاجات ورغبات معينه. فعندما يشعر الإنسان بوجود حاجة لديه فإنه يرغب في إشباعها. فالحاجات تسبب التوتر والذي يقود إلى بذل الجهد من قبل الفرد. وهذا الجهد المبذول بدوره يؤدي إلى الإشباع ومن ثم تحقيق الرضى والبحث عن حاجات جديدة كما يظهر في الشكل رقم (1). وفي حالة عدم قدرة الجهد المبذول على إشباع الحاجة فإن التوتر يستمر. وعندئذ يكون أمام الفرد عدة بدائل منها محاولة بذل الجهد مرة أخرى، أو تغيير مسار الجهد المبذول أو استبدال الحاجة بأخرى.

مثال ذلك: إذا لم يستطع الفرد اشباع حاجته بالحصول على الترقية في وظيفته، فإنه إما أن يستمر في مواصلة الجهد والمثابرة، أو اغتنام فرص سانحة، أو تغيير المسار السلوكي كاتباع سلوك عدواني لتحقيق الهدف بدلاً من الجهد والمثابره، أو تغيير الهدف نفسه .

شكل رقم (1)

عملية الحفز عند الأفراد

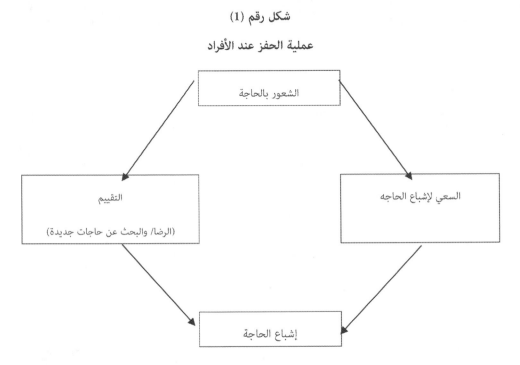

ومن ناحية تنظيمية، فإن الهدف الأساسي للحفز هو زيادة الانجاز عند الأفراد، وهذا الانجاز يتحقق عن طريق التفاعل بين الحفز وقدرات الفرد. ويمكن التعبير عن ذلك بالمعادلة التالية :

إنجاز الفرد = الحفز × قدرات الفرد

وفي هذا المجال، ضرورة مراعاة المنظمة شروط فعالية الحوافز كما يلي :

1. ارتباطها المباشر والواضح مع الأداء.

2. ارتباطها المباشر مع حاجات الأفراد.

3. سرعة الحصول عليها بعد الأداء مباشرة.

4. وضوح أسس وقواعد الحصول عليها.

نظريات الحفز: Theories of Motivation

أولاً : نظرية سلم الحاجات لماسلو The Need Hierarchy Theory

صاحب هذه النظرية إبراهام ماسلو (Abraham Maslow)، وتعتبر من أشهر نظريات الحفز. وتشير إلى أن الحاجات الإنسانية مرتبة هرمياً حسب الأهمية كالتالي[1] :

1 . حاجات فسيولوجية Physiological Needs

وهذه حاجات أساسية للبقاء وتشمل الحاجة إلى الهواء، الماء، المأكل، العطش، المأوى ، النوم ، الجنس .

2 . حاجات الأمن والحماية Security or Safety Needs

حاجات الأمن المادية والأمن النفساني، وتشمل حماية الإنسان لذاته وممتلكاته. وفي المجال التنظيمي فإن الأمن والحماية يأخذ شكل الأمن الوظيفي وضمان بيئة تنظيمية آمنه. وبالرغم من الاعتمادية المتبادلة بين المنظمة والعاملين في تحقيق أهداف كل منهما، إلا أن العاملين أكثر اعتماداً

---

(1) A. H. Maslow . "Dynamic Theory of Motivation", Psychological Review, Vol. 50 , 1943, pp. 370-396 .

على المنظمة في إشباع حاجاتهم المختلفة. وهذه الاعتمادية تجعل الأفراد بحاجة إلى التنبؤ في البيئة التنظيمية فيما يتعلق بالكثير من الأمور مثل الأمن الوظيفي، الترقيه، العداله والمساواة في المعاملة ... الخ .

3 . حاجات اجتماعية Social Needs

الحاجة الى الانتماء والصداقه والحب والعاطفه والشعور والوجدان والقبول الاجتماعي من قبـل الآخرين.

4 . حاجات التقدير والاحترام Esteem or Ego Needs

حاجة تقدير الـذات، احتـرام وتقـدير الآخـرين، الثقـة بالنفس، المعرفـة، الاستقلالية، الكفـاءة، الشهرة، القوة، التميز، المكانة والمركز الاجتماعي ... الخ .

5 . حاجات تقدير الذات Self-Actualization Needs

وتمثل حاجة ما يستطيعه الفرد أن يكون "To be what one is capable of becoming" وتشـمل حاجة تطوير قدرات الفرد الكامنه، المعرفة، المهارة، الابـداع، الخلـق والابتكار، تحقيـق أقصى الطموح.

وبناءً على هذه النظرية فإن الحاجـات مرتبطـة مـع بعضـها البعض، ومرتبـه تصاعدياً حسـب الأهمية كما يظهر في الشكل رقم (2).

شكل رقم (2)

سلم الحاجات لماسلو

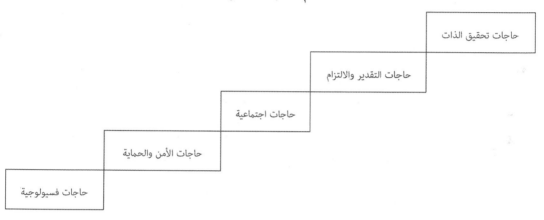

حاجات تحقيق الذات
حاجات التقدير والالتزام
حاجات اجتماعية
حاجات الأمن والحماية
حاجات فسيولوجية

يلاحظ أهمية الحاجات الفسيولوجية من أجل البقاء حيث تسود في المستوى الأدنى، وعندما يتم إشباعها بدرجة مرضيه ينتقل الفرد إلى الحاجه التي تليها في الأهمية وهي الأمن والحماية. إن الحاجة المشبعة لم تعد حافزة، بينما الحاجة غير المشبعة تدفع الفرد للتحرك. لذلك عندما يتم اشباع الحاجات الفسيولوجية فإن حاجات الأمن والحماية تبدأ بحفز السلوك. إن كلاً من الحاجات الفسيولوجية والأمن محدوده بطبيعتها (Finite) بالرغم من أن الأولى أكثر محدودية من الثانية.

تظهر الحاجات الاجتماعية من كون الإنسان كائناً اجتماعياً بطبعه. وقد أشارت الدراسات إلى أن الأفراد الذين يعملون بمفردهم بمعزل عن الآخرين لا تتوفر لديهم الرغبة في العمل، ويعزى ذلك إلى العزله والوحدانيه.[1] كذلك بينت دراسات أخرى أن الأقسام والوحدات الإدارية التي تمنح أفرادها مستوى متدنياً

(1) C. R. Walker and R. H. Guest. The Man on the Assembly Line. Cambridge: Harvard University Press, 1952.

من التفاعل الاجتماعي والاتصال مع الغير لـديها أعـلى نسـبة دوران عمـل.[1] عـلى أيـة حـال، فـإن اشـباع الحاجات الاجتماعية في موقع العمل مقيد إلى حـد بعيـد بالتكنولوجيـا المسـتخدمة في الأداء وفي الظـروف المادية لتصميم العمل.

تمنح حاجات التقدير والاحترام إدارة المنظمة مجالاً واسعاً لخلق بيئة تنظيمية تعمل على اشـباع هذه الحاجات. وهذه الحاجات غير محـدودة الاشـباع (Infinite). ومـن ناحيـة تنظيميـة يعتمـد اشـباعها بشكل أساسي على السياسات الادارية والسلوك القيادي. وهذه الحاجات تظهـر عنـد المـديرين أقـوى مـما لدى المرؤوسين، لذلك تعطى أهمية في مجال حفز الاداريين.

أخيراً حاجات تحقيق الذات وهي تمثل الحاجة إلى إدراك امكانية تطور وتقـدم الفـرد إلى أقصى درجة، إذ لا يتم اشباع هذه الحاجة بالكامل، وهي مهمة الى أولئك الذين استطاعوا اشـباع بقيـة الحاجـات في سلم ماسلو بدرجة مقبوله.

يوجد اختلاف في وجهات النظر حول نظرية ماسلو. تشـير بعـض الدراسـات إلى أن الترتيـب الهرمـي للحاجات هو ترتيب اصطناعي[2]، إذ أن جميع هذه الحاجات متداخلة ومتفاعله مع بعضها البعض لـدى الفـرد الواحد. بينما أشارت دراسات أخرى إلى أن تطبيق نظرية ماسلو والاختلاف في ترتيب الحاجات مرهون بالعوامل البيئية والاختلافات الثقافية. مثال ذلك الدراسات التي أجريت في مجال مقارنة سلم الحاجات عند المـوظفين في الشركات الأمريكيـة والمكسـيكية أظهـرت أن حاجـات تحقيـق الـذات عنـد المـديرين في الشركات الأمريكيـة كانت غير مشبعه بشكل عـال، بيـنما كانـت تلـك الحاجـات تمثـل الحاجـة الثانيـة المشـبعه بشـكل عـال عنـد

(1) W. A. Kerr et al. "Absenteeism,Turnover, and Morale in a Metals Febrication Factory". Occupational Psychology, Vol. 25, 1951, pp. 50-55.

(2) Keith Davis, Human Behaviour at Work. New York: McGraw-Hill, New York, 1997, p. 46 .

الموظفين في الشركات المكسيكية[1]. كذلك أشارت دراسات أخرى إلى أن المديرين في اسبانيا وبلجيكا أكثر اشباعاً لحاجات التقدير والاحترام من حاجات الأمن والحماية[2].

ثانياً : نظرية ذات العاملين Two-Factor Theory

قام بتطوير هذه النظرية فردريك هرزبرغ (Fredrick Herzberg) وجماعته باستخدام أسلوب المقابلات مع مائتي شخص من مهندسين ومحاسبين[3]. وبموجب هذه النظرية يوجد مجموعتان من العوامل: داخلية وخارجية.

1. **عوامل داخلية: Intrinsic, Job Content or Motivation Factors**

تتعلق بالعمل مباشرة. واطلق عليها عوامل دافعية أو حافزة انسجاماً مع هرم ماسلو للحاجات الاجتماعية والاحترام والتقدير وتحقيق الذات.

وتتضمن العوامل الداخلية ما يلي :

- الانجاز في العمل.

- التقدير والاحترام نتيجة الانجاز.

- المسؤولية لانجاز العمل.

- الترقية.

---

(1) John W. Slocum et al. "A Cross- Cultural Study of Need Satisfaction and Need Importance for Operation Employees". Personnel Psychology, Vol. 24, NO. 3 1971, p. 442.

(2) Mason Haire et al. "Cultural Patterns in the Role of the Manager". Industrial Relation, February, 1973, p. 113 .

(3) F. Herzberg, B. Mausner and B. Snyderman, The Motivation at Work. new York: John Wiley and Sons Inc. New York, 1959 .

- احتمالية التطور والتقدم.

- طبيعة العمل ومحتواه .

يؤدي وجود العوامل الداخلية في موقف العمل وبشكل ملائم إلى الشعور بالرضى والقناعة لـدى العاملين، ولكن غيابها لا يؤدي إلى شعور بعدم الرضى.

2.   **عوامل خارجية :** Extrinsic, Hygiene, Maintenance or Job Context Factors

تتعلق بالبيئة المحيطة بالعمل. وأطلق عليها عوامـل الصحة أو الصيانة/ الوقايـة انسجامـاً مـع الحاجات الفسيولوجية والأمن والحماية في هرم ماسلو.

تشمل العوامل الخارجية ما يلي :

- سياسة المنظمة وأسلوب إدارتها.

- أسلوب الإشراف.

- العلاقات بين قمة الهرم الإداري.

- العلاقات بين المشرف والمرؤوسين.

- العلاقات بين المرؤوسين.

- العلاقات بين الزملاء في العمل.

- الأجور والرواتب.

- الأمن الوظيفي.

- المركز الوظيفي.

- ظروف العمل المادية من اضاءة وتهوية وحرارة... الخ .

إن عدم وجود هذه العوامل يسبب شعوراً بعدم الرضى، ولكن وجودها لا يشكل بالضرورة إحساساً أو شعوراً بالرضى وإنما يمنع حالات عدم الرضى. بمعنى إذا كانت هذه العوامل غير متوفرة فإنها ستؤدي إلى عدم رضى العاملين. ولكن توفرها في نفس الوقت لا يؤدي إلى حفز الأفراد وزيادة الانتاجية، لأن عملية الرضى والانتاجية العالية مرتبطة بالعوامل الداخلية. لذلك نجد تأثيراً محدوداً للعوامل الخارجية على دفع الأفراد العاملين لتحسين جهودهم.

خضعت هذه النظرية إلى النقد والذي تركز على منهجية الدراسة. لقد اعتمد هرزبرغ في المقابلة مع أفراد العينة على طريقة ذكر الأحداث المهمة ايجاباً وسلباً، بمعنى الطلب من المستجيبين ذكر الأحداث التي حققت لهم الرضى أو عدم الرضى. حيث وجه هرزبرغ أسئلة إليهم بتذكر الوقت عندما كانوا في غاية السرور أو في غاية الاستياء في عملهم. ومنطق النقد هنا يقول بأن الناس يميلون إلى القاء اللوم على العوامل البيئية المحيطة كالإدارة والمشرفين مثلاً كسبب لفشلهم، بينما يعزون النجاح في العمل والرضى إلى انجازهم الشخصي وما حققوه من أداء. وقد يكون هذا السبب في أن الباحثين الآخرين الذين لم يتبعوا منهجية هرزبرغ في دراساتهم وجدوا أن العوامل الصحية كانت قوية ومؤثرة في مجال الرضى وعدم الرضى.

كذلك تفترض هذه النظرية وجود علاقة ايجابية بين الانتاجية ودرجة الرضى، بمعنى أن الانتاجية تتأثر مباشرة بدرجة رضى الفرد. ولكن أظهرت دراسات أخرى أن هذه العلاقة ليست بالضرورة دائماً موجودة، أي أن هناك الكثير من الأفراد لديهم رضى وظيفي مرتفع ولكن انتاجيتهم منخفضة، والعكس صحيح[1].

(1) H. R. Robitt and O. Behling, "Defense Mechanisms as an Alternate Explanation of Herzberg's Motivator- Hygiene Results". Journal of Applied Psychology, Vol. 56, No.1, 1972, pp. 24-27 .

ومن جهة أخرى، وجدت بعض الحالات التي أكدت نجاح نظرية هرزبـرغ في التطبيق العملي.

مثال ذلك شركة Imperial Chemical Industries التي حققت وفراً مقداره عشرون ألف دولار أمريكي سنوياً من جراء تطبيق برنامج اثراء العمل Job Enrichment Programme وهو البرنامج الذي تبنته هـذه النظرية.[1] وكذلك شركة American Telephone and Telegraph والتي تبنت برنامج اثراء العمل وحققت نجاحاً في تخفيض نسبة دوران العمل وزيادة كمية الانتاج وتحسين جودته، وكذلك تحسين جودة الخدمات المقدمة الى العملاء.[2]

ثالثاً : نظرية مكليلاند في الحاجات McClelland's Needs Theory

واضع هـذه النظرية ديفيد مكليلاند (David McClelland)، ويعـود أساسـها إلى علـم النـفس السريري Clinical Psychology وإلى نظرية الشخصية Personality Theory ، وقد جرى تطبيقها في مجـال الإدارة والتنمية الاقتصادية. أجرى مكليلاند وجماعته دراسات على عدة ثقافات شملت الولايات المتحدة، ايطاليا، بولندا، والهند. وقد تم استخدام أساليب تنبؤ Projective Techniques لتحديد سمات الأفراد الذين لديهم الحاجات الثلاث : الانجاز ، والقوه، والانتماء.[3]

1 . الحاجة إلى الإنجاز Need for Achievement

وهي الدافع للتفوق وتحقيق الانجاز وفق مجموعـة مـن المعـايير. وتـرى هـذه النظرية أن الأفراد الذين لديهم حاجة شديدة للانجاز يكون لديهم دافع التفوق والكفاح من أجل النجاح وذلك لمجرد تحقيق النجاح دون اعتبار إلى المردود المادي ما لم

---

(1)   W. Paul et al. "Job Enrichment Pays off". Harvard Business Review, Vol. 47, 1969, pp. 61-79 .

(2)   Robert H. Ford. Motivation Through Work Itself. New York: American Management Association, 1969 .

(3)   David C. McClelland. The Achieving Society. New York : Van Nestrand Reinholt Co. 1961 .

ينظر إلى المردود المادي Money على أنه مؤشر للنجاح. هذه الفئة من الأفراد مهتمه نفسياً بانجاز الأعمال بصوره أفضل وتطوير العمل والرغبة في التحدي والقيام بمهام صعبه وتحمل المسؤوليات الشخصية من أجل تحقيق الأهداف المطلوبه، والرغبة في الحصول على المعلومات عن نتائج ما يقومون به من أعمال. كذلك يضعون لهم أهدافاً يغلب عليها الصعوبه، ويعملون بجد واجتهاد عندما يكون احتمال النجاح في وسط الطريق In the middle range والرغبة في قضاء وقت طويل في العمل، ومحاولة اكتشاف البيئة من حيث وجود فرص جديدة للقيام بأعمال وتحديات مثيرة Challenging Things .

وهذه الفئة من الأفراد يرون في الالتحاق بالمنظمة فرصة لحل مشاكل التحدي والتفوق ويميلون إلى العمل الذي يشعرون بأن فيه تحدياً لمهاراتهم وقدراتهم. وقد وجد مكليلاند أن هذا النوع من الأفراد يتحلون بالعديد من الخصائص التي تؤهلهم لتحمل المسؤولية الشخصية في البحث عن الحلول للمشاكل والرغبة في المخاطرة المحسوبه عند اتخاذ القرارات .

أما الأفراد ذوو الحاجة الشديدة للانجاز فانهم يتجهون نحو الأعمال الحره بدلاً من ممارسة المهن والالتحاق بالوظائف الحكوميه. لقد وجد أن رجال الأعمال Entrepreneurs يملكون خاصية الحاجة إلى الانجاز بشكل قوي جداً، كما يحتاجون القوة على نحو مرتفع إلى حدٍ ما Fairly high مع انخفاض في منسوب الحاجة إلى الانتماء. وبالمقابل وجد أن منسوب الحاجة إلى الانجاز والحاجة إلى القوة عند المديرين أدنى من منسوبهما عند رجال الأعمال بينما الحاجة إلى الانتماء ليست منخفضة عند المديرين كانخفاضها عند رجال الأعمال. يمثل الحافز إلى الانجاز Achievement Motivation عنصراً مهماً في نجاح التنمية الاقتصادية الوطنية كما هو الحال عند الأفراد. وقد أثبت مكليلاند في دراساته أن حافز الانجاز يمكن تعلمه ودراسته.

2 . الحاجة إلى القوة Need for Power

القوة والسيطرة والاشراف على الآخرين حاجة اجتماعية تجعل الفرد يسلك بطريقة توفر له الفرصة لكسب القوة والتأثير على سلوك الآخرين. والأفراد الذين لديهم حاجة شديدة إلى القوة يرون في المنظمة فرصة للوصول إلى المركز وامتلاك السلطة وممارسة الرقابه والتأثير على الآخرين. ويعتقد بأن لدى المديرين حاجة القوة وحاجة الانجاز لأنهم مسؤولون عن عمل الآخرين.

ويشير French and Raven إلى وجود خمس مصادر إلى القوة[1]:

أ .   قوة منح المكافأة Reward Power . وهي القدرة على مكافأة الآخرين.

ب .   القوة القسريه Coercive Power وهي القدرة على معاقبة الآخرين بسبب عدم امتثالهم للأوامر أو الفشل في انجاز ما هو مطلوب منهم.

ج .   القوة الشرعيه Legitimate Power وهي السلطة القانونية في تحديد السلوك الواجب اتباعه من قبل الآخرين.

د .   قوة الاعجاب Referent Power وهذه مبنية على توفر سمات شخصية لدى الشخص الذي يمتلك القوه .

هـ . قوة الخبره الفنيه Expert Power وهذه مبنية على امتلاك معرفة خاصة في مجال أو موضوع معين.

3 . الحاجة إلى الانتماء Need for Affiliation

وهي الرغبة في بناء علاقات الصداقة والتفاعل مع الآخرين. يشبع الأفراد هذه الحاجة من خلال الصداقة والحب وإقامة علاقات اجتماعية مع الغير والتواصل مع الآخرين. وهؤلاء الأفراد يشعرون بالسرور عند تفاعلهم مع

---

(1) J. French and B. Raven. "The Bases of Social Power", in Cartwright and A. Zander (ed.). Group Dynamic Theory Research. New York : Harper and Row, 1968, p. 63.

الآخرين، والبحث عن الدعم النفسي ويجدون الاشباع من خلال تنمية وتعميق التفاهم المشترك وإقامة أواصر الصداقة مع الآخرين.

والأفراد الذين لديهم حاجة شديدة إلى الاندماج يرون في المنظمة فرصة لاشباع علاقات صداقة جديدة، كما أنهم يندفعون وراء المهام التي تتطلب التفاعل المتكرر مع زملاء العمل.

رابعاً : نظرية التوقع The Expectancy Theory

طور هذه النظرية فكتور فروم (Victor Vroom) عام 1964 وتفسر سبب قيام الفرد باختيار سلوك معين دون غيره. وترى أن دافعية الفرد للقيام بسلوك معين تتحدد باعتقاد الفرد بأن لديه القدرة على القيام بذلك السلوك، وإن القيام بذلك السلوك سيؤدي إلى نتيجة معينه، وأن هذه النتيجة ذات أهمية للفرد، وهذا يعني أن حفز الفرد يعتمد على توقعات الفرد كما يلي:[1]

التوقع الأول : إن الجهد المبذول سيؤدي إلى الإنجاز المطلوب.

التوقع الثاني : إن الإنجاز المطلوب سيحقق المكافأة المرغوبه من قبل الفرد والتي بدورها تشبع حاجته وبالتالي تحقق الرضى له كما يظهر في الشكل رقم (3) .

هذا يعني أن الفرد لن يسلك سلوكاً يتوقع أن نتيجته ستكون منخفضة، وكذلك لن يختار سلوكاً يحقق مكافأة لا تشبع حاجاته. لهذا فإن حفز الفرد للقيام بعمل ما يعتمد على قوة الرغبة والتوقع كما يظهر في المعادلة التالية :

الدافعية = قوة رغبة الفرد × التوقع

(1) Victor H. Vroom. Work and Motivation . New York: John Wiley & Sons Inc., 1964

شكل رقم (3)

نموذج التوقع

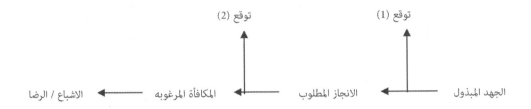

وبناءً على هذه النظرية فإن الأفراد يتعلمون مـن تجـاربهم الـتي مـن خلالـها يتكـون لـديهم احتمالات بأن نوعاً معيناً من السلوك سيؤدي إلى تحقيق نتائج معينة. حيث يقـوم الأفـراد بـإجراء مقارنـة بين ما يرغبون فيه من نتائج وبين احتمال تحققها، وفي مثل هـذه الظـروف فـإن الفـرد يلجـأ إلى تحليـل مفهوم التكلفة والعائد. فعندما يستحق العائد، المتوقع التكاليف المصروفه عليه فإن هذا سيقود الفـرد إلى بذل قصارى جهده من أجل تحقيقه.

تعتبر نظرية التوقع ضمناً وسيلة لتحقيق غايـة، فقـد نجـد أن النتيجـة الـتي حصـل عليهـا الفـرد ليست هدفاً بحد ذاته وإنما تكون وسيلة أو وسيطاً لتحقيق نتيجـة أخـرى مرغـوب فيهـا. مثـال ذلـك قـد يرغب الفرد في الترقية في وظيفته، ليس بهـدف الترقيـه، وإنمـا بسـبب إدراكـه واعتقـاده بـأن الترقيـه هـي السبيل لتحقيق حاجة التقدير والاحترام والتميز والحصول على المردود المادي من أجور ورواتب ... الخ .

خامساً : نموذج بورتر ولولر Porter and Lowler Model of Motivation

طور بورتر ولولر (Porter & Lawler) عام 1968 نموذج فروم وقد ربطا الرضا بكل من الانجاز والعائد. فهم يضعون حلقة وسيطة بين الانجاز والرضى وهي العوائد كما يظهر في شكل رقم (4).

وبموجب هذا النموذج يتحدد رضى الفرد بمدى تقارب العوائد الفعلية مع العوائد التي يعتقد الفرد بأنها عادلة ومنسجمه مع الانجاز أو الجهد المبذول. فإذا ما كانت العوائد الفعلية لقاء الانجاز تعادل أو تزيد على العوائد التي يعتقد الفرد بأنها عادلة فإن الرضى المتحقق سيدفع الفرد إلى تكرار الجهد. أما إذا قلت هذه العوائد عمّا يعتقد الفرد أنه يستحقه، فستحدث حالة عدم رضى، ويوقف الدافعية للاستمرار في الجهد[1]. لذلك فإن من أبرز ما أضافه نموذج بورتر ولولر إلى نظرية فروم هو المفهوم الذي يشتمل عليه نموذجهما بأن استمرارية الأداء تعتمد على قناعة العامل ورضاه، وأن القناعه والرضى تتحدد بمدى التقارب بين العوائد الفعلية التي تم الحصول عليها وما يعتقده الفرد.

وقد بيّن بورتر ولولر أن هناك نوعين من العوائد :

- عوائد ذاتيه (Intrinsic Rewards) : وهي التي يشعر بها الفرد عندما يحقق الإنجاز المرتفع، وهذه تشبع الحاجات العليا عند الفرد.
- عوائد خارجيه (Extrinsic Rewards) : وهي التي يحصل عليها الفرد من المنظمة لإشباع حاجاته الدنيا كالترقية والأجور والأمن الوظيفي.

---

(1) L. W Porter and E. Lawler. Management Attitudes and Performance. New Yourk: Irwin, 1968

شكل رقم (4)

نموذج بورتر ولولر

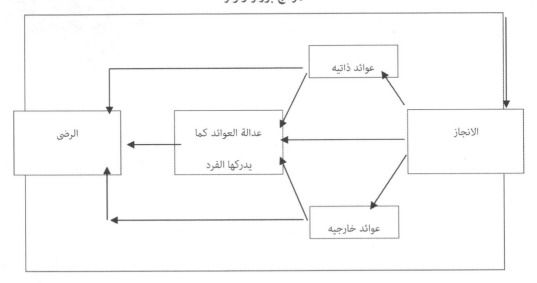

يوضح نموذج بورتر ولولر التداخل بين عملية الحفز والانجاز والاشباع / الرضا . وهـذا يعنـي أنـه يتعين على الإداريين ضرورة إدراك أن تكون أهـداف المرؤوسين متوسطة الصعوبة ومتفقـه مـع قدراتهم ومهاراتهم، وربط نظام الحفز مع الحاجات الفعلية للمرؤوسين والعمل على اشباعها.

سادساً : نظرية الدرفر Alderfer' Theory

قام الدرفر (Alderfer) بتقليص الحاجات الى ثلاث مجموعـات تتماثـل في المحصلة النهائيـة مـع تلك التي جاء بها ماسلو كما يظهر في الشكل رقم (5) . وهذه الحاجات هي:

1 . حاجة الوجود Existence

وهي الحاجات التي يتم اشباعها بوساطة الماء، الغذاء، الأجور، ظروف العمـل. وتماثل الحاجـات الفسيولوجية والأمن عند ماسلو.

2 . حاجة الارتباط Related Needs

ويتم اشباعها بوساطة العلاقات الاجتماعية التبادلية مع الآخرين، وتشبه الحاجات الاجتماعيـة عند ماسلو.

3 . حاجة النمو Growth

تركز على تطوير قدرات وإمكانيات الفرد والرغبة في النمو الشخصيـ ويـتم اشباعها مـن خـلال قيام الفرد بعمل منتج أو إبداعي، وهذه تماثل حاجات التقدير والاحترام وتحقيق الذات عند ماسلو.

شكل رقم (5)

سلم الحاجات عند الدرفر

لقد اتفق الدرفر وماسـلو عـلى وجـود سـلم للحاجـات، وأن الفـرد يتحـرك عـلى هذا السلم تدريجياً من أسفل إلى أعلى. كما اتفقا عـلى أن الحاجـات غـير المشبعه هـي

التي تحفز الفرد، وأن الحاجات المشبعه تصبح أقل أهمية،[1] ولكن تختلف نظرية الدرفر عن ماسلو في كيفية تحرك الفرد وانتقاله من فئة إلى أخرى، إذ يرى الدرفر أن الفرد يتحرك إلى أعلى وإلى أسفل على سلم الحاجات، أي أنه في حالة اخفاق الفرد في محاولته لاشباع حاجات النمو تبرز حاجات الارتباط قوه دافعيه رئيسه تجعل الفرد يعيد توجيه جهوده لاشباع حاجات المرتبه الدنيا. وقد نوه الدرفر بأن هناك متغيرات عدة يمكن أن تؤثر على الأهمية النسبية لهذه الحاجات وأولوية اشباعها من بيئة إلى أخرى. مثال ذلك : الفرد الذي يفشل في الوصول إلى مركز وظيفي مرموق قد يقوم بتقوية علاقاته الاجتماعية مع الآخرين، كذلك إذا لم تسمح سياسات المنظمة وأنظمتها للفرد بإشباع حاجات النمو والتطور، قد يوجه الفرد جهوده نحو إشباع حاجات الوجود والارتباط.[2]

سابعاً : نظرية التعزيز Reinforcement Theory

من أهم رواد هذه النظرية في مجال السلوك التنظيمي سكنر (Skinner) . ومحور هذه النظرية العلاقة بين المثير والاستجابه. وترى أن سلوك الإنسان على نحو معين هو استجابه لمثير خارجي. والفرد يستجيب للعوائد. والسلوك الذي يعزز بالمكافأة يستمر ويتكرر ، بينما السلوك الذي لا يعزز سيتوقف ولا يتكرر . وإذا ما كانت نتيجة السلوك تشكل خبرة سارة وإيجابيه للفرد زادت احتمالات تكرار هذا السلوك مستقبلاً . والعكس صحيح إذا ما نتج عن السلوك تجربه سيئة وسلبيه فإنه من المحتمل أن يضمحل السلوك ويتجنبه الفرد مستقبلاً. وتتفاوت فاعلية المثير في إحداث السلوك المرغوب فيه عند الأفراد حسب عدد مرات التعزيز

---

(1) محسن مخامره وآخرون ، المفاهيم الإدارية الحديثة . الطبعة السادسة، عمان : مركز الكتب الأردني ، 2000، ص 218 .

(2) حسين حريم، السلوك التنظيمي : سلوك الأفراد في المنظمات ، عمان : دار زهران للنشر والتوزيع، 1997، ص 131-132 .

Reinforcement التي تصاحب ذلك السلوك، وعلى قوة التأثير Effect الذي يتركه وعلى اقتران التعزيز بالاستجابة.[1]

ومن وجهة نظر سكنر فإن المكافآت Rewards هي المعززات Reinforcements التي تهدف إلى استمرار اثارة السلوك الايجابي عند الأفراد. ولكن ما يعتبر معززاً عند فرد قد يكون غير ذلك عند فرد آخر .

اعتمد سكنر على أسلوب تعديل السلوك التنظيمي في نظرية التعزيز والذي يرتكز على المبادئ التالية[2] :

1. ان الأفراد يسلكون الطرق التي يرون أنها تؤدي بهم إلى تحقيق مكاسب شخصيه.
2. ان السلوك الانساني يمكن تشكيله وتحديده من خلال التحكم بالمكاسب والعوائد .

ومن أهم الانتقادات الموجهة إلى هذه النظرية هو اعتبار أن السلوك الإنساني يحدد من قبل مثيرات خارجية وتجاهل دور الحاجات الداخلية وقيم الفرد واتجاهاته في عملية الحفز.

ثامناً : نظرية العداله Equity Theory

تدور هذه النظرية حول العلاقة بين الرضى الوظيفي للفرد والعداله. وتفترض أن درجة شعور العامل بعدالة ما يحصل عليه من مكافأة وحوافز من عمله تحدد بدرجة كبيرة شعوره بالرضا مما يؤثر في مستوى أدائه وانتاجيته.

وتستند هذه النظرية التي وضعها ستاسي آدمز (Stacey Adams) عام 1963 إلى أن الفرد يقيس درجة العداله من خلال مقارنته النسبية للجهود التي

(1) حسين حريم، مرجع سابق، ص 143 .
(2) محسن مخامره ، مرجع سابق ، ص 222 .

يبذلها (المدخلات) في عمله إلى العوائد (المخرجات) التي يحصل عليها مع تلك النسبه لأمثاله العاملين في الوظائف الشبيهه وبنفس الظروف. فإذا كانت نتيجة المقارنة عادلة وتساوت النسبتان تكون النتيجة هي شعور الفرد بالرضا، أما إذا كان العكس فإن النتيجة هي شعور الفرد بعدم الرضا عن عمله.(1)

وتشتمل نظرية العداله على ثلاث خطوات أساسية هي : التقييم، والمقارنه، والسلوك. ويتضمن التقييم قياس المدخلات (جدارة الشخص، مستوى التعليم، المهاره، مقدار الجهد المبذول في العمل .. الخ) والمخرجات (العوائد الماديه، الترقيه، الاهتمام الذاتي، التميز، التقدير والاحترام ... الخ).

أما السلوك فهو عملية إدراك العلاقة بين التقييم والمقارنة، فعندما يدرك الشخص بأن الوضع يتسم بالعداله فإنه يستجيب بشكل ايجابي. وعلى العكس من ذلك إذا شعر بأن الوضع غير عادل، فانه يعمل على إعادة المساواة بين النسبتين. وهذا السعي لإعادة المساواة يستخدم لتفسير دافعية العمل، وتتناسب قوة الدافعية طرداً مع حجم المساواة المدرك. وتقترح النظرية الطرق التالية لإعادة الشعور بالمساواة :

1- تقليل الجهد المبذول في العمل.

2- المطالبه بزيادة في الأجر.

3- تغيير في عوائد الشخص الآخر الذي تمت المقارنة به.

4- الانتقال إلى عمل آخر في المنظمة .

5- ترك العمل .

---

(1) James Gibson et al. Organization : Behavior, Structure, Processes. Boston (Mass.) : Irwin, 1994.

ومن التحفظات على هذه النظرية ميل النـاس إلى المبالغـة في تقـدير جهـودهم التـي يبـذلونها، والمبالغه في تقدير العوائد التي يحصل عليها الآخرون، فينشأ عن ذلـك ميـل لـدى الأفـراد بالشـعور بعـدم المساواه. وبالمقابل تمتاز هذه النظرية بأنها تهتم بالجماعه وتأثيراتها، وفهم الفرد وإدراكه للآخـرين، كـذلك تدعو إلى إيجاد الطرق والوسائل المختلفة التي تجعل الفرد يشعر بعدالة معاملة الإدارة له. كما تركـز عـلى الحوافز النقدية نظراً لسهولة قياسها والإحساس بها وإدراك أهميتها وربطها بالعدالة.

حفز المديرين : Motivating Managers

لقد تم التركيز على حفز المرؤوسين واهمال حفز المديرين. وقد حدد Arch Pulton عدة أساليب لحفز المديرين تشمل ما يلي [1] :

1 . اسناد عمل مثير للمدير Challenging Work

يوجـد لـدى الإداريـين رغبـة شـديدة في اسـتخدام وتطـوير قـدراتهم، وأن تنسـجم مهـامهم ومسؤولياتهم وسلطاتهم مع تلك القدرات، بالإضافة إلى حاجة تطـوير أعمالهـم ووظـائفهم. كـذلك يرغـب الإداريون في الحصول على المعلومات من خلال قنوات التغذية الراجعه لمعرفة نتـائج مـا يقومـون بـه مـن مهام.

2 . منح المكانه Status

وذلك بمنح المكانة والمركز الوظيفي المرموق وما يرافقه من حقوق وامتيـازات وظيفيـه كاللقـب الوظيفي ، حجم المكتب، تصميم المكتب، التجهيزات المكتبية من أدوات وأثاث، سكرتيره خاصه ... الخ .

---

(1) R. Agarwal, op. cit. P. 200

3 . الحث على تبؤ مركز قيادي The urge to achieve leadership

وتمثل الحاجة بأن يكون الفرد قائداً بين الزملاء في العمل.

4 . تشجيع المنافسه Competition

تشجيع المنافسه الايجابيه في الحصول على العوائد والمكافآت التنظيمية كالترقيه والتقدير والاحترام.

5 . منح الحوافز النقديه Money

تمارس الحوافز النقدية تأثيراً قوياً لا بسبب قدرتها على إشباع الحاجات الفسيولوجية فحسب، وإنما أيضاً بسبب قدرتها على إشباع الحاجات العليا كالشهرة والقوة والتقدير والاحترام. وغالباً ما ينظر إلى منح الحوافز النقدية كمؤشر لنجاح وتميز الرؤساء في الإنجاز وتحقيق الأهداف .

وأخيراً على ضوء دراسة موضوع الدافعية والحفز الإنساني يتضح ما يلي:

أولاً: ان موضوع الدافعية والحفز الإنساني يتأثر بقيم واتجاهات وثقافة الفرد والمجتمع. كما يتاثر بالبيئة الداخلية والخارجية للعمل، وبحضارة المجتمع ونظمه. وبما أن تلك الأمور تختلف من فرد لآخر، كما تختلف من مجتمع لآخر، ومن بيئة عمل إلى أخرى، لهذا لا يمكن اعتبار النظريات السابقه والمطبقه في مجتمع ما صالحة للتطبيق في مجتمع آخر، ولا يمكن ترجيح نظرية على أخرى باعتبارها أفضل من غيرها.

ثانياً: يعتبر الحفز من المشاكل التنظيمية بسبب تنوع حاجات الأفراد وتغيرها من وقت لآخر. واستحالة قيام أي منظمة بإشباع جميع حاجات العاملين فيها. ومن جهة أخرى، نجد أن للمنظمة حاجاتها الخاصة المتمثلة في تحقيق الهدف الرسمي من خلال الأفراد العاملين، وهذا يتطلب تكامل حاجات كل من الفرد والمنظمة. وعملية التكامل ظاهرة ديناميكية، لأن هذه الحاجات في حالة تغير مستمر وفي

استجابة إلى بيئة متغيره حيث يعمل كل من الفرد والمنظمة، لـذلك يتعـين عـلى الإداريـين تبنـي أسـلوب موقفي في الحفز. ولأن حاجات الفرد والمنظمة مرهونة بالظروف والعوامل الموقفية، فإن الأسـلوب الإداري لدمج حاجات الفرد والمنظمة وتحقيق التكامل بينهما يسـتلزم أن يكـون موقفيـاً وبالتـالي تطبيـق النظـرة الموقفية في الحفز Contingency Approach of Motivation .

الفصل الخامس عشر

المناخ التنظيمي والثقافة التنظيمية

Organizational Climate & Culture

- تعريف المناخ التنظيمي
- أبعاد المناخ التنظيمي
- عناصر المناخ التنظيمي
- تعريف الثقافة
- خصائص الثقافة
- مفهوم الثقافة التنظيمية
- عناصر الثقافة التنظيمية
- أهمية الثقافة التنظيمية
- خصائص ثقافة المنظمة
- انواع الثقافة التنظيمية
- تغيير ثقافة المنظمة
- المحافظة على ثقافة المنظمة

تعريف المناخ التنظيمي :

إن كلمة مناخ " هي تعبير مجازي يتعلق عادة بالبيئة والطبيعة لموقع جغرافي يصف فصول السنة والتحولات الجوية التي تميز ذلك الموقع عن غيره من المواقع. وقد طبق هذا الاصطلاح على مكان العمل باعتبار أن التنظيم كيان مؤسسي عضوي يتفاعل مع عوامل البيئة المحيطة به فيؤثر عليها ويتأثر بها من ناحية، كما أنه كيان حركي تتفاعل عناصره البشرية وغير البشرية مع بعضها فتتأثر وتؤثر على بعضها البعض .

ويمكن القول بأن المناخ التنظيمي هو " البيئة الداخلية - مادية وغير مادية- التي يعمل الفرد في اطارها " . كما يعرف المناخ التنظيمي بأنه "عبارة عن البيئة الاجتماعية او النظام الاجتماعي الكلي لمجموعة العاملين في التنظيم الواحد. وهذا يعني الثقافة والقيم والعادات والتقاليد والأعراف والأنماط السلوكية والمعتقدات الاجتماعية وطرق العمل المختلفة التي تؤثر على الفعاليات والأنشطة الانسانية والاقتصادية داخل المنظمة ". ويأمل العاملون بأن يكون هذا المناخ داعماً يسهل لهم اشباع حاجاتهم النفسية والاجتماعية والاقتصادية، فالمناخ التنظيمي يؤثر على العاملين في المنظمة ويؤدي الى التحفيز أو الاحباط لأنه يعمل كوسيط بين متطلبات الوظيفة وحاجات الفرد.

أبعاد المناخ التنظيمي :

إن أبعاد المناخ التنظيمي تتحدد بعوامل البيئة الداخلية للمنظمة كما يلي[1]:

1-مرونة التنظيم

ويقصد بذلك قدرة التنظيم على الاستجابة والتكيف والتـأقلم مـع متغيرات الظـروف الداخليـة والخارجية .

2-طبيعة العمل

أن الأعمال الروتينية والمتكررة تفضي إلى السأم والملل وعدم الابداع، بينما الأعمال الحيويـة تثـير التحدي لدى الفرد وتدفعه الى التفكير والخلق والابتكار.

3-أهمية الانجاز

تؤكد المنظمات على الانجاز والانتاجية كأسس للمكافأة المادية والمعنوية.

4-أهمية التنمية الإدارية والتدريب

ان التنميـة الادارية للرؤساء والمشرفين وتـدريب المرؤوسـين تعكـس اهـتمام المنظمـة بتطـوير وتأهيل وتنمية العنصر البشري فيها كما يكون لها أكبر الاثر في تحقيق الأهداف التنظيمية .

5-أنماط السلطة

السلطة أنواع منها المركزية واللامركزية. وتعني المركزية تركيز السلطة بيد الرؤساء، وهـي تتسـم بعدم المرونـة والحد مـن الإبـداع لـدى المرؤوسين، بينما تعني اللامركزية تشـتيت السـلطة ودفعهـا الى المستويات الأدنى في السلم الإداري مما يتيح للمرؤوسين فرص الاجتهاد واقتراح الحلول والمشاركة في اتخـاذ القرارات.

---

(1) كامل المغربي، السلوك التنظيمي: مفاهيم وأسس سلوك الفرد والجماعة في التنظيم، الطبعة الثانية، عمان: دار الفكر للطباعة والنشر والتوزيع، 1994 ، ص 301-304.

6-أسلوب التعامل بين الإدارة والعاملين

إن الإدارة التي تعمد الى الصدق والاخلاص في تعاملها مع العاملين تحصل على تعاون وثقة هؤلاء العاملين وضمان الولاء التنظيمي لهم والحرص على مصلحة المنظمة والعكس صحيح .

7- أنماط الثواب والعقاب

ان الهدف من المكافأة والعقاب هو تكرار سلوك معين أو تعديله. فالمكافأة تمنح للفرد المنتج والمبدع والملتزم بأداء مهام وظيفته وأوامر رؤسائه، بينما يقع العقاب على الفرد غير المنتج والكسول وغير الملتزم بما هو مطلوب منه .

8-الأمن الوظيفي

ويعني منح الفرد وظيفة دائمة ومستقرة تمنحه الاستقرار الفكري وتجنبه القلق على مصيره الوظيفي مما يؤدي الى تحسين الأداء وضمان الولاء .

عناصر المناخ التنظيمي :

يمكن إيجاز عناصر المناخ التنظيمي بما يلي[1] :

1-الهيكل التنظيمي

يتمثل الهيكل التنظيمي بنمط احداث الأنظمة الفرعية من أدوات وأقسام، ويحدد نمط السلطة وأسلوب اتخاذ القرارات. والهياكل التنظيمية على أشكال منها النموذج الآلي والذي يتصف بعدم المرونة ولا يتيح فرص التكيف والتأقلم مع المتغيرات المستجدة. والنموذج العضوي الذي يتميز بالمرونة واتاحة الفرصة للإبداع والمشاركة .

---

(1) كامل المغربي، مرجع سابق، ص 305-306.

2-نمط القيادة

القيادة: هي التأثير في التابعين، وهي على أنواع منها الديكتاتورية أو الأوتوقراطية التي تتميز بالمركزية والتسلطية والعقاب والاتصال الهابط والاتجاه الواحد مما يحد من تبادل الآراء والأفكار والمشاركة والابداع. وتوجد القيادة الديمقراطية أو المشاركة القائمة على اللامركزية وتفويض السلطة والاتصال ذي الاتجاهين والثواب مما يشجع التفاعل وتقديم الأفكار الخلاقة والابداع .

3-نمط الاتصال

الاتصال الفعال هو الاتصال ذو الاتجاهين (الهابط والصاعد) الذي يتيح للعاملين فرص إبداء الرأي وتبادل الأفكار والآراء والمعلومات. وعلى العكس من ذلك الاتصال ذو الاتجاه الواحد (الهابط) الذي يحمل الأوامر والتعليمات من أعلى إلى أسفل ويؤدي بالفرد إلى عدم الاكتراث والخمول في التفكير باعتبار أن أفكاره وآراءه لا قيمة لها لدى الرؤساء .

4- المشاركة في اتخاذ القرارات

ان المشاركة في اتخاذ القرارات تتيح فرصة ابداء الرأي وترشيد القرارات ويؤدي الى رفع معنويات المرؤوسين وتحقيق الانسجام في بيئة العمل .

5- طبيعة العمل

ان العمل الروتيني يقود الى احداث الملل والاهمال وعدم الاكتراث واللامبالاة نحو التحديث والتطوير بسبب عدم تشجيع الابداع وشعور الفرد بأن عمله ليس بذي أهمية.

6-التكنولوجيا

تحقق التكنولوجيا الكثير من المزايا في المنظمات إلا أنها تفضي إلى مآخذ منها البطالة والانعزالية، لأن الفرد يتعامل مع آلة وليس مع عناصر بشرية كفريق عمل . بالاضافة الى انخاض الروح المعنوية لأن الفرد يشعر بأنه مجرد آلة بيولوجية يتعامل مع آلة ميكانيكية .

تعريف الثقافة [1]:

قدم العديد من الكتاب تعاريف متنوعة ومختلفة حول مفهوم الثقافة، حيث عرفت الثقافة من قبل Taylor على أساس كلاسيكي بأنها " ذلك الكل المعقد الذي يشمل المعرفة والعقيدة والفن والأخلاق والقانون والعادة وأية قدرات يكتسبها الإنسان كعضو في المجتمع". في حين يعرفها Linton بأنها " مجموعة السلوك التي تتعلمها الكائنات الإنسانية في أي مجتمع من الكبار الذين تنتقل منهم إلى الصغار "، كما يعرف قاموس Random الثقافة على أنها طرق أو أنماط الحياة يتم بناؤها وتطويرها من قبل جماعة من الناس، ويتم توارثها من جيل إلى جيل .

نلاحظ من خلال التعاريف السابقة لمفهوم الثقافة انها تتكون من ثلاثة عناصر أساسية وهي:

1- القيم والأفكار والمبادئ التي تتبلور لدى الافراد .

2- الخبرة التي يكتسبها الأفراد نتيجة تفاعلهم المستمر مع البيئة التي تحيط بهم سواء كانت بيئة داخلية أو خارجية .

3- القدرات والمهارات الفنية التي اكتسبها الفرد في حياته .

نستنتج مما سبق أن الثقافة هي مزيج من مجموعة مكتسبة سواء بطريقة مباشرة أو بطريقة غير مباشرة، نتيجة التفاعل والاحتكاك بين الأفراد، أي أن الثقافة هي أي شيء يتعلمه الإنسان ويشاركه فيه أعضاء المجتمع بشكل عام .

---

(1) عبد المعطي محمد عساف، السلوك الإداري (التنظيمي) في المنظمات المعاصرة، 1994، ص 126.

خصائص الثقافة :

هناك مجموعة من السمات الرئيسية التي تتصف بها الثقافة، كما يلي[1] :

1- تعتبر الثقافة عملية مكتسبة

أي تكتسب من خلال التفاعل والاحتكاك بين الأفراد في بيئة معينة. وقد تكتسب الثقافة في المدرسة والعمل، وعندما يكتسبها الفرد في المنظمة تصبح جزءاً من سلوكه ومن خلال الثقافة نستطيع أن نتنبأ بسلوك الأفراد معتمدين على ثقافتهم .

2- الثقافة عملية إنسانية

يعتبر العنصر الإنساني المصدر الرئيسي للثقافة وبدونه لا تكون هناك ثقافة.

3- الثقافة متغيرة

الثقافة متغيرة بتأثير التغيرات البيئية والتكنولوجية ولكن عملية تغييرها يواجه صعوبة في كثير من الأحيان لأن الفرد تعود على سلوك معين وعلى قوانين وأنظمة معينة.

4- للثقافة دور كبير في تحديد نمط الحياة للفرد

تختلف الثقافة من شخص لآخر ومن مكان لآخر فنجد الثقافة الموجودة في المدينة مختلفة عن الثقافة الموجودة في الريف والبادية وحتى سلوك كل فرد في المناطق المختلفة يختلف عن الآخر حتى هناك اختلاف نسبي في سلوك الأفراد الذين يعملون في بيئة عمل واحدة .

5- الثقافة عملية قابلة للانتقال من جيل لآخر، فالثقافة متوارثة يتناقلها الأبناء عن الآباء والأجداد .

---

(1) حسين حريم، السلوك التنظيمي سلوك الأفراد في المنظمات، عمان - دار زهران للنشر والتوزيع ، 1997، ص 444.

6- **الثقافة عملية رضاء نفسي :** فهي تشبع حاجات الانسان وتريح النفس وترضي الضمير، والفرد يشعر بأنه مقبول في الجماعة .

مفهوم الثقافة التنظيمية :

يعتبر مفهوم ثقافة المنظمة من المواضيع الحديثة التي دخلت إلى كتب الإدارة ويعكس هذا المفهوم المعرفة والأفكار والقيم لدى مجتمع ما ويوجد عدة تعاريف لمفهوم ثقافة المنظمة (الثقافة التنظيمية) وفيما يلي عرض لبعضها.

يعرف Wheelen الثقافة التنظيمية بأنها " عبارة عن مجموعة من الاعتقادات والتوقعات والقيم التي يشترك بها أعضاء المنظمة "[(1)] . ويعرفها Shermerborn بأنها "نظام من القيم والمعتقدات يشترك بها العاملون في المنظمة بحيث ينمو هذا النظام ضمن المنظمة الواحدة . كما يعرفها Kossen بأنها " مجموعة القيمة التي يجلبها أعضاء المنظمة (رؤوساء ومرؤوسين) من البيئة الخارجية الى البيئة الداخلية لتلك المنظمة " .

وينطوي تحت مفهوم ثقافة المنظمة العديد من المصطلحات مثل الأخلاقيات والنواحي المادية والقيم والنماذج الاجتماعية والتكنولوجيا . وبالتالي تمثل ثقافة المنظمة (الثقافة التنظيمية) مجموعة من المزايا تميز المنظمة عن باقي المنظمات الأخرى، ولهذه المزايا صفة الاستمرارية النسبية، وتمارس تأثيراً كبيراً على سلوك الأفراد في منظمة ما .

ومهما تنوعت تعريفات الثقافة التنظيمية فإن جميع التعريفات تشترك بعنصر مميز هو القيم وهي التي تمثل القاسم المشترك بين تلك التعاريف المختلفة للثقافة. وتشير هذه القيم إلى الاتجاهات والمعتقدات والأفكار في منظمة معينة.

---

(1) موسى المدهون وإبراهيم الجزراوي، تحليل السلوك التنظيمي ، الطبعة الأولى، عمان : المركز العربي للخدمات الطلابية، 1995، ص 397-403 .

ولذلك تعتبر القيم المفهوم الأساسي لتقييم موقف وتصرفات الأفراد وسلوكهم في المنظمات. وتصل هـذه القيم إلى الأفراد من خلال العلاقات الاجتماعية والتفاعل المستمر بينهم، فعندما تتبنى المنظمة قيماً معينة مثل الانصياع للأنظمة والقوانين والاهتمام بالعملاء وتحسين الفاعلية والكفاءة فالمنظمة تتوقع من أعضائها تبني هذه القيم وتنعكس على مسلكياتهم.

عناصر الثقافة التنظيمية [1] :

أولاً: القيم التنظيمية   Organizational Values

القيم عبارة عن اتفاقات مشتركة بين أعضاء التنظيم الاجتماعي الواحد حـول مـاهو مرغـوب أو غير مرغوب، جيد أو غير جيد، مهم أو غير مهم...الخ.

أما القيم التنظيمية فهي تمثل القيم في مكان أو بيئة العمل، بحيث تعمل هذه القيم عـلى توجيـه سـلوك العاملين ضمن الظروف التنظيمية المختلفة. ومن هـذه القيم المساواة بـين العـاملين، والاهـتمام بـإدارة الوقت، والاهتمام بالأداء واحترام الآخرين..الخ.

ثانياً : المعتقدات التنظيمية   Organizational Beliefs

وهي عبارة عن أفكار مشتركة حول طبيعة العمل والحياة الاجتماعية في بيئة العمل، وكيفية أنجاز العمل والمهام التنظيمية. ومن هذه المعتقدات اهمية المشاركة في عملية صنع القرارات، والمساهمة في العمل الجماعي وأثر ذلك في تحقيق الأهداف التنظيمية .

---

(1) موسى المدهون وأبراهيم الجزراوي، مرجع سابق ، ص 399-401.

ثالثاً : الأعراف التنظيمية Organizational Norms

وهي عبارة عن معايير يلتزم بها العاملون في المنظمة على اعتبار أنها معايير مفيدة للمنظمة. مثال ذلك التزام المنظمة بعدم تعيين الأب والأبن في نفس المنظمة. ويفترض أن تكون هذه الأعراف غير مكتوبة وواجبة الاتباع.

رابعاً: التوقعات التنظيمية Organizational Expectations

تتمثل التوقعات التنظيمية بالتعاقد السيكولوجي غير المكتوب والذي يعني مجموعة من التوقعات يحددها أو يتوقعها الفرد أو المنظمة كل منها من الأخر خلال فترة عمل الفرد في المنظمة. مثال ذلك توقعات الرؤساء من المرؤوسين، والمرؤوسين من الرؤساء ، والزملاء من الزملاء الآخرين والمتمثلة بالتقدير والاحترام المتبادل، وتوفير بيئة تنظيمية ومناخ تنظيمي يساعد ويدعم احتياجات الفرد العامل النفسية والاقتصادية.

أهمية الثقافة التنظيمية :

يمكن إيجاز أهمية الثقافة التنظيمية ودورها في الأفراد والمنظمات كما يلي[1] :

1- تعمل الثقافة على جعل سلوك الأفراد ضمن شروطها وخصائصها . كذلك فإن أي اعتداء على أحد بنود الثقافة أو العمل بعكسها سيواجه بالرفض . وبناء على ذلك فإن للثقافة دوراً كبيراً في مقاومة من يهدف الى تغيير أوضاع الأفراد في المنظمات من وضع إلى آخر .

2- تعمل الثقافة على توسيع افق ومدارك الأفراد العاملين حول الأحداث التي تحدث في المحيط الذي يعملون به، أي أن ثقافة المنظمة تشكل إطاراً مرجعياً يقوم الأفراد بتفسير الأحداث والأنشطة في ضوئه .

---

(1) عبد المعطي محمد عساف ، مرجع سابق ، ص 127-128 .

3- تساعد في التنبؤ بسلوك الأفراد والجماعات. فمن المعروف أن الفرد عندما يواجهه موقفاً معيناً أو مشكلة معينة فإنه يتصرف وفقاً لثقافته، أي بدون معرفة الثقافة التي ينتمي إليها الفرد يصعب التنبؤ بسلوكه.

وتكمن أهمية الثقافة التنظيمية في أنها توفر إطاراً لتنظيم وتوجيه السلوك التنظيمي، بمعنى أن الثقافة التنظيمية تؤثر على العاملين وعلى تكوين السلوك المطلوب منهم داخل المنظمة. ونستنتج من ذلك أن الثقافة التنظيمية تمتاز بعدة صفات منها أنها مشتركة بين العاملين ويستطيعون تعلمها ويمكن ان تورث لهم .

ومن جهة أخرى يشير الكاتبان Kreinter & Kinicki إلى أن ثقافة المنظمة تخدم أربع وظائف هي [1]:

أ- تعطي الأفراد العاملين هوية منظمية.

ب- تسهل الالتزام الجماعي .

ج- تعزز استقرار النظام الاجتماعي .

د- تشكل السلوك .

خصائص ثقافة المنظمة:

من الأهمية بمكان إدراك أنه لا توجد منظمة ثقافتها مشابهة لثقافة منظمة أخرى حتى لو كانت تعمل في نفس القطاع. فهناك جوانب عديدة تختلف فيها ثقافة المنظمات فكل منظمة تحاول تطوير ثقافتها الخاصة بها. ومن جوانب الاختلاف بين المنظمات : عمر المنظمة وأنماط اتصالاتها ونظم العمل والإجراءات، وعملية ممارسة السلطة، وأسلوب القيادة، والقيم والمعتقدات . وإذا ما أرادت منظمة ما

---

(1) Robert Kreinter and Angelo Kinicki, Organizational Behavior, Home wood : Irwin, 1992, p. 709.

حماية ثقافتها وترسيخها فإنها تسعى باستمرار الى جذب قوى بشرية ممـن تتوافق مـع قيم ومعتقدات المنظمة وفلسفتها .

كما هو معروف فإن أي مجتمع يحتوي على ثقافات فرعية ضـمن ثقافة رئيسية وهـذا المبـدأ ينطبق على المنظمة فهي لا تملك ثقافة واحدة وإنما تحتوي على ثقافات فرعيـة مختلفـة بـاختلاف الأفراد المنتمين إليها . مثال ذلك ثقافة المجموعات الوظيفية كالمهندسـين والأطبـاء (ثقافة فرعيـة) داخـل ثقافة المنظمة (ثقافة رئيسية أو متحكمة). بمعنى وجود ثقافة متحكمة وهي مجموعة قيم يشـترك فيهـا غالبيـة أعضاء المنظمة .

وفي الحقيقة لا يوجد هناك تعارض بين الثقافات الفرعيـة والثقافـة الرئيسـية في المنظمـة حيـث كثير من الثقافات الفرعية تتشكل لتساعد مجموعات معينة من الأفراد العاملين على التعامل مع مشكلات يومية محددة، تواجهها المجموعة .

وفيما يلي عرض موجز لأهم خصائص ثقافة المنظمة[1] :

1- الانتظام في السلوك والتقييد به

نتيجة التفاعل بين أفراد المنظمة فإنهم يستخدمون لغة ومصطلحات وعبارات وطقوساً مشـتركة ذات علاقة بالسلوك من حيث الاحترام والتصرف .

2- المعايير

هناك معايير سلوكية فيما يتعلق بحجم العمل الواجب إنجـازه (لا تعمـل كثيـراً جـداً، ولا قليـلاً جداً).

3- القيم المتحكمة

يوجد قيم أساسية تتبناها المنظمة ويتوقع من كل عضـو فيهـا الالتـزام بهـا. مثل جـودة عاليـة، نسبة متدنية من الغياب، والانصياع للأنظمة والتعليمات .

---

(1) حسين حريم، مرجع سابق، ص 448 .

4- الفلسفة

لكل منظمة سياساتها الخاصة في معاملة العاملين والعملاء .

5- القواعد

عبارة عن تعليمات تصدر عن المنظمة وتختلف في شدتها من منظمة إلى أخرى . والفرد يعمل

في المنظمة وفقاً للقواعد المرسومة له .

6- المناخ التنظيمي

عبارة عن مجموعة الخصائص التي تميز البيئة الداخلية للمنظمة التي يعمل الأفراد ضمنها

فتؤثر على قيمهم واتجاهاتهم وادراكاتهم وذلك لأنها تتمتع بدرجة عالية من الاستقرار والثبات النسبي.

وتتضمن مجموعة الخصائص هذه الهيكل التنظيمي، النمط القيادي، السياسات والاجراءات والقوانين

وأنماط الاتصال ..الخ.

وجميع الخصائص التي ذكرت أعلاه تعكس ثقافة المنظمة ومن خلالها تتميز الثقافات من

منظمة لأخرى .

أنواع الثقافة التنظيمية :

يوجد نوعان من الثقافة : ثقافة قوية ، وثقافة ضعيفة. وتعتمد الثقافة القوية على ما يلي [1]:

1- عنصر الشدة ويرمز هذا العنصر إلى قوة أو شدة تمسك أعضاء المنظمة بالقيم والمعتقدات.

2- عنصر الاجماع والمشاركة لنفس القيم والمعتقدات في المنظمة من قبل الأعضاء. ويعتمد الاجماع على

تعريف الأفراد بالقيم السائدة في المنظمة، وعلى الحوافز من عوائد ومكافآت تمنح للأفراد الملتزمين .

Stephen P Robbins, Organizational Behavior . Eighth Edition , New Jersey : Prentice – Hall 1998, PP 598-612. (1)

إن المنظمة ذات الأداء والفعالية العالية لديها ثقافة قوية بين أعضائها، إذ أدت الثقافة القوية إلى عدم الاعتماد على الأنظمة والتعليمات والقواعد، فالافراد يعرفون ما يجب القيام به. بينما في الثقافات الضعيفة، فإن الأفراد يسيرون في طرق مبهمة غير واضحة المعالم ويتلقون تعليمات متناقضة وبالتالي يفشلون في اتخاذ قرارات مناسبة وموائمة لقيم واتجاهات الأفراد العاملين .

ومن هنا تبرز أهمية ظهور ثقافة تنظيمية قوية تعمل على الوحدة التنظيمية. فالثقافة القوية لا تسمح بتعدد ثقافات فرعية متباينة لأنه إذا لم تشق الثقافات الفرعية المتعددة الموجودة في المنظمة ببعضها البعض، ولم تتعاون فإن ذلك سيقود إلى صراعات تنظيمية وبالتأكيد ستؤثر على الفاعلية والأداء للمنظمة. قد أكد مارتول ومارتن أن الثقافة التنظيمية لها تأثير إيجابي على المنظمة والسلوك التنظيمي والفعالية التنظيمية، عندما تكون مشتركة بين العاملين بحيث يؤمن بها إيماناً عميقاً.

تغيير ثقافة المنظمة :

ليس جميع المنظمات لديها قيم ثقافية واحدة وكما اسلفنا فإن ثقافة المنظمة سواء كانت قوية أو ضعيفة تؤثر على الأداء وفاعلية المنظمة، فالمنظمات التي لديها أداء منخفض يتعين على مديريها العمل على تغيير ثقافة منظماتهم .

والسؤال الذي يطرح كيف يمكن تغيير ثقافة المنظمة ؟

عندما يحاول المديرون تغيير ثقافة المنظمة يجب عليهم تغيير الافتراضات والأساسيات والمعتقدات لدى الأفراد حول موضوع ما. وكذلك تحديد السلوك غير المناسب لأي منظمة. وقد قدم Porter and Steers أربع وسائل تسهم في تغيير ثقافة المنظمة وهي كما يلي [1]:

---

(1) حسين حريم، مرجع سابق، ص 451-452 .

أولاً : الإدارة عمل ريادي

ان وضوح نظرة الإدارة وأعمالها بغية دعم القيم والمعتقدات الثقافية، كل ذلك يعتبر كأسلوب في تغيير الثقافة وتطويرها. فالأفراد يرغبون في معرفة ما هو ضروري في العمل، ومن أجل ذلك عليهم متابعة الإدارة العليا بعناية فائقة. فالأفراد يتطلعون الى أنماط ثابتة، وأفعال الإدارة التي تعزز أقوالها تجعل الأفراد يصدقونها ويؤمنون بما تقوله لهم.

ثانياً : مشاركة العاملين

عملية إشراك العاملين من المبادئ والأسس الهامة في تطوير وتغيير ثقافة المنظمة، فالمنظمات التي تهيئ مبدأ المشاركة تعمل على رفع الروح المعنوية للعاملين وتحفزهم على أداء أعمالهم، وبالتالي تتبلور لديهم المسؤولية تجاه العمل وزيادة انتمائهم له.

ثالثاً : المعلومات من الآخرين

ان المعلومات المتبادلة بين الأفراد العاملين في المنظمة، تعتبر عنصراً هاماً في تكوين الثقافة، فعندما يشعر الفرد بان الآخرين يهتمون به من خلال تزويده بالمعلومات فانه سيتولد لديه تكوين اجتماعي قوي للواقع من خلال تقليص التفسيرات المتباينة .

رابعاً : العوائد والمكافآت

ويقصد بالعائد ليس فقط المال وإنما يشمل الاحترام والقبول والتقدير للفرد حتى يشعر بالولاء والانتماء للمنظمة التي يعمل بها ورفع روحه المعنوية .

إن الثقافة التنظيمية تعتبر عملية أساسية لكل من المنظمة والعاملين وبالتالي سنواجه صعوبة في تغييرها، ومن الواجب ان تكون الثقافة قابلة للتطوير والتغيير تمشياً مع المتغيرات البيئية الداخلية والخارجية من أجل تحقيق أهداف المنظمة .

يتم إجراء التغيير والتطوير باستخدام الخطوات التالية :

أ- حصر وتحديد الثقافة والسلوك المتبع في المنظمة من قبل العاملين.

ب- تحديد المتطلبات الجديدة التي ترغب بها المنظمة .

ج- تعديل وتطوير السلوكيات الجديدة وفق المتطلبات المرغوبة للمنظمة .

د- تحديد الفجوة والاختلاف بين الثقافة الحالية والسلوكيات الجديدة ومدى تأثيرها على المنظمة بشكل عام .

هـ- اتخاذ خطوات من شأنها تكفل تبني السلوك التنظيمي الجديد .

المحافظة على ثقافة المنظمة :

هنالك ثلاثة عوامل رئيسة تلعب دوراً كبيراً في المحافظة والبقاء على ثقافة المنظمة وهي:

1- الإدارة العليا

ان ردود فعل الإدارة العليا تعتبر عاملاً مؤثراً على ثقافة المنظمة من خلال القرارات التي تتخذها. فإلى أي مدى تلتزم الإدارة العليا بالسلوك المنتظم من خلال استخدام لغة واحدة ومصطلحات وعبارات وطقوس مشتركة. وكذلك المعايير السلوكية والتي تتضمن التوجهات حول العمل وفلسفة الإدارة العليا في كيفية معاملة العاملين وسياسة الإدارة تجاه الجودة والغياب، وكذلك سياستها حول تنفيذ القواعد والأنظمة والتعليمات. فإذا ما حافظت الإدارة العليا على سياساتها وفلسفتها في جميع النواحي التي تخص المنظمة ككل فإن هذا سيؤثر على ثقافة المنظمة .

2- اختيار العاملين

تلعب عملية جذب العاملين وتعيينهم دوراً كبيراً في المحافظة على ثقافة المنظمة، والهدف من عملية الاختيار هو تحديد واستخدام الأفراد الذين لديهم

المعرفة والخبرات والقدرات لتأدية مهام العمل في المنظمة بنجـاح . وفي عمليـة الاختيـار يجـب ان يكون هناك مواءمة بين المهارات والقدرات والمعرفة المتوفرة لدى الفرد مع فلسفة المنظمة وأفرادها. بمعنى آخر أن لا يكون هناك تناقض بين الأفراد في المنظمة من أجل المحافظة على ثقافة المنظمة لأنـه قـد يتـأثر الأداء والفاعلية في المنظمة بسبب تأثير الأفراد الجدد والذين يحملون ثقافة لا تتناسب مع ثقافة أفـراد المنظمـة الحاليين .

3- المخالطة الاجتماعية

عند اختيار عناصر جديدة في المنظمة فان هذه العناصر لا تعـرف ثقافـة المنظمـة وبالتالي يقـع على عاتق الإدارة أن تعرف الموظفين الجدد على الأفراد العاملين وعـلى ثقافة المنظمة وهـذا أمـر ضروري حتى لا يتغير أداء المنظمة .

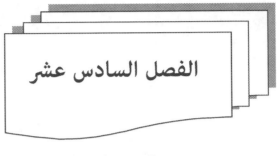

الفصل السادس عشر

البيئة التنظيمية

Organizational Environment

- مفهوم البيئة

- أهمية التعرف على البيئة من قبل المديرين

- تصنيفات البيئة

- العناصر البيئية

- عدم التأكد البيئي

- العلاقة بين البيئة والمنظمة

- استراتيجيات المنظمة في التعامل مع البيئة.

مفهوم البيئة:

عند الحديث عن البيئة التنظيمية فنحن نتكلم عن مفهوم واسع تجاوز مفهوم التنظيم نفسه. فالمنظمة تعيش ضمن نظام شامل وهي فيه نظام فرعي، وهذا النظام الواسع هو البيئة.

تعرف البيئة بأنها "المجال الذي تحدث فيه الإثارة والتفاعل لكل وحدة حية. أو هي كل ما يحيط بالإنسان (أو المنظمة) من طبيعة ومجتمعات بشرية ونظم اجتماعية وعلاقات شخصية"[1]. كما يمكن تعريفها بأنها "الإطار الذي تعمل أو توجد فيه المنظمة الاجتماعية". كذلك تعرف البيئة بأنها تلك الأحداث والمنظمات والقوى الأخرى ذات الطبيعة الاجتماعية، الاقتصادية، التكنولوجية، والسياسية الواقعة خارج نطاق السيطرة المباشرة للإدارة. وتعرف البيئة أيضاً بأنها الظروف والعوامل المحيطة بالمنظمة والتي لها علاقة مع العمليات التشغيلية للمنظمة. ويقصد بالعوامل المحيطة الظروف السياسية والاقتصادية والتكنولوجية والاجتماعية والثقافية والبشرية التي تعتبر ذات تأثير على أداء وفاعلية المنظمة[2].

أهمية التعرف على البيئة من قبل المديرين[3]:

تزداد أهمية البيئة الخارجية بالنسبة للمديرين نظراً لقلة المصادر أو الموارد المقابلة لاحتياجات وأهداف المنظمات الحديثة، فالمحيط الذي يعملون فيه هو محيط معقد مختلف التركيب لا يحكمه اتجاه واحد. ويستمد التعقد البيئي مكوناته أو

---

(1) أحمد زكي بدوي، معجم مصطلحات العلوم الاجتماعية، بيروت: مكتبة لبنان، 1977، ص 135.

(2) أميمة الدهان، نظريات منظمات الأعمال، عمان: مطبعة الصفدي، 1992، ص 39.

(3) مؤيد سعيد السالم، نظرية المنظمة: مداخل وعمليات، بغداد: مطبعة شفيق، 1988، ص 165-195.

مقوماته الأساسية من كون هذه البيئة بيئة اجتماعية أولاً ومتفاعلة مع متغيرات اقتصادية ومادية عديدة. ولكي يتمكن المديرون من ضمان فعالية أعمالهم الإدارية وتحقيق الأهداف التنظيمية المنوطة بهم يتوجب عليهم الإلمام بالبيئة التي تتعامل أو ترتبط مع الأعمال والأهداف التي يسعون لإنجازها. إن هذا النطاق البيئي الذي يؤثر في عمل المديرين ويؤثرون فيه هو الذي يعكس في نهاية الأمر صورة ومستوى عمل المنظمة بشكل عام، وإن وسيلة المديرين في إنجاز المهام المناطة بهم هي القرارات التي تعد في حد ذاتها محصلة تفاعل متغيرات عديدة، وقد يترتب على هذه القرارات تعامل مباشر مع البيئة أو أن يبنى عليها قرارات أخرى ذات تأثيرات متعددة في البيئة المحيطة. وأياً كانت الحالة، فإنه لا يمكن إهمال الدور البيئي في عملية اتخاذ القرارات المختلفة لا سيما وأن نجاح أي قرار يقترن بشكل مباشر بمدى صلاحيته للتطبيق في بيئة معينة.

وفي الوقت الذي يمتلك المديرون تأثيرات محدودة على بعض متغيرات أو عناصر البيئة الخارجية نجد أن لهذه البيئة تأثيرات متعددة على المنظمة وعمل المديرين فيها. وأخيراً، فإنه لا يمكن فهم المنظمة وأنشطها الإدارية إلا في إطار بيئي معين.

تصنيفات البيئة: Types of Environment

هناك أساليب أو طرق عديدة لتصنيف البيئة التي تتعامل معها المنظمة باعتبارها نظاماً مفتوحاً. ومن بين الطرق أو الأساليب الشائعة ما يلي:

أولاً: البيئة العامة والبيئة الخاصة General and Specific Environment

البيئة العامة هي الإطار الجغرافي الذي تعمل فيه جميع المنظمات بما فيها المنظمة المعنية. وبالتالي فإن تأثير هذه البيئة ينسحب على جميع هذه المنظمات. ومن بين مكونات هذه البيئة، القيم الثقافية والاجتماعية، والظروف السياسية

والقانونية، والموارد الاقتصادية والظروف التعليمية والتكنولوجية إلى جانب التضاريس والمناخ وما شابه ذلك.

أما البيئة الخاصة فهي التي تعيش داخل شبكة المنظمة المعنية وتوضح علاقاتها مع المنظمات والجهات الأخرى ذات التأثير المباشر على عمل المنظمة. ويقع ضمن هذه البيئة المجهزون والموزعون والوكالات أو المنظمات الحكومية ذات العلاقة، والمنافسون الذين يجب أن تتفاعل معهم المنظمة.

ثانياً: البيئة الخارجية والبيئة الداخلية

External and Internal Environment.

البيئة الخارجية هي التي تقع خارج المنظمة وتحيط بها وتؤثر فيها. مثال ذلك البيئة الاقتصادية والاجتماعية، والسياسية، والقانونية ... الخ.

أما البيئة الداخلية فهي التي توجد داخل إطار المنظمة وتؤثر فيها من الداخل. وتتمثل في النواحي الفنية والإجرائية لأداء الأعمال داخل المنظمة كطرق أداء العمل والتقنية المستخدمة والنظم والقوانين الخاصة بالمنظمة بما فيها الهيكل التنظيمي الرسمي وغير الرسمي، ومجموعات العمل الرسمية وغير الرسمية، وأنماط الاتصالات وأسلوب القيادة ونظام الأجور ونظام الحفز والمهارات المتوفرة، والفلسفة الإدارية.

هناك تشابه في العوامل الخارجية السائدة في البيئة المحيطة للمنظمات لأن هذه العوامل تواجه كل المنظمات وليس منظمة واحدة فقط. مثال ذلك عند حدوث ظاهرة اقتصادية في بيئة ما كظاهرة التضخم فإنها ستؤثر على كل المنظمات المحيطة، وقد يكون عكس ذلك فيما يتعلق بالبيئة الداخلية لأنه لا يوجد تشابه مطلق بين المنظمات في هذه الناحية، إذ نجد البيئة الداخلية مختلفة إلى حد ما من منظمة

لأخرى، وهذا الاختلاف يعود إلى اختلاف نمط القيادة والفلسفة الإدارية المطبقة والأنظمة والقواعد والإجراءات المعمول بها في المنظمة[1].

ثالثاً: البيئة المستقرة والبيئة المتحركة

Stable and Unstable Environment.

أساس التصنيف هنا هو الحركة أو درجة الاستقرار والثبات. فقد تكون البيئة مستقرة غير متحركة وتستمر على وتيرة واحدة مثل علاقة المنظمة بالتضاريس والمناخ، حيث يمكن افتراض ثباتها النسبي في مجال التخطيط والتنفيذ. كما قد تكون البيئة متغيرة أو غير مستقرة، وقد يكون هذا التغير سريعاً كما هو الحال بالنسبة للطقس والبيئة التكنولوجية ذات التجديد السريع والمستخدم في العمليات الإنتاجية، أو التغيرات السريعة في استراتيجيات المنظمات المنافسة والتدخلات الحكومية الكثيرة، لا سيما أن بعض هذه التدخلات غير متوقع. وبالإمكان إضافة نوع ثالث من البيئة في هذا التصنيف هو البيئة العادية Normal Environment وهي التي تقع وسطاً بين النوعين السابقين. وتمتاز بتغيراتها التي لا يفترض فيها الجمود وإنما القابلية للتغيير. ويدخل في هذا النوع قوانين الدولة والتطور الاجتماعي والتعليمي والثقافي وغير ذلك من المتغيرات التي لا يصل فيها مستوى التغيير إلى مستوى أي من النوعين السابقين.

رابعاً: البيئة الفعلية والبيئة المدركة

Actual and perceived Environment.

ينبغي التمييز بين البيئة الفعلية أو الواقعية وتلك المدركة من قبل الإداريين. إن بيئة المنظمة ليست واحدة بالنسبة لجميع العاملين. فالبعض يرى البيئة مضطربة ومعقدة، والبعض الآخر يراها ساكنة ومستقرة ومفهومة. وهذا يعتمد على المكانة

---

(1) موسى اللوزي، التنمية الإدارية: المفاهيم والأسس والتطبيقات، الطبعة الأولى، عمان: دار وائل للنشر والتوزيع، 2000، ص 255/253

الوظيفية للأفراد رؤساء كانوا أم مرؤوسين. إضافة إلى ذلك فإن الإدراك والتصور هو الذي يقف وراء القرارات الإدارية للأفراد وليست الحقيقة المطلقة، فالأفراد العاملون في المستويات الإدارية المختلفة ينظرون إلى الأمور بطرق مختلفة تبعاً للمركز الوظيفي والمستوى الثقافي وسنوات الخبرة والتخصص ... الخ. وهذا يعني أن المنظمة تصنع لنفسها بيئة خاصة، وان تكوين هذه البيئة يعتمد على الإدراك. وهذا يؤكد دور وجهات النظر في تحديد البيئة، إذ يستجيب المديرون لما يرون ويتأثرون به ويتصرفون تجاه البيئة بما يقلل حالة عدم التأكد ويساعدهم في التكييف معها.

خامساً: البيئة الكلية والبيئة الوسيطة

Total and Intermediate Environment.

تعني البيئة الكلية مجموعة العوامل السياسية والاقتصادية والثقافية والتكنولوجية والقانونية وغيرها من العوامل المؤثرة على المنظمات المختلفة، بينما البيئة الوسيطة تعني البيئة الخاصة لمنظمة ما وتتكون من عوامل ذات تأثير مباشر على أداء المنظمة مثل العملاء والموزعين ومراكز الخدمات المختلفة من تمويل واستثمار.

سادساً: البيئة الهادئة العشوائية والبيئة الهادئة التجميعية

Placid-Randomized and Placid-Clustered Environment.

البيئة الهادئة العشوائية هي بيئة غير متغيرة نسبياً، تهديداتها قليلة والتغير الحاصل فيها بطيء. لذلك فإن عدم التأكد فيها منخفض، كما أن المدير لا يأخذ البيئة بنظر الاعتبار عند اتخاذ قرار إداري معين. بينما تتميز البيئة الهادئة التجمعية بالتغير البطيء إلا أن التهديدات قائمة وتكون على شكل تحالفات أو جماعات أو اتحادات. ومن بين المنظمات التي تنطبق عليها هذه البيئة منظمات الطاقة الذرية والتأثيرات التي تمارس عليها من قبل منظمات حماية البيئة.

سابعاً: البيئة القلقة والبيئة الهائجة

Disturbed and Turbulent Environment.

تتميز البيئة القلقة بوجود عدة منافسين يتجهون إلى غاية واحدة، وقد تكون واحدة أو أكثر من المنظمات القوية تتمكن من السيطرة على البيئة كأن تفرض حداً معيناً من الأسعار أو تشكل تحالفات قوية بينها كاتحادات النقل والمزارعين ... الخ. أما البيئة الهائجة فهي أكثر البيئات حركة وتغيراً، وعنصر عدم التأكد عال فيها لأن التغيير مستمر والمتغيرات البيئية متداخلة ومتفاعلة مع بعضها البعض، لذا فإنها تتحرك معاً وتسبب تغيرات قوية تؤثر على البيئة مما يصعب التنبؤ بها. لذلك نجد صعوبة التخطيط في هذا النوع من البيئة.[1]

العناصر البيئية: Elements of the Environment

إن المحيط الخارجي أو المجال الذي تعمل فيه المنظمة يمتلك عدداً من العناصر البيئية تؤثر بشكل واضح في المنظمة وفي أساليب إنجازها للأعمال أو تحقيقها للأهداف. ومن الواضح أن المنظمات القادرة على التأقلم مع هذه الظروف والمستعدة لمواجهتها والاستفادة منها تكون أكثر قدرة على الاستمرار والنمو مقارنة مع منظمات أخرى أقل قدرة على التكيف مع هذه المتغيرات. إن العناصر المكونة للبيئة الموجودة فيها المنظمة تؤثر عليها بدرجات متفاوتة، فالبعض منها يعد ضرورياً أو أساسياً لبلوغ المنظمة لأهدافها. كما أن بعضها يعترض عمل المنظمة أثناء سيرها نحو تحقيق أهدافها. كما أن هذه العناصر متفاعلة مع بعضها البعض وأن أكثرها يستمد مقوماته وأهميته بالنسبة لمنظمة معينة من خلال هذا التفاعل.

(1) مؤيد سعيد السالم، نظرية المنظمة: الهيكل والتصميم، عمان: دار وائل للنشر والتوزيع، 2000، ص 110-115.

1- البيئة الثقافية   Cultural Environment

تعرف الثقافة بأنها مجموع ما يحصل عليه الفرد من مجتمعه ويتمثل ذلك في المعتقدات والتقاليد والعادات المتعلقة بأنماط السلوك المختلفة. إن لثقافة المجتمع تأثيراً معيناً في قرارات الإدارة وفي أنشطة المنظمات المختلفة، وأن القيم الشخصية التي يحملها المديرون مصدرها المجتمع وبالتالي فإن تفاوت أو اختلاف طرق المعالجة الخاصة بمشكلة إدارية معينة وموحدة يعزى في جانب منه إلى اختلاف البيئات الثقافية للمديرين المساهمين في حل تلك المشكلة الموحدة. إن اختلاف القيم الشخصية للمديرين عبر المجتمعات المختلفة هو الذي يقود بالنهاية إلى وضع حلول متباينة للمشكلة الواحدة، فالقيم الشخصية هي درجة تقييم الفرد (المدير) لمفاهيم وأشياء معينة وهي عادة مستقرة ولا تتغير كثيراً. إن سلوك المنظمة والعاملين فيها لا يتم فهمه إلا من خلال القيم الثقافية السائدة في المجتمع ذي العلاقة.

وتعرف القيمة الثقافية Cultural Value بأنها الشيء الذي تؤمن به مجموعة ما أو مجتمع معين ويصبح مرغوباً لذاته. كما يمكن القول بأن القيم هي بمثابة أحكام ومعايير مكتسبة من الظروف الاجتماعية يتشربها الفرد عن طريق الأسرة وغيرها من المؤسسات الاجتماعية، وهي تحدد مجالات تفكيره وسلوكه وتؤثر في تعلمه. فالصدق والأمانة والشجاعة والمساواة .. كلها قيم ثقافية. وقد تكون القيمة إيجابية أو سلبية كالتمسك بمبدأ من المبادئ أو بالعكس احتقاره والرغبة في الابتعاد عنه، كما أن لكل قيمة معنيين أحدهما موضوعي Objective وهذا موجود في الشيء نفسه ويحفز الآخرين نحو احترامه أو اقتنائه. أما المعنى الآخر فذاتي Subjective وهو ما يرغب فيه الشخص أو يحترمه، وفي هذا المعنى تختلف قيم الأشياء فيما بين الأفراد بحسب أذواقهم وحاجاتهم وطبيعة المواقف التي يمرون بها.

إن التعرف على أهم القيم السائدة في ثقافة مجتمع معين يساعد على فهم سلوك المنظمات والعاملين فيها بشكل كبير. فالثقافة تحدد معايير السلوك السليم سواء للأفراد أم للمنظمات. ولعل من بين الأشياء المهمة في هذا المجال هو البحث عن تلك القيم والعادات التي تؤثر في أفراد مجتمع معين نحو العمل والإنجاز، وأهمية الوقت، والاستقلالية، وتأكيد الذات، والنزعة للتجديد نحو العمل والإنجاز ... الخ، وبالإمكان وصف درجة تقدم الثقافة عن طريق الوقوف على حقيقة العناصر الثقافية الرئيسية داخل المجتمع. ويظهر ذلك بملاحظة المتغيرات في الشكل رقم (1).

شكل رقم (1)

استمرارية الثقافة

متقدمة أو متطورة	تقليدية متخلفة	عناصر الثقافة
كثيرة	قليلة	1- كمية التعليم الرسمي
كثيرة	قليلة	2- عدد العاملين بالمصانع
ايجابي (قبول)	سلبي (رفض)	3- الاتجاه نحو اكتساب خبرات جديدة
حيوي ومتفائل	سلبي	4- الاعتقاد في العلم
مرتفعة وكثيرة	منخفضة وقليلة	5- مستوى الأهداف التي يرغب فيها الأفراد
مهمة	غير مهمة	6- المعرفة في الوقت والتخطيط
مهتم بالأخبار القومية والعالمية	محدودة بالنطاق المحلي	7- أحداث وأخبار
اتجاه نحو الهدف	اتجاه نحو الريف	8- جغرافية

المصدر: حامد أحمد رمضان بدر، إدارة المنظمات: اتجاه شرطي، الكويت: دار القلم للنشر والتوزيع 1982 ص 83.

إن اختلاف الثقافات الاجتماعية وتذبذبها بين تقليدية أو متقدمة لا يعني الإذن للمديرين باستخدام الطرق التقليدية أو التخلي عن المبادئ العلمية وعدم استخدامها في الدول النامية، بحجة أنها لم تتهيأ بعد للأسباب العلمية في الإدارة وصيانة القوى العاملة. ولكن يجب أقلمة أو تكييف هذه المبادئ بالشكل الذي يتناسب وثقافة تلك المجتمعات.

2- البيئة الاجتماعية   Social Environment

يؤثر البناء الاجتماعي في مجتمع معين على هيكل وعلاقات منظمات الأعمال باعتباره الإطار الذي يحتضنها. فحينما تسود التنظيمات الأولية في المجتمع وتتحكم العلاقة الأسرية في سلوكية الأفراد، نجد أن العلاقات الاجتماعية محكومة بنظام العائلة الممتدة ولا سيما في مجالات الولاء والانتماء والسلوك والعلاقات. وتكثر هذه الوضعية في المجتمعات النامية. أما في المجتمعات المتقدمة فيلاحظ سيادة التنظيمات الثانوية - أي المنظمات الرسمية على اختلاف أنواعها- ولا تمثل المنظمة الأولية (العائلة) هنا الكيان الاجتماعي الطاغي في علاقات الأفراد أو انتمائهم وسلوكياتهم وولائهم. فهناك المنظمات الرسمية العديدة التي تصغر إلى جانبها فكرة العائلة الممتدة ويتم التأكيد على الأسرة النووية التي يضعف نفوذها على الأفراد ليحل محله نفوذ المنظمات الرسمية.

إن لهذه الفروقات في البيئة الاجتماعية أثرها في سلوكية المنظمة والعاملين فيها حيث نجد غلبة الطابع الشخصي- في إدارة المنظمات العاملة في المجتمعات النامية وامتداداً لما هو موجود في العائلة الممتدة، فعلاقات القرابة والمصاهرة والصداقات والجوار غالباً ما تؤخذ في الاعتبار عند التعامل مع القوى العاملة داخل المنظمة أو عند التعامل مع جمهور المنظمة. أما في المجتمعات المتقدمة فنجد اختلافاً واضحاً في سلوكية المنظمة والعاملين فيها وبشكل يختلف جذرياً عن المجتمعات النامية، حيث تشيع الموضوعية محل الطابع الشخصي- والمعايير الذاتية

في هذه المجتمعات المتطورة أو الصناعية، فاعتبارات القرابة والجوار والمصاهرة والصداقات تفقد قوتها وتأثيرها ليحل محلها اعتبارات أخرى أكثر موضوعية وتستمد مقوماتها من الكفاءة والجدارة والإنجاز. كما أن تقييم العاملين في المنظمة أو اكتساب بعضهم مزايا معينة لا يتم بالشكل الـذي يجـري في المجتمعـات النامية وإنما على أساس قدراتهم ومساهماتهم الفردية وتتسع هذه النظرة لتشمل معاملة الجمهور أيضاً .

3- البيئة الاقتصادية   Economic Environment

تؤثر البيئة الاقتصادية بما تحويه من متغيرات عديدة في سلوك المنظمات والعاملين فيها. فنـدرة المواد الأولية أو قلتها وتوزيعها الطبيعي وحالات المنافسـة كـل ذلك يشكل مجالات متعـددة للتأثيرات السلبية أو الإيجابية عـلى المـنظمات. مثال ذلك مساهمة المـوارد الاقتصادية الأولية في تحديد الموقـع الجغرافي للمنظمة أو التأثير في عملياتها الإنتاجية. كما تشكل الظروف الاقتصادية عنصراً أساسياً في مجالات التأثير في المنظمة وأعمالها الإدارية وأهدافها الأساسية واستراتيجياتها المختلفة، ففي مجال البيئة التسويقية يحاول المديرون التعرف باستمرار على القدرة الشرائية للأفراد في سوق معينة وإلى أي حد بالإمكان تسـعير المنتجات أو الخدمات وبالشكل الذي يكون فيه الجمهور قادراً على الشراء والاقتناء. فكلما كانت المؤشرات إيجابية في صالح المنظمة ازدهرت المنظمة والعكس صحيح. كما يلاحظ أن الكثير مـن المنشآت تقلـص عملياتها أو إنتاجها في أوقات الكساد وقد تتحول إلى إنتاج سلع أخرى أساسية في الغالب، وذلك بسبب تدني القدرات الشرائية. أما في أوقات أو فترات الإزدهار، فيحدث العكس. ومن جهة أخرى فإن تغير أذواق المستهلكين والقوانين الجمركية والضريبية والتضخم والمنافسة عوامل تؤثر في إدارة المنظمات ودرجة نموهـا وتوسعها.

4- البيئة السياسية والقانونية Political and Legal Environment

إن فلسفة النظام الحاكم وإيدولوجيته السياسية والاقتصادية لها تأثيرها القوي في القرارات الإدارية المختلفة في المنظمات الرسمية. ومن الواضح أن هناك علاقة وثيقة بين البيئة السياسية والقانونية والاجتماعية والثقافية، وكلما اتجهت الدولة نحو السيطرة على عناصر الإنتاج إزداد تأثير الدولة في قرارات المنظمة. وكلما ابتعدت الدولة عن التأثير في ملكية عناصر الإنتاج قلت تدخلات الحكومة وتأثير السياسة العامة على القرارات التي تأخذها المنظمة. فالمنظمة تتصرف في ضوء القوانين الصادرة عن الدولة، والقوانين باعتبارها أحد الضوابط العامة في المجتمع، تؤثر في نوعية انتشار منشآت دون أخرى. ولما كانت التشريعات القانونية تمس وتعالج مختلف المجالات الاقتصادية، الاجتماعية، التعليمية، ... الخ، فإن تأثيراتها على المنظمة وأنشطتها ومدخلاتها ومخرجاتها لا يمكن إغفالها. إن القوانين والأنظمة المختلفة غطت مختلف مجالات أعمال المدير المعاصر وأصبحت المنظمات نظراً لكثرة القوانين والتشريعات الخاصة بالأعمال، بحاجة إلى إحداث وظائف معينة أو وحدات إدارية في هياكلها التنظيمية لتقديم الاستشارات القانونية، كوظيفة المستشار القانوني أو الأقسام والدوائر القانونية في المنظمات الكبيرة.

إن القرارات والتشريعات في تغير مستمر، إلا أن هذا التغير لا تحكمه سرعة واحدة بل تختلف درجة تغير القوانين والتشريعات بحسب طبيعة القطاع الاقتصادي، وفلسفة الدولة وحيوية الحدث وشموليته. ولعل أحد المجالات لعمل المدير المعاصر هو كيفية التنبؤ بالتغييرات القانونية والتشريعية ذات العلاقة بالبيئة الخاصة للمنظمة، ومن الواضح أن سرعة الاستجابة لهذه القرارات وبالشكل المخطط يساعد المنظمة على استثمار تغير معين لصالحها.

5- البيئة التكنولوجية   Technological Environment

تعني التكنولوجيا التطبيق والاستخدام العلمي المنظم للمعرفة الإنسانية في المجالات أو المهام العملية. والتكنولوجيا بهذا المعنى تمثل ظاهرة اجتماعية تكيفية باعتبارها تعني مجموعة الوسائل التي يستخدمها الأفراد للسيطرة على المتغيرات البيئية المحيطة بهم. ومن أجل استخدامها لتحقيق إشباع الحاجات الإنسانية المتعددة فلا بد أن تتجسد في الاختراعات والتجديدات في السلع والخدمات والوسائل والعمليات. وينظر إلى التكنولوجيا على أنها أحد المتغيرات الهيكلية بسبب تأثيرها المباشر والمستمر على علاقات الأفراد بالمنظمة، فالآلات سواء كانت بسيطة أم معقدة، تؤثر في نظم الاتصال وفي قدرات الأفراد الذاتية ومعنوياتهم وكذلك في نطاق الإشراف. وكذلك للتكنولوجيا تأثيرات على القرارات الإدارية في المنظمات ولا سيما فيما يتعلق بالتخطيط والتنظيم والمتابعة.

6- البيئة الأخلاقية   Ethical Environment

تتكون البيئة الأخلاقية من الأحكام القيمية المنصبة على الأفعال الإنسانية من حيث كونها صحيحة أم غير صحيحة، جيدة أم سيئة، مقبولة أم مرفوضة. وتشير الأخلاق إلى مجموعة المعايير أو القواعد والأعراف المقبولة من مجموعة أو مجتمع معين وتحدد السلوك الشخصي. وغالباً ما تتلاحم المعايير الأخلاقية مع الجوانب التشريعية وتكون الأولى وسيلة للثانية أو على الأقل تشكل الخلفية العريضة التي يعتمد عليها المشرع في سن أو تشريع قانون معين. غير أن ذلك لا يعني أن كل المعايير الأخلاقية التي تواجه المديرين والموجودة في مجتمع معين مجسدة في قوانين وتشريعات رسمية، وذلك راجع إلى عدم وضوح المعايير الأخلاقية في مجال معين أو لأنها لا تتلاءم والعلمية التي تنشدها القوانين.

إن هذه الأخلاقيات بمجموعها تلعب دوراً كبيراً في التأثير على القرارات الإدارية وخاصة المتعلقة منها بتقييم أداء القوى العاملة والقرارات الخاصة بوضع القواعد العامة للمنظمة.

عدم التأكد البيئي Environmental Uncertainty

تختلف بيئة المنظمة الخاصة من منظمة إلى أخرى حسب مجال عملها والقطاعات التي تختارها لهذا المجال. وتدور هذه الاختلافات حول عدة أبعاد أو محاور مثل استقرار البيئة أو عدم استقرارها، مدى تعقيد البيئة أو بساطتها ، مدى توفر الموارد المالية أو عدم توفرها، قدرة المنظمة في السيطرة على بيئتها أوعدم قدرتها على ذلك .

ويمكن تلخيص الأبعاد المختلفة لبيئة المنظمة الخاصة في مجموعتين من حيث تأثيرها على المنظمة [1]:

أولاً: الحاجة الى المعلومات المتصلة بالبيئة من حيث مدى تعقيد اوبساطة البيئة ومدى ثبات وتغير البيئة .

ثانياً: الحاجة إلى الموارد المختلفة ومدى توفرها في البيئة

ان عالم المنظمات الحالي يتسم بالتغير السريع (Rapid Change) والموارد المحدودة (Scarce Resources) فإن متخذي القرارات في المنظمات المعاصرة يواجهون تحدياً يتمثل بكيفية اتخاذ القرارات في ظل عوامل عدم التأكد (Uncertainty) من ناحية، وشح الموارد المتاحة للسيطرة على عوامل عدم التأكد من ناحية أخرى.

---

(1) علي حسين وآخرون، الإدارة الحديثة لمنظمات الأعمال: البيئة ، الوظائف والاستراتيجيات، الطبعة الاولى ، عمان: دار الحامد للنشر والتوزيع ، 1999.

بناء على ما تقدم يمكن القول بان الاختلافات البيئية للمنظمات تعود الى عدم التأكد البيئي الذي يعني عدم توفر المعلومات الكافية لصانعي القرار حول العوامل والمتغيرات، مما يصعب معه التنبؤ بالتغيرات في البيئة الخارجية للمنظمة.

وتجدر الإشارة الى ان عوامل عدم التأكد تزيد من مخاطر فشل المنظمات وعدم قدرتها على حساب تكاليف الاحتمالات (البدائل) المختلفة للقرارات التي يتخذونها, من هنا تأتي أهمية تقليل آثار عدم التأكد أو التكيف معها ومحاولة إستيعابها. وتستطيع المنظمة التقليل من عوامل عدم التأكد وإستيعابها والسيطرة عليها من خلال :

1- إختبار الاستراتيجية المناسبة .

2- تطوير الهيكل التنظيمي والعمليات المتصلة بنشاط المنظمة (Processes) لتتلاءم مع المستجدات في البيئة والتكيف معها .

3- تطوير الآليات (Mechanisms) اللازمة لفهم البيئة والتنبؤ بالمتغيرات والاتجاهات المتصلة بعناصرها.

العلاقة بين البيئة والمنظمة :

العلاقة بين البيئة والمنظمة علاقة تبادلية، اعتمادية تتمثل بأساليب العرض والطلب، الفرص أو الظروف الطيبة والسيئة. وكلما استطاعت المنظمة أن تتكيف مع البيئة أو تعمل على تغيير بعض مفرداتها الأساسية استطاعت البقاء والنمو ومن ثم الازدهار في تلك البيئة.

أولاً : تأثير البيئة في المنظمة

تؤثر العوامل أو الظروف البيئية في المنظمة بأسلوبين الأول: أن هذه العوامل تفرض أو تضع حدوداً معينة لعمل المنظمة. أما الثاني فإن الظروف البيئية تقدم للمنظمة فرصاً ومجالات مختلفة للتحدي، فالبيئة قد تحدد سلوكيات المنظمة.

مثال ذلك المصانع ذات الأصوات العالية والمزعجة قد تجد نفسها في موقف حرج إذا ما اختارت مناطق سكنية هادئة كمكان للعمل، فقد يتمكن السكان من توجيه نظر الحكومة والحصول على قرارات من شأنها إلزام مثل هذه المصانع إما بالانتقال إلى مناطق أخرى بعيداً عن المناطق السكنية أو تبديل المكائن الحالية بأخرى أقل ضجيجاً .

وفي الوقت الذي تفرض فيه البيئة الخارجية حدوداً معينة لعمل المنظمة وتقدم لها مصادر أساسية وعناصر مساندة نجدها تقدم أيضاً حالات كثيرة من عدم التأكد والعداءات كما وتعد في جوانب معينة منها مصدراً للصراع والمعاناة بالنسبة للمنظمة.

ومن هنا جاءت أهمية امتلاك المديرين لمقاييس معينة هدفها السيطرة على البيئات الاقتصادية والاجتماعية والفنية. ولتحقيق ذلك لا بد من استخدام المهارات الإدارية في مجالات اتخاذ القرارات والتخطيط والتنبؤ والعمل باستمرار على استمرار الابتكارات والإبداعات ذات العلاقة بتطوير أنشطة المنظمة ووضعها في موقف أحسن.

وتقدم البيئة الخارجية أيضاً الفرص والمجالات المستمرة للتحدي بالنسبة للمديرين وتطالبهم بالمرونة والتكيف وغير ذلك من الأشياء أو المتطلبات التي تضمن للمنظمة البقاء في بيئة معينة. ويبدو أن البقاء يمثل الحدود الدنيا للأهداف التي يقبل بها السلوك الإداري.

كما تؤثر الظروف والعوامل الخارجية غير المؤكدة في المنظمة وفي استراتيجيتها ونوع هيكلها التنظيمي. وقد أشارت الدراسات إلى ضرورة التحول من التنظيم الآلي إلى التنظيم العضوي عندما تكون الظروف البيئية مؤكدة، بينما يكون التنظيم العضوي هو المفضل في ظل الظروف غير المؤكدة. وهذا يعني عدم صلاحية التنظيم العضوي للعمل في بيئة مستقرة تمتلك إدارة المنظمة القدرة العالية

على التنبؤ بمتغيراتها الأساسية ذات العلاقة، كما أن التنظيم الآلي غير قادر على مواجهة المتطلبات البيئية السريعة التغير والتي تفتقد إدارة المنظمة المقدرة على التنبؤ بمتغيراتها الأساسية ذات العلاقة والاستجابة لها في الوقت المناسب. والملاحظ أن درجة اللامركزية وتفويض اتخاذ القرارات والتأكيد على عملية التخطيط تزداد كلما اتجهنا نحو العمل في بيئة متغيرة أو متقلبة.

ثانياً : تأثير المنظمة في البيئة

قد يكون تأثير المنظمة في البيئة لا يقل أهمية عن تأثير الأخيرة في المنظمة، فالتأثيرات فيما بين الطرفين متبادلة وفي تغير مستمر من حيث النوع والدرجة، فحينما توجد المنشأة في بيئة معينة فإن كل السلع والخدمات والنقود والمتغيرات الأخرى المنسابة عبر مخرجاتها تؤثر في البيئة وتخلق حالات معينة من التوازن أو عدم التوازن فيها. وفي السنوات الأخيرة أصبح الاهتمام بفكرة التأثير المتبادل يحتل مكان الصدارة في الكتابات الإدارية والفنية الحديثة ولا سيما تلك المهتمة بقضايا تفسير السلوك التنظيمي وقضايا التلوث البيئي.

استراتيجيات المنظمة في التعامل مع البيئة:

تستجيب المنظمة لبيئتها بأسلوبين هما: الأول : التكيف للبيئة، أي تحاول المنظمة تكييف نفسها لتنسجم سياساتها الإدارية مع متطلبات الظروف البيئية. الثاني: تحاول تغيير البيئة وتكييفها لصالح أهدافها الأساسية. وتلعب المنظمات التي تتبع الأسلوب الأخير دوراً بارزاً في التأثير في البيئة، وهناك عدة أساليب بإمكان المنظمة استخدامها لتكييف البيئة الخارجية للمتطلبات التنظيمية. وتستطيع المنظمة استخدام واحد أو أكثر منها حسب الظروف التي تعمل فيها. ومن هذه الأساليب أو الاستراتيجيات [1]:

---

(1) أميمة الدهان، مرجع سابق، ص 43-45 .

1 -   الانسحاب   The Withdrawal Model

قد تنسحب المنظمة من البيئة التي تعمل فيها كلياً أو جزئياً. وفي حالة الإنسحاب الكلي فإن المنظمة تتلاشى وتزول.

2 -   النفاد المختار   Selective Imperviousness

وبموجب هذا الأسلوب تحدد المنظمة لأعمالها وأنشطتها مجالاً معيناً في البيئة بحيث يكون لها تأثير مباشر. ولكن من محاذير ذلك أن المنظمة قد تفقد الاستفادة من فرص متاحة في البيئة.

3 -   التكيف   Adaptiveness

في هذه الحالة تتكيف المنظمة مع البيئة التي تتعامل معها، ولكن ينطوي هذا الأسلوب على مخاطرة تتمثل في أن البيئة في حالة تغير مستمر وهذا يحتم على المنظمة ملاحقة التغيير من الناحية التنظيمية مما يفقد المنظمة الاستقرار النسبي للقيام بمهامها وواجباتها.

4 -   التكيف العملي أو الفعلي   Action – Adaptation

تعمل المنظمة على إحداث التأثير اللازم في البيئة من أجل استغلال الفرص المتاحة وخلق ظروف جيدة. مثال ذلك قيام المنظمة بإجراء بحوث التسويق في البيئة المحيطة بهدف الوقوف على حاجات ورغبات العملاء. وبهذا تكيف المنظمة نفسها مع مطالب المستهلكين وإنتاج ما يلبي حاجاتهم ورغباتهم وتوقعاتهم.

5 -   إشراك عناصر خارجية في المنظمة [1]

Involvement of Outside Members

قد تستدعي حالات معينة أن تقوم المنظمة بإشراك أفراد من خارج المنظمة في مجلس الإدارة كما هو الحال في إشراك بعض ممثلي البنوك في مجلس إدارة المنشآت المقترضة من تلك البنوك.

---

(1) مؤيد سعيد السالم، نظرية المنظمة: مداخل وعمليات، مرجع سابق، ص 194-195

6 -   المساومة   Bargaining

المساومة عبارة عن تفاوض بين طرفين أو أكثر من أجل التوصل إلى اتفاق فيـه مصـلحة الأطـراف المشاركة. مثال ذلك المفاوضات بين المنظمات والنقابات العمالية لفض النزاعات العمالية.

7 -   التجمعات   Coalitions

أي تجميع جهود عدة منظمات من أجل الحصول على منفعة مشتركة ولجميع الأطراف الداخلـة في التجمع، أو من أجل مواجهة ظروف خارجية مشتركة. مثال ذلك اتحاد المنتجين واتحاد المـزارعين للتـأثير في كميات الإنتاج والعرض والأسعار.

الفصل السابع عشر

التغيير والتطوير التنظيمي
Organizational Development & Change

- تعريف التغيير والتطوير التنظيمي.
- خصائص إدارة التغيير والتطوير التنظيمي.
- أسباب التغيير والتطوير التنظيمي.
- أهداف برامج التغيير والتطوير التنظيمي.
- أنواع التغيير والتطوير التنظيمي.
- خطوات التغيير والتطوير التنظيمي.
- استراتيجيات التغيير والتطوير التنظيمي.
- مقاومة التغيير والتطوير التنظيمي.
- إستراتيجيات التعامل مع مقاومة التغيير التنظيمي.
- عوامل نجاح برامج التغيير والتطوير التنظيمي.

تعريف التغيير والتطوير التنظيمي:

التغيير التنظيمي "هو عبارة عن تغير موجه ومقصود وهادف وواعٍ يسعى لتحقيق التكيف البيئي (الداخلي والخارجي) بما يضمن الانتقال إلى حالة تنظيمية أكثر قدرة على حل المشكلات"[1].

في تعريف آخر للتغيير التنظيمي يشير إلى أنه "تغيير ملموس في النمط السلوكي للعاملين وإحداث تغيير جذري في السلوك التنظيمي ليتوافق مع متطلبات مناخ وبيئة التنظيم الداخلية والخارجية"[2] . ويلاحظ على هذا التعريف انه يركز على البعد الإنساني للتغيير التنظيمي ويحصره فيه، بالرغم من وجود أبعاد أخرى تقع ضمن إطار التغيير التنظيمي (وهي البعد الهيكلي، والبعد التكنولوجي).

كما يُعرف التغيير التنظيمي على أنه مجهود طويل المدى لتحسين قدرة المنظمة على حل المشاكل، وتجديد عملياتها على أن يتم ذلك من خلال إحداث تطوير شامل في المناخ السائد في المنظمة، مع تركيز خاص على زيادة فعالية جماعات العمل فيها وذلك بمساعدة مستشار أو خبير في التغيير الذي يقوم بإقناع أعضاء المنظمة بالأفكار الجديدة[3].

أما التطوير التنظيمي فيعرفه Wendell French بأنه "نوع محدد نسبياً من التغيير المخطط له، والهادف إلى مساعدة أفراد المنظمات في القيام بالمهام المطلوبة منهم بصورة أفضل"، وقد قدم French مجموعة تعريفات للتطوير التنظيمي تجمعها صفة التغيير المخطط له في المنظمات، والتركيز على الجماعة

---

(1) محمد حربي حسن، علم المنظمة، جامعة الموصل، الموصل، العراق، 1989، ص 292.

(2) زهير الصباغ، "التغيير التنظيمي وتنمية المنظمة"، مجلة العلوم الاقتصادية، العدد الأول، السنة الأولى، 1981 ص79.

(3) أميمة الدهان، نظريات منظمات الأعمال، الطبعة الأولى، عمان: مطبعة الصفدي، 1992، ص 161.

وعمليات المنظمة، وعلى إدارة ثقافة المنظمة ككل، واستخدام نموذج البحث العلمي والاستعانة بوكيل التغيير الذي يساعد في عملية التطوير التنظيمي.

تعرّف الدهان عملية التطوير التنظيمي بأنها "عملية مخططة ومقصودة وتهدف إلى تمكين المنظمة من التكيف مع المتغيرات البيئية وكذلك تحسين قدرتها على حل مشكلاتها وذلك بإحداث تأثير على متغيرات المدخلات ومتغيرات الأنشطة أو العمليات، ويتم هذا بموجب استخدام مبادئ العلوم السلوكية"[1].

وأورد محمد حسن العديد من تعاريف التغيير التنظيمي والتطوير التنظيمي ويرى أنها "تعطي معاني متماثلة لكلا المفهومين من نواحي الأهداف من حيث أنها: تهدف إلى زيادة وتحسين كفاءة وفعالية المنظمة وتحقيق بيئة صحية فيها، وتحسين مقدرة المنظمة على حل المشاكل والتجديد الذاتي، ومواجهة المتطلبات البيئية.

وكذلك فرق بين التغير التنظيمي والتغيير التنظيمي، فالتغير التنظيمي "هو ظاهرة طبيعية ومستمرة في حياة المنظمات وتحدث دون تخطيط مسبق، فهي تلقائية وعفوية، قد تنجم تحت تأثير التغيرات البيئية أو المناخية ذات الصلة بمدخلات المنظمة أو بعملياتها أو بمخرجاتها. أما التغيير التنظيمي فهو "تغير موجه وهادف يسعى إلى تحقيق التكيف البيئي (الداخلي والخارجي) بما يضمن التحول إلى حالة تنظيمية أكثر قدرة على حل المشاكل[2]. وبذلك تم ربط التغيّر بالمنظور الواسع في بيئة المنظمة الخارجية، أما التغيير فد تم ربطه بالمنظور الضيق في البيئة الداخلية للمنظمة.

---

(1) أميمة الدهان، مرجع سابق، ص 161.

(2) محمد حربي حسن، مرجع سابق، ص 290.

خصائص إدارة التغيير والتطوير التنظيمي:

تتصف إدارة التغيير بعدة خصائص هامة يتعين الإلمام بها ومعرفتها والإحاطة بجوانبها المختلفة[1]:

1- الاستهدافية

التغيير حركة تفاعل ذكي لا يحدث عشوائياً وارتجالياً، بل يتم في إطار حركة منظمة تتجه إلى غاية مرجوة وأهداف محددة. ومن هنا فإن إدارة التغيير تتجه إلى تحقيق هدف، وتسعى إلى غاية معلومة وموافق عليها ومقبولة من قوى التغيير.

2- الواقعية

يجب أن ترتبط إدارة التغيير بالواقع العملي الذي تعيشه المنظمة، وأن يتم في إطار إمكانياتها ومواردها وظروفها التي تمر بها.

3- التوافقية

يجب أن يكون هناك قدر مناسب من التوافق بين عملية التغيير وبين رغبات واحتياجات وتطلعات القوى المختلفة لعملية التغيير.

4- الفاعلية

يتعين أن تكون إدارة التغيير فعالة، أي تملك القدرة على الحركة بحرية مناسبة، وتملك القدرة على التأثير على الآخرين، وتوجيه قوى الفعل في الأنظمة والوحدات الإدارية المستهدف تغييرها.

---

(1) محسن الخضري، إدارة التغيير. القاهرة: الدار الفنية للنشر والتوزيع، 1993، ص7-27.

5- المشاركة

تحتاج إدارة التغيير إلى التفاعل الإيجابي، والسبيل الوحيد لتحقيق ذلك هو المشاركة الواعية للقوى والأطراف التي تتأثر بالتغيير وتتفاعل مع قادة التغيير.

6- الشرعية

يجب أن يتم التغيير في إطار الشرعية القانونية والأخلاقية في آن واحد، ولما كان القانون القائم في المنظمة قد يتعارض مع اتجاهات التغيير، فإنه يتعين أولاً تعديل وتغيير القانون قبل إجراء التغيير، من أجل الحفاظ على الشرعية القانونية.

7- الإصلاح

حتى تنجح إدارة التغيير يجب أن تتصف بالإصلاح، بمعنى أنها يجب أن تسعى نحو إصلاح ما هو قائم من عيوب، ومعالجة ما هو موجود من اختلالات في المنظمة.

8- الرشد

والرشد هو صفة لازمة لكل عمل إداري، وبصفة خاصة في إدارة التغيير، إذ يخضع كل قرار، وكل تصرف لاعتبارات التكلفة والعائد، فليس من المقبول أن يحدث التغيير خسائر ضخمة يصعب تغطيتها بعائد يفوق هذه الخسائر.

9- القدرة على التطوير والابتكار

وهي خاصية عملية لازمة لإدارة التغيير، فالتغيير يتعين أن يعمل على إيجاد قدرات تطويرية أفضل مما هو قائم أو مستخدم حالياً، فالتغيير يعمل نحو الارتقاء والتقدم وإلا فقد مضمونه.

10- القدرة على التكيف السريع مع الأحداث

إن إدارة التغيير تهتم اهتماماً قوياً بالقدرة على التكيف السريع مع الأحداث، ومن هنا فإنها لا تتفاعل مع الأحداث فقط، ولكنها أيضاً تتوافق وتتكيف معها وتحاول السيطرة عليها والتحكم في اتجاهها ومسارها، بل وقد تقود وتصنع الأحداث بذاتها للإبقاء على حيوية و فاعلية المنظمة.

أسباب التغيير والتطوير التنظيمي.

إن عملية التغيير والتطوير التنظيمي لا تحدث بطريقة عفوية أو تلقائية وإنما يوجد هناك أسباب تدعو المنظمة إلى إجراء التغيير. وفيما يلي عرض لأهم أسباب التغيير والتطوير [1]:

1- الحفاظ على الحيوية الفاعلة

يعمل التغيير على تجديد الحيوية داخل المنظمات. فالتغيير يؤدي إلى انتعاش الآمال، وإلى سيادة روح التفاؤل، ومن ثم تظهر المبادرات الفردية والجماعية، وتظهر الآراء والاقتراحات ويزداد الإحساس بأهمية وجدوى المشاركة الإيجابية، ومن ثم تختفي روح اللامبالاة والسلبية الناجمة عن الثبات والاستقرار الممتد لفترة طويلة من الزمن.

2- تنمية القدرة على الابتكار

التغيير يحتاج دائماً إلى جهد للتعامل معه سواء التعامل الإيجابي بالتكيف، أو التعامل السلبي بالرفض، وكلا النوعين من التعامل يتطلب إيجاد وسائل وأدوات وطرق مبتكرة، ومن ثم يعمل التغيير على تنمية القدرة على الابتكار في الأساليب، وفي الشكل وفي المضمون.

---

(1) محسن الخضيري، مرجع سابق، ص 7-27.

3- إثارة الرغبة في التطوير والتحسين والارتقاء

يعمل التغيير على تفجير المطالب وإثارة الرغبات وتنمية الدافع والحافز نحو الارتقاء والتقدم، وما يستدعيه ذلك من تطوير وتحسين متلازم في كل المجالات كزيادة الإنتاجية وتحسين وضع الأفراد المادي والمعنوي من خلال الآتي:

أ- عمليات الإصلاح والمعالجة للعيوب والأخطاء التي حدثت والمشاكل التي نجمت عنها.

ب- عمليات التجديد والإحلال محل القوى الإنتاجية التي استهلكت وأصبحت غير قادرة على الإنتاج أو العمل.

ج- التطوير الشامل والمتكامل الذي يقوم على تطبيق أساليب إنتاج جديدة تعتمد على تكنولوجيا جديدة.

4- التوافق مع متغيرات الحياة

يعمل التغيير على زيادة القدرة على التكيف والتوافق مع متغيرات الحياة، ومع ما تواجهه المنظمات من ظروف مختلفة، ومواقف غير ثابتة، وبيئة تتفاعل فيها العديد من العوامل والأفكار والاتجاهات والقوى والمصالح.

5- زيادة مستوى الأداء

يعمل التغيير على الوصول إلى أعلى درجة من الأداء التنفيذي والممارسة التشغيلية وذلك من خلال:

أ- اكتشاف نقاط الضعف والثغرات التي أدت إلى انخفاض الأداء مثل: الإسراف، والفاقد والتالف والضائع...الخ ومعالجتها.

ب- معرفة نقاط القوة وتأكيدها مثل: عمليات الحفز، وتحسين مناخ العمل، وزيادة الرغبة في التفاعل الإيجابي مع العاملين، والولاء والارتباط بالعمل.

أهداف برامج التغيير والتطوير التنظيمي:

إن عملية التغيير والتطوير التنظيمي لا تأتي بطريقة عفوية وارتجالية وإنما تكون عملية هادفة ومدروسة ومخططة . ومن أهداف برامج التغيير والتطوير التنظيمي ما يلي:[1]

1. زيادة مقدرة المنظمة على التعامل والتكيف مع البيئة المحيطة بها وتحسين قدرتها على البقاء والنمو.

2. زيادة مقدرة المنظمة على التعاون بين مختلف المجموعات المتخصصة من أجل إنجاز الأهداف العامة للمنظمة.

3. مساعدة الأفراد على تشخيص مشكلاتهم وحفزهم لأحداث التغيير والتطوير المطلوب.

4. تشجيع الأفراد العاملين على تحقيق الأهداف التنظيمية وتحقيق الرضى الوظيفي لهم.

5. الكشف عن الصراع بهدف إدارته وتوجيهه بشكل يخدم المنظمة.

6. بناء جو من الثقة والانفتاح بين الأفراد العاملين والمجموعات في المنظمة.

7. تمكين المديرين من اتباع أسلوب الإدارة بالأهداف بدلاً من أساليب الإدارة التقليدية.

8. مساعدة المنظمة على حل المشاكل التي تواجهها من خلال تزويدها بالمعلومات عن عمليات المنظمة المختلفة ونتائجها.

---

(1) أميمة الدهان، مرجع سابقة، ص 163.

أنواع التغيير والتطوير التنظيمي.

يتطلب نجاح عملية التغيير فهماً لطبيعة التغيير وأنواعه، فهنالك عدة أنواع من التغيير حسب المعيار المستخدم في التصنيف[1].

1- التغيير الشامل والتغيير الجزئي

إذا أعتمدنا درجة شمول التغيير معياراً لاستطعنا أن نميز بين التغيير الجزئي الذي يقتصر ـ على جانب واحد أو قطاع واحد كتغيير الآلات والأجهزة، والتغيير الشامل الذي يشتمل على كافة أو معظم الجوانب والمجالات في المنظمة. والخطورة في التغيير الجزئي أنه قد ينشئ نوعاً من عدم التوازن في المؤسسة بحيث تكون بعض الجوانب متطورة والأخرى متخلفة مما يقلل من فاعلية التغيير. فعلى سبيل المثال يحتاج تغيير أدوات الإنتاج إلى تغيير في عمليات الإنتاج وأساليب التسويق وتدريب العاملين وغير ذلك.

2- التغيير المادي والتغيير المعنوي

إذا أخذنا موضوع التغيير أساساً لأمكن التمييز بين التغيير المادي (مثل التغيير الهيكلي والتكنولوجي) والتغيير المعنوي (النفسي والاجتماعي). فعلى سبيل المثال قد نجد أن بعض المؤسسات لديها معدات وأجهزة حديثة ولكن أنماط سلوك العاملين وأساليب العمل فيها تقليدية. وهذا النوع من التغيير شكلي وسطحي وغير فعال.

3- التغيير السريع والتغيير التدريجي

يوجد تقسيم آخر لأنواع التغيير حسب سرعته، وهو يشمل التغيير البطيء والتغيير السريع. وعلى الرغم من أن التغيير التدريجي البطيء يكون عادة أكثر

---

(1) ربحي الحسن، "التخطيط للتغيير: مدخل للتنمية الإدارية"، مجلة الإدارة العامة، العدد: 37، 1989، ص 141-158.

رسوخاً من التغيير السريع المفاجئ، إلا أن اختيار السرعة المناسبة لأحداث التغيير يعتمد على طبيعة الظرف.

خطوات التغيير والتطوير التنظيمي

يقترح الدرة نموذجاً لإدخال تغيير مخطط له في المنظمات يتكون من الخطوات و المراحل التالية[1]:

1. **معرفة مصادر التغيير**

وهنا قد يكون مصدر التغيير بيئة المنظمة الخارجية كالتغيير الذي يحدث في هيكل السوق، والتغيرات التكنولوجية، والتغيرات السياسية أو القانونية وقد يكون مصدر التغيير هيكل المنظمة وعلاقات السلطة والاتصال. وكذلك قد يكون مصدر التغيير المناخ التنظيمي السائد ونقصد بالمناخ التنظيمي الجو العام المتمثل في شعور وإحساس العاملين بإنسانية ودفء أو برودة وتعقيد الأمور في المنظمة.

2. **تقدير الحاجة إلى التغيير**

وذلك من خلال تحديد الفجوة الفاصلة بين موقع المنظمة الآن وبين ما تريد تحقيقه.

3. **تشخيص مشكلات المنظمة**

والمشاكل قد تتعلق بأساليب العمل، التكنولوجيا المستخدمة، نسبة الغياب، أو دوران العمل وغيرها من المشاكل.

---

(1) عبد الباري الدرة، "التغيير في المنظمات"، مجلة البحوث الاقتصادية والإدارية، المجلد 9، العدد 4، 1981، ص 160-165.

4. **التغلب على مقاومة التغيير**

والمقاومة لها أسباب منها الخوف من الخسارة المادية أو المعنوية، سوء فهم آثار التغيير، متطلبات تطوير علاقات وأنماط سلوكية جديدة، إحساس العاملين أنهم استغلوا أو أجبروا على التغيير، التعود على تأدية العمل بطريقة معينة، الرغبة في الاستقرار والخوف من مخالفة معايير تفرضها الجماعة غير الرسمية.

5. **تخطيط الجهود اللازمة للتغيير**

ويكون ذلك من خلال توضيح أهداف التغيير بشكل دقيق يمكن قياسه.

6. **وضع استراتيجيات التغيير**

ويجب الأخذ بعين الاعتبار العناصر التي قد تتأثر بها أجزاء المنظمة وهي الهيكل التنظيمي (اعادة تصميم الوظائف وإعادة وصف الأعمال ، تغيير الصلاحيات والمسؤوليات، تغيير الهيكل التنظيمي)، التكنولوجيا (تعديل أساليب الإنتاج، تغيير الآلات والأجهزة، إدخال الأتمته للمنظمة)، القوى البشرية (التدريب أثناء العمل، ندوات تدريبية للقادة الإداريين، تنمية فرق العمل، توظيف جديد).

7. **تنفيذ الخطة خلال مدة معينة.**
8. **متابعة تنفيذ الخطة ومعرفة نواحي القوة والضعف فيها.**

والشكل رقم (1) يبين خطوات إدخال التغيير إلى المنظمات بناءً على المراحل الآنفة الذكر.

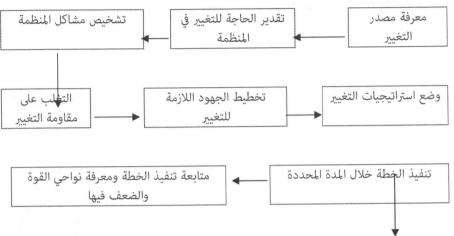

شكل رقم (1)
خطوات التغيير والتطوير التنظيمي

| معرفة مصدر التغيير | ← | تقدير الحاجة للتغيير في المنظمة | ← | تشخيص مشاكل المنظمة |

| وضع استراتيجيات التغيير | ← | تخطيط الجهود اللازمة للتغيير | ← | التغلب على مقاومة التغيير |

| تنفيذ الخطة خلال المدة المحددة | ← | متابعة تنفيذ الخطة ومعرفة نواحي القوة والضعف فيها |

المصدر: عبد الباري الدرة، التغيير في المنظمات، مجلة البحوث الاقتصادية والإدارية، المجلد 9، العدد 4، 1981، ص 165.

إستراتيجيات التغيير والتطوير التنظيمي:

هناك عدة استراتيجيات للتغيير الموجه من أهمها[1]:

1-استراتيجية العقلانية الميدانية Empirical-Rational

وهذه تقوم على افتراض أن العدو الرئيسي للتغيير هو الجهل وعدم الوعي والخرافات، وبالتالي فإنها تنظر للتعليم والبحوث العلمية والدراسات على أنها العامل الرئيسي الذي يقوم عليه التغيير، فالتعليم وسيلة لنشر المعرفة العلمية. لذلك تقوم المنظمات بتصميم برامج تدريبية تركز بشكل رئيسي على تزويد المتدربين بالمعلومات وكذلك تشجيع البعثات الدراسية والبحوث والدراسات العلمية.

2-استراتيجية التثقيف والتوعية الموجهة Normative-Reeducative

تفترض هذه الاستراتيجية أن الحاجز الرئيسي أمام التغيير ليس نقص المعلومات أو عدم توافرها، بل عدم اقتناع الأشخاص أو المنظمات بضرورة التغيير أو عدم رغبتهم فيه أو خوفهم منه. فقد يكون في التغيير تهديد لمصالح بعض الأشخاص أو تضارب مع قيمهم ومعتقداتهم وبالتالي فإنهم يقاومونه ولا يقبلونه.

يحاول القائد الذي يرغب في إحداث التغيير أن يتغلب على هذه المقاومة عن طريق التوعية والتثقيف وإزالة المخاوف وتنمية الولاء للتغيير المنوي إحداثه، بحيث يصبح الناس قابلين للتغيير وراغبين فيه بدلاً من أن يكونوا رافضين ومقاومين له. ومن الأساليب المستخدمة في ذلك التدريب والذي يهدف إلى تغيير اتجاهات الفرد ومواقفه.

---

(1) Chin Robert and Kenneth Benna, General Stategies for Effecting Changes in Human Systems, New York: Holt, Rinehart and Winston, 1969, pp. 32-59.

3-استراتيجية القوة القسرية Power coercive

وفقاً لهذه الاستراتيجية، فإنه يتم استخدام كافة الأساليب والوسائل في إحداث التغيير، فالتغيير يفرض على الجهات المعنية بالقوة، ويتم التغلب على كافة أشكال المقاومة باستخدام العقوبات والجزاءات لكل من يخالف أو يقاوم. وهذه الاستراتيجية قد تكون فعالة في بعض الظروف وفي بعض الحالات الطارئة ولكنها غير فعالة في المدى البعيد لأنها لا تضمن ولاء الأفراد ودعمهم للتغيير.

وعلى الرغم من أنه لا توجد استراتيجية واحدة مثلى يمكن استخدامها لإحداث التغيير بفعالية لأن طبيعة الموقف والظروف هي التي تحدد ذلك، إلا أن المزج بين الاستراتيجية الأولى (الاستراتيجية العقلانية الميدانية) والثانية (استراتيجية التثقيف والتوعية الموجهة) قد يكون هو الأمثل. وهذا لا يعني عدم استخدام الاستراتيجية الثالثة (القوة والقسرية) فهنالك ظروف تستدعي ضرورة استخدام القوة للتغلب على مقاومة التغيير.

مقاومة التغير والتطوير التنظيمي:

تعني مقاومة التغيير امتناع الأفراد عن التغيير أو عدم الامتثال له بالدرجة المناسبة والركون إلى المحافظة على الوضع القائم. وفي هذا السياق يقول الأعرجي (1995) إن المقاومة قد تأخذ شكلاً آخر وذلك بأن يقوم الأفرد بإجراءات مناقضة أو مناهضة لعمليات التغيير، وهذه المقاومة قد لا تكون سلبية في أغلب الأحوال بل إيجابية. وتتمثل إيجابية المقاومة عندما يكون التغيير المقترح سلبياً بمعنى أن الفوائد المتحققة منه أقل من التكاليف المدفوعة وعدم الامتثال له يصب في مصلحة الإدارة. أما سلبية المقاومة فإنها تتم عندما تكون نتائج التغيير إيجابية ومردودها

على الموظف والمنظمة كبيراً مقارنة بتكاليفها. ولمقاومة التغيير أيضاً أبعاد أخرى، فقد تأخذ الصفة الفردية أو الجماعية وقد تكون بشكل سري أو ظاهري[1].

ومن الأسباب الشائعة لمقاومة التغيير ما يلي:

1. الارتياح للمألوف والخوف من المجهول: يميل الناس عادة إلى حب المحافظة على الأمور المألوفة لأنهم يشعرون بالرضا والارتياح ويخشون التغيير لما يجلبه من أوضاع جديدة غير مألوفة.

2. العادات: تدل نظريات التعلم المختلفة على أن الفرد يكون عادات وأنماط سلوك تحدد طريقة تصرفه وكيفية استجابته للمواقف، ويشعر الفرد بالارتياح لها لأنه لا يكون مضطراً للتفكير في كل موقف جديد بطريقة جذرية بل يصبح روتيناً ومبرمجاً إلى حد ما.

3. سوء الإدراك: إن عدم القدرة على إدراك نواحي الضعف والقصور في الوضع الحالي وكذلك عدم القدرة على إدراك جوانب القوة ومزايا الوضع الجديد يشكل عائقاً كبيراً في وجه التغيير[2].

4. المصالح المكتسبة: ترتبط مصالح الفرد أحياناً ارتباطاً وثيقاً بالوضع القائم مما يجعله يقاوم أي تغيير أو تعديل عليه لأن ذلك يعني خسارة شخصية له كضياع نفوذه أو مركزه أو إلحاق خسارة مالية أو معنوية به.

5. الانتماءات الخارجية: تنشأ مقاومة التغيير أحياناً عندما يشعر الفرد أو الجماعة أن تقاليد ومعايير جماعة صديقة مهددة بسبب التغيير الجديد المفاجئ. فعلى سبيل المثال قد تكون للمرء علاقات ودية ووطيدة مع أفراد وجماعات معينة. وفي حالة إدخال التغيير فقد يصيب هؤلاء الأفراد

---

(1) عاصم الأعرجي، دراسات معاصرة في التطوير الإداري، عمان: دار الفكر للطباعة والنشر والتوزيع، 1995، ص 275-285.

(2) Wasron Goodwin, Resistance to Change, New York, Holt, 1972, pp. 488-489.

والجماعات الصديقة ضرر. ومن هنا يخلق عند الفرد نوع من التضارب بين مصلحة المنظمة التي يعمل فيها والتي سيكون التغيير مفيداً لها وبين مصلحة الجماعة الصديقة التي سيكون التغيير ضاراً بها، وهذا يسبب مشكلة إلتزام وولاء بالنسبة للموظف [1].

مزايا مقاومة التغيير:

رغم أنه ينظر إلى مقاومة التغيير والتطوير على أنها سلبية إلا أن لها نواحي إيجابية فتؤدي إلى ما يلي [2]:

1- تؤدي مقاومة التغيير إلى إجبار إدارة المنظمة على توضيح أهداف التغيير ووسائله وآثاره بشكل أفضل.

2- تكشف مقاومة التغيير في المنظمة عن عدم فعالية عمليات الاتصال وعن عدم توافر النقل الجيد للمعلومات.

3- إن حالة الخوف من التغيير ومشاعر القلق التي يعاني منها الأفراد العاملون تدفع إدارة المنظمة إلى تحليل أدق للنتائج المحتملة للتغيير سواء المباشرة أو غير المباشرة.

4- تكشف مقاومة التغيير النقاب من نقاط الضغط في عملية معالجة المشكلات واتخاذ القرارات في المنظمة.

(1) Klein Donald, Some Notes on the Dynamics of Resistance to Change, Washington, D.C: National Training Laboratories, 1966, pp.112

(2) أميمة الدهان، مرجع سابق، ص 170-171.

استراتيجيات المنظمات في التعامل مع مقاومة التغيير:

هناك ست طرق للتعامل مع مقاومة التغيير[(1)]:

1-التعليم والاتصال Education and Communication

هذه الاستراتيجية تساعد العاملين على رؤية الحاجة للتغيير والوقوف على منطقة. وقد تتخذ عدة أشكال منها المناقشة الفردية، العرض للمجموعات، أو مذكرات وتقارير. ويتم اللجوء إلى هذه الطريقة في حالة قصور المعلومات المتوفرة عن التغيير أو التحليل المشوه أو الخاطئ للمعلومات المنشورة عن عملية التغيير. ومن أبرز إيجابيات هذه الطريقة أنه عند إقتناع العاملين بهذه المعلومات، سيساهمون في عملية تطبيق التغيير، بينما يعاب عليها أنها تستغرق وقتاً طويلاً وبشكل خاص عندما يكون عدد المعنيين بالتغيير كبيراً.

2-المشاركة والإندماج Participation and Involvement

أكدت الأبحاث والدراسات أن المشاركة في برامج التغيير من قبل الأفراد تؤدي إلى الطاعة والالتزام بالتنفيذ. وتستخدم هذه الطريقة عندما يكون الأفراد العاملين أو المتأثرين بالتغيير يمتلكون القدرة العالية على مقاومته. ومن أبرز إيجابيات هذه الطريقة يتمثل في أن المشاركين سيلتزمون بتطبيق التغيير. أما سلبياتها فهي أنها تستغرق وقتاً طويلاً.

3-التسهيل والدعم Facilitation and Support

تقوم هذه الطريقة على تدريب العاملين على مهارات جديدة، وتقديم الدعم اللازم لهم وإعطائهم فترة راحة بعد التغيير، وإيجابيات هذه الطريقة أنه لا يوجد

---

(1) أيمن حمدي أبو حمدية، اتجاهات العاملين نحو التغيير التنظيمي في الشركات الصناعية المساهمة العامة في الأردن. رسالة ما جستير غير منشورة، الجامعة الأردنية، عمان، 1994، ص 70-71.

طريقة أخرى أفضل منها، أما سلبياتها فهي تتطلب وقتاً طويلاً، بالإضافة إلى تكلفتها العالية.

4-التفاوض والاتفاق Negotiation and Agreement

تستخدم هذه الطريقة عند وجود جهة تتضرر بشكل كبير وواضح من عملية التغيير، و بنفس الوقت تمتلك تلك الجهة القدرة على مقاومة التغيير. كإعطاء النقابة معدل أجر أعلى لمنتسبيها من الأفراد العاملين في المنظمة مقابل الموافقة على تغيير تعليمات العمل. وإيجابياتها تتمثل في أنها طريقة سهلة نسبياً لتجنب المقاومة. أما سلبياتها فهي احتمال تكلفتها العالية.

5-الاستغلال واختيار الأعضاء Manipulation and Co-optation

وبموجب هذه الطريقة يوضع العضو المختار من قبل الأفراد العاملين في موقع هام في عملية تصميم التغيير بهدف ضمان مصادقته على عملية التغيير. وأهم إيجابياتها أنها سريعة نوعاً ما وغير مكلفة. أما سلبياتها فإنها قد تؤدي إلى حدوث مشاكل في المستقبل إذا شعر العاملون أنهم قد استغلوا.

6-الإكراه الظاهر وغير الظاهر Explicit and Implicit Coercion

وبموجب هذه الطريقة يجبر العاملون على قبول التغيير فيهددون سراً أو علناً بفقدان وظائفهم أو بحرمانهم من الترقية، أو الفصل أو النقل. ويتم اللجوء إلى هذه الطريقة في حالة كون السرعة ذات أهمية بالغة، وأيضاً عندما يمتلك منشئو التغيير قوة كبيرة. وأهم إيجابياتها أنها سريعة ولها المقدرة على التغلب على أي نوع من المقاومة. وفي نفس الوقت لا تخلو هذه الطريقة من سلبيات وأهمها خطورة استمرار استياء العاملين من منشئي التغيير.

عوامل نجاح برامج التغيير والتطوير التنظيمي.

ينبغي توافر عوامل معينة تتيح للقائمين على برامج التغيير والتطوير التنظيمي في المنظمات فرص النجاح في جهودهم وأهم هذه العوامل ما يلي:

1- دعم وتأييد القادة الإداريين لجهود التغيير مما يضمن له الاستمرارية وتحقيق النتائج.

2- توافر المناخ العام الذي يقبل التغيير ولا يعارضه.

3- وجود خبراء أو وكلاء تغيير Change Agents يمتلكون مهارات فكرية وإنسانية وفنية ترتبط بالتغيير. وقد يكون خبراء التغيير من داخل المنظمة أو خارجها.

4- اشراك الأفراد والجماعات الذين سيتأثرون بالتغيير في رسم أهدافه والتخطيط له وتنفيذه.

5- شرح وتوضيح دوافع وأسباب التغيير للأفراد العاملين.

6- بيان الفوائد المادية والمعنوية التي ستترتب على عملية التغيير للأفراد العاملين.

7- عدم إغفال دور التنظيمات غير الرسمية لما لها من تأثير على سلوك الأفراد.

8- معرفة مصادر التغيير وتشخيص المشاكل التنظيمية بأسلوب علمي.

9- تشخيص عوامل مقاومة التغيير ومراكزه.

10- توفر الموارد البشرية والمادية والفنية التي تهيئ للتغيير وتساعد على تنفيذه.

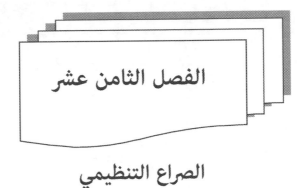

الفصل الثامن عشر

الصراع التنظيمي

Conflict In Organization

- تعريف الصراع التنظيمي

- أسباب الصراع

- خصائص الصراع

- مستويات الصراع

- أنواع الصراع

- مراحل الصراع

- آثار الصراع التنظيمي

- إدارة الصراع التنظيمي

- أساليب إدارة الصراع التنظيمي

تعريف الصراع التنظيمي : [1]

الصراع لغة : إن التحديد الاشتقاقي لكلمة الصراع في اللغة العربية هـو النـزاع والخصام او الخلاف والشقاق، أما كلمة (Conflict) فتعني العراك أو الخصام والصدمة، إذن يعني الصراع اشتقاقاً التعارض بين مصالح وآراء، أو الخلاف.

الصراع اصطلاحاً : لم يتفق العلماء على تعريف موحد للصراع التنظيمي لتباين مدارسهم، ومـن هذه التعريفات: يعرف Fred Luthans الصراع التنظيمي بأنه "العملية التي تسعى فيها وحدات نظام ما لتحقيق مصالحها على حساب مصالح وحدات أخرى".

يعرف Boulding الصراع التنظيمي بأنه "وضع تنافسي يكون فيه أطراف الصراع مدركين للتعارض في إمكانية الحصول علـى المراكـز المستقبلية، ويرغب كل طرف في الحصول علـى المركـز الـذي يتعارض مع رغبة الطرف الآخر".

يعرف March & Simon الصراع التنظيمي بأنه "اضطراب أو تعطل في عمليـة اتخـاذ القرارات، بحيث تجد المنظمة صعوبة في اختيار البديل".

يعرف Coser الصراع التنظيمي بأنه "كفاح حول القيم والسعي من أجل المكانة والقوة والمـوارد النادرة، حيث يهدف المتصارعون إلى تحييد خصومهم أو القضاء عليهم".

---

(1) تميم عبابنة، أساليب إدارة الصراع : دراسة مقارنة بين مديري القطاعين العـام والخـاص في الأردن، دراسـة تطبيقيـة علـى محافظة إربد، رسالة ماجستير غير منشورة، ر الجامعة الأردنية، عمان، 1995، ص 21-22 .

يعرف Thomas & Kilmann الصراع التنظيمي بأنه "العملية التي تبدأ عندما يرى أحد الطرفين، أو يدرك أن الطرف الآخر يعيق أو يحبط أو على وشك أن يحبط اهتماماته".

تبين التعريفات السابقة اختلاف النظرة للصراع التنظيمي، إلا أن هذه التعريفات تتفق على أن الصراع هو موقف تنافسي بين فريقين أو تنظيمين أهدافهما متعارضة، يكون فيه أطراف الصراع مدركين للتعارض فيما بينهم في الوقت الذي يرغب فيه كل طرف بالحصول على المركز أو الصلاحية أو القوة بما يتعارض مع رغبة الطرف الآخر. والصراع التنظيمي يمكن أن يكون بناءً أو مدمراً، ويمكن أن يكون ذا هدف وظيفي، وقد يؤدي إلى الاختلال الوظيفي.

أسباب الصراع:

هنالك أسباب عديدة للصراع داخل المنظمة من الصعب حصرها. ويقترح كل من Hodge & Anthony الأسباب التالية للصراع[1]:

1- التعارض أو التغير في الأدوار، ويحدث بسبب وجود مجموعتين أو أكثر من الضغوط يعاني منها الفرد في نفس الوقت. وبالاستجابة إلى مجموعة واحدة من الضغوط فإن الشخص يجد من الصعوبة الاستجابة إلى واحدة أو أكثر من مجموعة الضغوط الأخرى.

2- التغير في الصلاحيات التي يتمتع بها الفرد أو الجماعة. فزيادة الصلاحيات أو نقصانها يمكن أن تسبب صراعاً للفرد أو الجماعة.

---

(1) أبو بكر سليمان ، التضارب التنظيمي والولاء في الشركات الصناعية السودانية، رسالة ماجستير غير منشورة الجامعة الأردنية، عمان، 1995، ص 28 – 30 .

3- التغير في المركز أو الوضع. قد يسبب التغير في المركز الذي يشغله الفرد في المنظمة صراعاً للفرد واضطراباً في الهيكل التنظيمي المتفق عليه.

4- حدوث إزدواجية أو تداخل في العمل. ويقع ذلك عندما يطلب من شخصين أو أكثر أن يقوموا بنفس العمل.

5- التنافس على الموارد. قد يحدث نوع من المنافسة بين أفراد المنظمة الواحده أو بين الإدارات على نفس الموارد المتاحة.

6- الاختلاف في الثقافة. تعرف الثقافة بأنها "مجموعة القيم والمعتقدات والافتراضات والمعاني والتوقعات التي يحملها الفرد في منظمة معينة أو جماعة معينة ويكون لها تأثير واضح على سلوكه في تلك المنظمة أو تلك الجماعة". والأفراد في المنظمة يحملون ثقافات متباينة والتي غالباً ما تقود إلى الصراع بين الأفراد أو الجماعات.

ويميز الباحثان Katz & Kahn بين الأسباب العقلانية للصراع. والأسباب غير العقلانية له. فالأسباب العقلانية يمكن تلخيصها فيما يلي:

1- الصراع الوظيفي. وهو الصراع الذي يحدث في المنظمة بين وظائفها المختلفة مثل التمويل أو الإنتاج أو الأفراد وغيرها.

2- الاعتمادية المتبادلة بين الأنظمة الفرعية داخل المنظمة على بعضها في الأداء.

3- الصراع الهيكلي وهو الصراع الذي يحدث بين مجموعات المصالح المختلفة في المنظمة على نظام المكافآت والمراكز والمكانة والحوافز.

أما الأسباب اللاعقلانية فهي ناجمة عن العدوانية في السلوك وتحريف المعلومات وغيرها من العوامل الشخصية والاجتماعية للصراع.

خصائص الصراع :

تتمثل خصائص الصراع بما يلي[1]:

1- ينطوي الصراع على وجود أهداف أولية غير متكافئة لدى أطرافه وتكون عملية الحوار الوسيلة المفضلة من قبل هذه الأطراف للوصول إلى حالة من التكافؤ في الاهداف (المصلحة المشتركة).

2- يعتبر التوتر Tension بعداً اساسياً في الصراع، وهو ما يطوي في ثناياه امكانية دخول الأطراف المعنية في نشاط عدائي ضد بعضها البعض لإجبار واحد أو أكثر من الأطراف على قبول بعض الحلول التي لا يرضى بها .

3- يمثل الصراع وضعاً مؤقتاً، رغم وجود الكثير من الصراعات المزمنة .

4- ينطوي الصراع على محاولة من جانب بعض الأطراف التي تستهدف إجبار أطراف منافسة أخرى على قبول حل أو اتفاقية قد لا تكون الاطراف الأخيرة راغبة فيها.

5- يفرض الصراع أعباء وتكاليف باهظة على الأطراف المعنية به طيلة فترة الصراع وهو ما يرغمها في النهاية على حسم الصراع أما بالطرق السلمية أو بالقوة القسرية .

---

(1) ناجي معلا، التفاوض: الاستراتيجية والأساليب (مدخل في الحوار الاقناعي)، الطبعة الثانية، عمان: مطابع الفنار، 2000، ص 82.

مستويات الصراع:

بالرغم من عدم وجود اتفاق حول تصنيفات الصراع التنظيمي أو تحديد مستوياته إلا أن معظم كتّاب الإدارة يتفقون على المستويات التالية للصراع التنظيمي [1]:

أولاً : الصراع على مستوى الفرد

هذا النوع من الصراع يقع بين الفرد وذاته وينعكس تأثيره على سلوك الفرد وعلاقاته في العمل وتحقيقه لأهداف المنظمة الذي هو عضو فيها. وغالباً ما يحدث هذا الصراع عندما يجد الفرد نفسه محل جذب لعوامل عدة تحتم عليه أن يختار أحدها بحيث لا يمكن تحقيقها معاً. ويتضمن هذا النوع من الصراع كلاً من صراع الهدف وصراع الدور. نوجزها على النحو التالي:

أ . صراع الهدف

يحدث عندما يكون للهدف المراد تحقيقه مظاهر سلبية وإيجابية في نفس الوقت، أو عندما يواجه الفرد الاختيار بين هدفين أو أكثر وعليه اختيار واحد منها. وبأخذ إحدى الصور التالية :

1- الصراع بين هدفين إيجابيين : وهنا يواجه الفرد الاختيار بين هدفين ايجابيين لا يمكن تحقيقهما معاً. ويزداد الموقف تعقيداً إذا كان الهدفان لهما نفس الأهمية بالنسبة للفرد. مثال ذلك عندما يواجه فرد ما الاختيار بين البقاء في وظيفته الحالية أو تحويله لقسم آخر. والخياران بالنسبة له هدفان مرغوبان وايجابيان. فهو قد يرى في القسم الآخر فرصاً جديدة للترقية والتطور، بيد أنه سيفقد زملاء عمله القدامى والجو الاجتماعي الذي أعتاد عليه.

---

(1) أبو بكر سليمان، مرجع سابق ، ص 30 – 36 .

2- الصراع بين هدف ايجابي وآخر سلبي : ينشأ هذا النوع من الصراع عندما تواجه بعض العناصر الإيجابية والعناصر السلبية في نفس العمل. وعلى سبيل المثال قد تمنح الإدارة لعامل ما علاوة في راتبه الشهري "عنصر ايجابي"، بيد أنها تقرر له ساعات عمل إضافية "عنصر سلبي".

3- الصراع بين هدفين سلبيين : هنا يواجه الفرد الاختيار بين هدفين لا يرغب في تحقيق أي منهما. فكلا الهدفين بالنسبة له هدفان سلبيان. وهنا يعمل الفرد على اختيار الهدف الأقل ضرراً. فمثلاً قد يواجه الفرد الاختيار بين نقله لوظيفة أقل أو تحويله لفرع ريفي آخر لنفس المنظمة. فهو قد يرى أن نقله لوظيفة أقل فيه تقليل من شأنه وتجميد لتطلعاته وتحويله لفرع ريفي فيه ابتعاد عن الأسرة، بالإضافة لافتقاد المميزات الاجتماعية والاقتصادية الموجودة في المدينة.

ب - صراع الدور

لكل فرد عدد من الأدوار المختلفة التي يقوم بها داخل المنظمة، والأسرة، والمجتمع. فمجموعة الدور داخل المنظمة تتكون من الإدارة والزملاء والرؤساء والمرؤوسين والعملاء. والأسرة تتكون من أفراد الأسرة، الأهل والأقارب، أصدقاء الأسرة والجيران. وفي المجتمع تتكون مجموعة الدور من التنظيمات الدينية والثقافية والرياضية والاجتماعية. كل مجموعة من هذه المجموعات لها توقعات محددة رسمية أو غير رسمية لسلوك الفرد وغالباً ما تتضارب هذه التوقعات وهنا ينشأ ما يسمى "بصراع الدور".

ويرى Herbert أن صراع الدور في المنظمة هو نتاج تحطيم القاعدتين التقليديتين: وحدة الأوامر، وتسلسل الأوامر. وينتج عنه انخفاض الرضا الشخصي وانخفاض في فعالية المنظمة. ويرى أن المنظمات التي يكون فيها خط واحد

وواضح للسلطة من الأعلى للأسفل غالباً ما تكون قادرة على ارضاء موظفيها وتحقيق أهدافها بصورة أفضل من المنظمات التي يكون فيها للسلطة خطوط متعددة. وخير مثال لصراع الدور داخل المنظمة هو ملاحظ أو رئيس العمال "Foreman" . فالإدارة تنظر إليه كأحد كوادرها وعين لها على العمال، بينما ينظر إليه العمال على أنه فرد منهم وسيعتني بأمورهم مثل الأجر، الترقية، والحماية من ضغوط الإدارة.

ويمكن التمييز بين خمس حالات رئيسة لصراع الدور :

1- لا يمكن للفرد عمل شيء دون مخالفة بعض القواعد أو القوانين.

2- اتباع سلوك دور معين يتعارض مع سلوك دور آخر.

3- القيام بدورين في آن واحد.

4- ارغام الفرد على ممارسة قيم وأخلاقيات تتعارض مع قيمه وأخلاقياته.

5- تعدد الأدوار بحيث يقوم الشخص بعدة أدوار ولا يعرف أياً منها يجب أن يكون له الأولوية.

وصراع الدور في المنظمة له أسباب عدة منها :

1- **الهيكل التنظيمي** : والذي يعتبر السبب الأول في شعور الأفراد بصراع الـدور داخل المنظمـة. فالهيكـل التنظيمي يعمل على تهيئة الظروف لأهداف، وسياسات، وقرارات، وأوامر قد تكـون متقاربـة أحيانـاً. فكثير من المنظمات تعاني من ازدواجية السلطة وعدم تسلسلها.

2- **المركز** : بسبب المركز الوظيفي الذي يشغله الفرد في المنظمة صراعاً ذاتياً له، حيث يعاني بعض الموظفين من عدم قدرتهم على الاستجابة للمتطلبات المتقاربة كأن يعاني المشرف من صراع الـدور تجاه توقعات مديره وتوقعات مرؤوسيه.

3- **أسلوب الإشراف** : يعد أسلوب الإشراف المتبع داخل المنظمة مصدراً رئيسياً من مصادر صراع الدور. فعندما لا يقوم المشرف بتوفير المعلومات الكافية عن أداء العمل لمرؤوسيه، أو لا يقوم بتوصيل هذه المعلومات بالصورة المطلوبة، فإن المرؤوس يشعر بنوع من الصراع مع ذاته. وكذلك قد يعمد المشرف على تكليف مرؤوسيه بمهام تفوق قدراتهم وإمكانياتهم، مما يؤدي لحدوث نوع من القلق والتوتر لديهم.

وفي المجتمعات الحديثة أصبح الفرد يقوم بأكثر من دور في نفس الوقت، فقد يقوم بدور الزوج، الولد، الإبن، طالب دراسات عليا، عضو في نادٍ اجتماعي، وعضو في لجنة حكومية ... الخ، بالإضافة إلى دوره في منظمة العمل. وجميع هذه الأدوار تشغل فكر الفرد وهو يحاول جاهداً أن يوفق بين هذه الأدوار إلا أنه غالباً ما يفشل في ذلك ويعيش في صراع ضار بينه وبين ذاته.

ويعتبر الصراع على مستوى الفرد في المنظمة من أهم أنواع الصراعات بالنسبة إلى المنظمة. فالفرد العامل هو أهم عناصر الإنتاج، وهذا النوع من الصراع يعمل على تشتيت قدراته وإمكاناته العقلية والجسدية ويؤثر على سلوكه داخل المنظمة بطريقة تؤثر سلباً على تحقيقه لأهداف المنظمة.

ثانياً : الصراع على مستوى الأفراد

وهو الصراع الذي يقع بين الفرد ورؤسائه وزملائه ومرؤوسيه داخل المنظمة. وتلعب المتغيرات المعرفية والإدراكية دوراً كبيراً في الصراع بين الأفراد داخل المنظمة حيث تحدد وعي الأطراف بالصراع القائم بينهم كما تحدد مشاعرهم تجاه هذا الصراع.

ومن النماذج الشائعة لتحليل ديناميكية الصراع بين الأفراد، نموذج يعرف باسم نافذة جوهاري (The Johari Window) نسبة إلى Harry Ingham و Joseph Lauft ويوضح الشكل رقم (1) هذا النموذج :

شكل رقم (1)

نافذة جوهاري

الفرد لا يعرف الاخرين	الفرد يعرف الآخرين	
2	١	الفرد يعرف نفسه
4	3	الفرد لا يعرف نفسه

من الشكل السابق يلاحظ أن هناك أربع حالات تشير إلى مدى معرفة الشخص بنفسه وبالآخرين يمكن استعراضها كما يلي :

الحالة الأولى : الفرد يعرف نفسه والآخرين. وهذه أفضل الحالات حيث أن الفرد على بينة بمشاعره وإدراكاته ودوافعه وأيضاً بمشاعر وإدراكات ودوافع الآخرين الذين يتعامل معهم مما يقلل من احتمال حدوث أي مشاكل أو صراعات.

الحالة الثانية: الفرد يعرف نفسه فقط. وتكمن المشكلة هنا في عدم معرفة الفرد بمشاعر وإدراكات ودوافع الآخرين الذين يتفاعل ويتعامل معهم. وهنا يعاني الفرد من الخوف والصراع الناجم عن عدم قدرته على التفسير والتنبؤ والتحكم في سلوك الآخرين من حوله لذا غالباً ما يكون متردداً وحذراً في التعامل معهم.

الحالة الثالثة : الفرد يعرف الآخرين فقط. قد تتوافر معلومات هنا عن الآخرين ولا يعرف الفرد ما يخصه من معلومات مما يجعله يشعر بأنه عبء على الآخرين ويميل إلى الإنطواء والإنزواء بعيداً عن زملائه في العمل.

الحالة الرابعة : الفرد لا يعرف نفسه ولا الآخرين. وهذه أسوأ الحالات، حيث يرتفع عدم الفهم، وسوء الاتصال، وينفجر الموقف بحالات حادة من الصراعات بين أعضاء الجماعة الواحدة.

وبصفة عامة ينشأ الصراع بين أفراد المنظمة الواحدة لأسباب عقلانية مثل عدم الاتفاق على قواعد وإجراءات العمل، أو عن أسباب شخصية غير عقلانية مثل حب السيطرة والعدوانية.

ثالثاً : الصراع على مستوى الجماعات

هو الصراع الذي ينشأ بين مختلف الوحدات الإدارية داخل المنظمة. ويأخذ هذا المستوى شكلين رئيسيين هما :

أ- الصراع الأفقي : يقع هذا النوع من الصراع بين الجماعات أو الوحدات الإدارية التي تقع في مستوى تنظيمي واحد. ومن الأمثلة على هذا النوع من الصراع هو الصراع الذي ينشأ بين إدارتي الإنتاج والتسويق في نفس المنظمة.

ب- الصراع الرأسي : يقع الصراع الرأسي بين جماعات أو وحدات إدارية تنتمي إلى مستويات تنظيمية مختلفة كالصراع الذي ينشأ بين مستوى الإدارة العليا والإدارة الدنيا على سبيل المثال.

وللصراع التنظيمي على مستوى الجماعة أسباب مختلفة يمكن إيجازها بما يلي:

1- الصراع على الموارد : تتنافس جماعات العمل والأقسام والإدارات على الموارد المتاحة التي غالباً ما تكون محدودة كالأموال والمواد الخام.

2- التنافس في الأداء : تعاني الجماعات التي تتشابه في وظائفها من الصراع، إذ تهدف الجماعات من ذلك إلى تمييز أدائها عن أداء باقي الجماعات.

فجماعات العمل داخل أقسام النسيج مثلاً قد تتنافس فيما بينها على زيادة الإنتاج أو تخفيض الفاقد من العملية الإنتاجية.

3- الاختلاف بين المستويات التنظيمية : يؤدي انتماء جماعات العمل إلى مستويات تنظيمية معينة إلى اصطناع وجهات نظرها للأمور بطريقة تعكس مصالحها وأهدافها.

4- الصراع بين الإدارات وظيفياً : تتنازع بعض الإدارات على أداء نفس الأعمال لأن الطبيعة الوظيفية لهذه الأعمال تشير إلى إماكنية قيام أكثر من جهة بأدائها. فالتنبؤ بالمبيعات مثلاً يمكن أن تقوم به إدارة التسويق أو إدارة الإنتاج.

5- الصراع بين التنفيذيين والاستشاريين: عندما يواجه التنفيذيون مشاكل تتطلب تدخلاً فنياً من الخبراء الاستشاريين يقع الصراع. فبينما ينظر التنفيذيون إلى الاستشاريين على أنهم أفراد منظرون لا يملكون الخبرة الفنية، ينظر الاستشاريون إلى التنفيذيين على أنهم أفراد تنقصهم الخبرة الأكاديمية والخلفية العلمية التي تساعد على تحليل الموقف.

رابعاً : الصراع على مستوى المنظمات

مما لا شك فيه أن الصراعات ليست مقتصرة على داخل المنظمة فقط وإنما تحدث بين المنظمة وبيئتها الخارجية، لأن المنظمة تتعامل مع جهات متعددة منها جهات حكومية ومالكون وعاملون ومستهلكون وموردون، إضافة إلى المنظمات الأخرى المتواجدة في المجتمع، التي قد تتعاون أو تتنافس معها. فيحصل الصراع بين المديرين وبين المالكين الذين يضغطون على المديرين لجعل نمط سلوكهم يتلاءم مع مطالبهم، والمستهلكون كذلك يضغطون عليهم لجعهلم في نمط السلوك

الذي يلائمهم، في حين أن ضغط الحكومة يتطلب منهم أن يكون نمط سلوكهم ملائماً لمتطلباتها. [1]

إن عملية بروز الصراع والتنافس بين المنظمة والمنظمات الأخرى أدى إلى ظهور ما يسمى بنظرية الألعاب Games Theory وهي عبارة عن توصيف لجميع الأوضاع المتنافسة والمتصارعة بين المنظمة والمنظمات في البيئة التي تحيط بالمنظمة، فيحدث اتصال وتفاهم واتفاق بين هذه الأطراف للتوصل إلى قرار ما يخدم مصالحها جميعاً. ويكون ذلك عن طريق التفاوض الذي يؤدي إلى نتيجة مرضية ترضي الطرفين المتفاوضين.

إن الصراع بين المنظمة والمنظمات الأخرى يكسب المنظمة قوة ديناميكية لتثابر وتنشط وتتطور وتحسن حالها حتى تثبت وجودها وتحافظ على مركزها التنافسي في المجتمع شريطة أن لا يكون الصراع قد أزاح المنظمة عن مسيرتها الهادفة.

إن عملية تعرض المنظمة إلى شتى أنواع الصراعات يؤدي إلى حلول الارتباك والقلق في جوانب هيكلها التنظيمي، مما يؤدي إلى حدوث الأضرار لكل الأطراف. وبالطبع لا يوجد نموذج مثالي أو قاعدة محددة من أجل القضاء على هذه الصراعات لاستحالة ذلك عملياً، ولكن يمكن التخفيف من حدة الصراع ويكون ذلك من خلال القضاء على الأسباب التي تؤدي إلى ظهوره، سواء كانت أسباباً نفسية وبيروقراطية، ومثل هذا العمل يتطلب إعادة بناء تركيبها بشكل عملي ووفق أسس واقعية وتحسين العلاقات الصناعية والعمل على التخلق من الاختلافات السياسية والاقتصادية وتخفيف الفوارق الثقافية والاجتماعية والسياسية والدينية والقومية،

---

(1) حسن الحكاك، نظرية المنظمة : دراسة علمية في المنظمة والتنظيم ، بيروت: دار النهضة العربية للطباعة والنشر ، 1975، ص 374-376 .

ويكون ذلك عن طريق زيادة الثقافة وإحلال مبادئ التعاون والآخاء بين جميع الأطراف.

أنواع الصراع:

هنالك نوعان من الصراع هما [1]:

1- الصراع المنظم : وهو الصراع المخطط له، والذي يستخدم للتعبير عن الأفعال التي تتطلب تضامناً جماعياً. ويتم استخدام المفاوضات الرسمية لحله، وحين تفشل المفاوضات في تحقيق الأهداف المرجوة قد يتم اللجوء إلى العقوبات الجماعية كالإضراب وغيرها. ومثال على هذا النوع من الصراع هو صراع النقابات العمالية مع المنظمة.

2- الصراع غير المنظم. وهو الصراع التلقائي الذي تستخدم فيه وسائل فردية للتعبير عن الصراع مثل الشكوى والتذمر والتأخر عن العمل والغياب عنه أو ترك العمل.

مراحل الصراع [2] :

يعتبر الصراع التنظيمي عملية ديناميكية، ينشأ ويتطور عبر مراحل أو سلاسل متعاقبة، ويمكن أن يطلق عليها "دورة حياة الصراع". وليس هنالك اتفاق محدد بين الباحثين حول عدد هذه المراحل أو طبيعتها، إلا أن هنالك نماذج متعددة تبين تصورهم لهذه المراحل ومن بين تلك النماذج نموذج Pondy .

---

(1) أميمة الدهان ، نظريات منظمات الأعمال، عمان: مطبعة الصفدي ، 1992، ص 151 .

(2) أبو بكر سليمان ، مرجع سابق ، ص 36 - 37 .

نموذج Pondy :

يرى Pondy أن الصراع يمر بخمس مراحل هي :

1- مرحلة الصراع الضمني

تتضمن هذه المرحلة الشروط أو الظروف المسببة لنشوء الصراع، والتي غالباً ما تتعلق بالتنافس على الموارد والتباين في الأهداف، أو الاعتمادية بين الأفراد أو الجماعات، أو غير ذلك من الأسباب التي تسهم في ميلاد الصراع بشكل ضمني غير معلن.

2- مرحلة الصراع المدرك

في هذه المرحلة يبدأ أطراف الصراع في إدراك أو ملاحظة وجود صراع فيما بينها. وفي هذه المرحلة تلعب المعلومات دوراً هاماً في تغذية صور ومدركات الصراع حيث تنساب عبر قنوات الاتصال المتاحة بين الأفراد والجماعات.

3- مرحلة الشعور بالصراع

في هذه المرحلة يتبلور الصراع بشكل أوضح، حيث تتولد فيها أشكال من القلق الفردي أو الجماعي المشجعة على الصراع. وتكون الرؤية عن طبيعته ومسبباته وما سوف يؤدي إليه أكثر وضوحاً.

4- مرحلة الصراع العلني

في هذه المرحلة يلجأ الفرد أو الجماعة إلى انتهاج الأسلوب العلني الصريح للتعبير عن الصراع ضد الطرف أو الأطراف الأخرى. ويتم التعبير عن هذا الصراع بطرق مختلفة مثل العدوان والمشاحنات العلنية. وقد يأخذ الصراع صوراً أخرى مثل الإنسحاب، اللامبالاة، أو أي وسائل دفاعية أخرى.

5- مرحلة ما بعد الصراع العلني

في هـذه المرحلـة تبـدأ عمليـة إدارة الصراع. وعـلى إدارة المنظمة أن تواجـه الموقـف بشجاعة ومحاولة التعرف على جذور المشكلة وحلها، وإذا ما تم ذلك فإنه قد يؤدي إلى زيادة التعاون الوظيفي بين الأفراد أو الجماعات. أما إذا حاولت الإدارة خنق الصراع وكبته أو لجأت إلى وضع حلول توفيقيـة غـير شاملة، فإن هذا البديل سوف يزيد من حدة الصراع، الذي قد يختفي عن السطح مؤقتاً ولكن ما يلبـث أن يعود مجدداً إلى مرحلته الأولى وهكذا دواليك.

وبالتأكيد يمر الصراع التنظيمي في المنظمة عبر أطوار وسلاسل متعددة ولا يظهـر فجـأة دون أيـة مقدمات، وإن كان الصراع يظهر أحياناً وكأنه قد نشأ من العدم. ويمكننا هنـا تشـبيهه بالعمليـة الإنتاجيـة، حيث يمر عبر ثلاث مراحل رئيسية كما يظهر في الشكل رقم (2).

شكل رقم (2)

مراحل الصراع التنظيمي

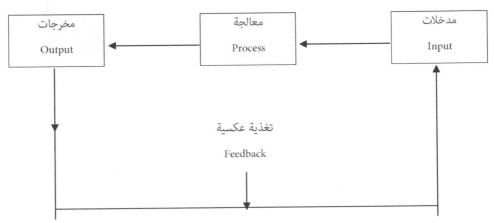

المصدر : أبو بكر سليمان، التضارب التنظيمي والولاء في الشركات الصناعية السودانية، رسالة ماجستير، الجامعـة الأردنيـة، عمان، 1995، ص 40 .

تتمثل مدخلات الصراع في الظروف المسببة لخلق الصراع بشكل ضمني غير معلن مثل التنافس على الموارد أو التباين في الأهداف، حيث يدرك الأفراد أو الجماعات هذه الظروف ويقومون بمعالجتها وتحليلها، ليدخلوا بذلك مرحلة الصراع العلني الواضح، والذي يتم التعبير عنه بطرق مختلفة كالاضراب عن العمل على سبيل المثال. وإذا لم تعمل المنظمة على إدارة الصراع بصورة فعّالة أو عمدت إلى كبته فإن ذلك قد يساعد على اختفاء الصراع بصورة مؤقتة، ولكنها تكون قد مهدت لنشوء الصراع من خلال خلق مدخلات وظروف جديدة لنشوئه وتطوره.

آثار الصراع التنظيمي:

للصراع التنظيمي آثار ايجابية واخرى سلبية [1]:

أولاً : الآثار الإيجابية

إن أصحاب الفكر الإداري الحديث يعترفون بالأثر الإيجابي للصراع التنظيمي عندما يقولون أن الصراع لا يمكن تجنبه وهو وليد ظروف وأوضاع في المنظمة ويعتبر عنصراً فعالاً في التغيير، وعليه فالصراع يفيد المنظمة على اعتبار أنه أساس التقدم والإبداع لتشجيعه المبادرة الخلاقة وتطويره الأفكار الجديدة والتي من شأنها أن تجعل المنظمة متطورة ومتكيفة مع المتغيرات من حولها، ومن الآثار الإيجابية للصراع التنظيمي ما يلي :

1. يولد الصراع التنظيمي الطاقة لدى الأفراد ويبرز القدرات والاستعدادات الكامنة التي لا تبرز في ظل الظروف العادية.

2. يتضمن الصراع الوظيفي عادة بحثاً عن حل مشكلة، ومن خلال هذا الحل يتم اكتشاف التغيرات الضرورية لنظام المنظمة.

---

(1) تميم عبابنة ، مرجع سابق، ص 37-39 .

3. الصراع نوع من الاتصال، وحل الصراع يفتح طرقاً جديدة ودائمة للاتصال.

4. يساعد الصراع على اشباع الحاجات النفسية للأفراد وخاصة ذوي الميول العدوانية.

5. قد يؤدي الصراع إلى إزاحة الستار عن حقائق ومعلومات قد تساعد في تشخيص بعض المشاكل الفعلية في المنظمة.

6. يمكن للصراع أن يكون خبرة تعليمية جديدة للأفراد العاملين.

7. يعمل على فتح قضايا للمناقشة بطريقة المواجهة المباشرة.

8. يعمل على توضيح القضايا مثار الخلاف بين الأفراد.

9. يساعد على زيادة الإنتاجية ويعمل على النمو.

10. يمكن أن يكون أساساً لعمليات الإبداع والابتكار والحفز في المنظمة.

إن الإدارة الصحيحة للصراع التنظيمي تحول الطاقة المتولدة عن الصراع إلى قوة وأثر ليأخذ الطابع الإيجابي بدلاً من السلبي، والهدف هنا ليس القضاء على الصراع بل الاستفادة منه في تحويل هذه الطاقة والأفكار من أطراف الصراع إلى فوائد ونتائج جيدة للمنظمة وأفرادها، وكل هذا يتم بواسطة صراع الجدل الإيجابي والعصف الفكري، كما أن الصراع الخارجي يزيد من التلاحم في المنظمة.

ثانياً : الآثار السلبية

يرى أصحاب المدرسة التقليدية ضرورة تجنب الصراع، ويحدث نتيجة لمشاكل شخصية بين الأفراد، وينتج عنه ردود فعل غير سليمة، ويخلق استقطاباً في الإدراك والمشاعر والسلوك داخل المنظمة. أن الصراع التنظيمي مهما كان مصدره ذو أثر سلبي ويمثل اختلالاً وظيفياً في عمل المنظمة نظراً للآثار السلبية

الناتجة عنه مثل التوتر النفسي والقلق، وفقدان احترام الـذات وضعف المقدرة علـى اتخـاذ القـرار والتـي تؤدي بدورها إلى التأثير على إنتاجية المنظمة وتخفيض الروح المعنوية للعاملين، وهـذا بـدوره يـؤثر علـى فعالية المنظمة عن طريق اضطرارها لزيادة طاقتها حتى تحافظ على نفس مسـتوى الإنتـاج السـابق قبـل حدوث الصراع، وأن التوتر والقلق إذا استمرا في المنظمة كفيلان بتمزيقها. ومن الآثـار السـلبية للصـراع التنظيمي ما يلي:

1. قد يدفع كل طرف من أطراف الصراع إلى التطرف في تقدير مصلحته على حساب المصلحة الكليـة للمنظمة.

2. يُحوّل الطاقة (الأفكار) والجهد عن المهمة الحقيقية في المنظمة.

3. يهدم المعنويات ويهدر الوقت والجهد والمال مما يضعف من مستوى الكفاية والفعالية.

4. يستقطب الأفراد والجماعات وينجم عنه فقد الثقة بين الإدارة والعاملين، ولجوء الأفراد إلى أعمال الانتقام تتمثل في تعطيـل الآلات أو إخفاء المعلومـات وعـدم التعـاون مـع الإدارة، أو القيـام بتـرويج اشاعات كاذبة.

5. يُعوّق العمل التعاوني الجماعي.

6. انخفاض الإنتاجية ويعاني الأداء من الجمود.

7. الشلل في التصرف يرافقه التوتر النفسي الذي يؤدي إلى الإحباط وعدم التأكد وفقدان القدرة علـى الحزم وضعف في الثقة.

8. إنه مرض لصحة المنظمة وهو نوع من عدم وجود مهارات قيادية.

يتبين أن الصراع التنظيمي حقيقة واقعة في كل النظم، ولكنه ليس بالضرورة مصطلحاً سلبياً، بـل أن له أحياناً قيمته الإيجابية للنظام، فالصراع ذو حدين يمكن أن يكون سلبياً، ولكنه أيضاً يمكن أن يكون إيجابياً، وهذا يتوقف على بدائل العمل وطريقة إدارة الصراع. إن المهم ليس الصراع نفسه، بقدر معرفة ما

هو الدافع إليه، أي هل الأفراد الذين يعيشون الصراع راغبون بالعمل في هذه المنظمة والانتماء إليها، أم أنهم مدفوعون برغبة تخريبية ؟ وهل ينظرون إلى الصراع كبناء يخدم وظائف المنظمة أم ينظرون إليه على أنه مخلّ بوظائف المنظمة؟ وهذا كله متوقف على طبيعة أثر الصراع على أهداف المنظمة، فإذا ما كان هذا الصراع التنظيمي داعماً لهذه الأهداف اعتبر صراعاً إيجابياً بناءً ومحسناً لمستوى الأداء، أما إذا كان الصراع عاملاً مؤدياً إلى إحباط أو إعاقة تحقيق هذه الأهداف فإنه عندئذ يعتبر صراعاً سلبياً مخلاً بوظائف المنظمة.

إدارة الصراع التنظيمي:

يرى الفكر الإداري الحديث أن الصراع شيء محتوم ويتعذر اجتنابه، وأن انعدام الصراع أو وجوده بمستوى منخفض في المنظمة يسبب الركود، ويؤدي مع الزمن إلى انهيارها، كما أن وجود الصراع بدرجة عالية ضار لأنه يصيب التعاون بخلل كبير، أما القدر المعتدل من الصراع في المنظمة فهو المطلوب.

وإدارة الصراع لا تعني حله ، فحل الصراع يتطلب التقليل من الصراع وإزالته، بينما إدارة الصراع تتطلب بدءً تشخيص الصراع بهدف تحديد حجمه ليتم على ضوء ذلك عملية التدخل فيه، بإيجاده إن كان منعدماً، وزيادته إن كان أقل من الحجم المناسب، وتقليله إن كان أكثر من اللازم.

وحتى يدار الصراع بشكل فعّال وإيجابي يجب مراعاة النقاط التالية [1]:

1- تحديد أسباب الصراع ومعرفة مشاعر أطرافه.

من الأهداف التي يجب أن تسعى الإدارة لتحقيقها عند إدارتها للصراع التنظيمي، التعرف على أسباب الصراع الحقيقية، وذلك من أجل معالجتها

(1) تميم عبابنة ، مرجع سابق ، ص 39-41 .

بشكل جذري، ومن الخطأ أن تحاول الإدارة أن تهدئ الصراع دون معالجة حقيقة للأسباب لأنه سينشأ من جديد.

2- التوصل إلى التكامل في أفكار الأطراف المتنازعة.

وذلك بجمع الأفكار جميعها وإحداث تكامل بينها بدلاً من محاولة المساومة والتوصل إلى حل وسط، لأن الحل الوسط لا يمثل الحل المقنع للصراع، وبدلاً من ذلك فإن الصراع يجب أن يعالج بتداخل وتكامل أفكار أطراف الصراع، بحيث يمكن استخدام أفضل الأفكار التي تخدم هذه الأطراف والمنظمة.

3- التوصل إلى حلول حقيقية يمكن أن تدعم من قبل أطراف الصراع.

إن الحلول المؤقتة لن تحترم من قبل أطراف الصراع لأنها لا تعالج أسباب الصراع.

4- محاولة إعادة توجيه توترات الأفراد .

يجب أن يبقى عند الأفراد العاملين مقداراً صحياً من التوتر، والتوترات هنا تقنن بشكل ايجابي يخدم مصلحة المنظمة.

أساليب إدارة الصراع التنظيمي [1] :

يمكن تصنيف أساليب إدارة الصراع التنظيمي تحت ثلاث مجموعات. تتضمن المجموعة الأولى وضع أهداف مشتركة تتفق عليها الأطراف المتصارعة، وتتضمن المجموعة الثانية تغييرات هيكلية، أما المجموعة الثالثة فتتضمن عدداً من الأساليب الإدارية والسلوكية والقانونية.

---

(1) أبو بكر سليمان ، مرجع سابق ، ص 41 – 46 .

أولاً: الأهداف المشتركة وإدارة الصراع التنظيمي

يعد تعارض الأهداف من المصادر الرئيسية لنشوء الصراع، ومن طرق إدارة الصراع إيجاد أرضية مشتركة بين المجموعات المتصارعة، وإيجاد أهداف تتفق عليها أطراف الصراع وفتح قنوات الاتصال بينهم، ويمكن استخدام نظام الحوافز الفرعية لمكافأة الأنشطة التي تساهم في نجاح أهداف التنظيم الكلي، وليس الأهداف الفرعية داخل هذا النظام.

ثانياً: الطرق الهيكلية في إدارة الصراع التنظيمي

من أهم الطرق الهيكلية التي تستخدم في إدارة الصراع ما يأتي:

1- إحالة الصراع إلى مختص أو مستشار يعالج الصراع بتحديد مسؤوليات الأطراف المتصارعة.

2- تخفيف درجة الاعتمادية بين المجموعات، وجعلها معتمدة على نفسها، لأن فرص حدوث الصراع تتزايد بين المجموعات عند تزايد درجة الاعتمادية المتبادلة بينها.

3- تبادل الموظفين، حيث أن انتقال الموظفين من وحدة إلى أخرى يزيد من تفهمهم ويكسبهم خبرات جديدة.

4- إيجاد وظائف تنسيقية بين وحدات وأقسام المنظمة.

ثالثاً: الأساليب الإدارية والسلوكية والقانونية في إدارة الصراع التنظيمي

استعرض Hodage & Anthony الطرق التالية لحل الصراع:

1- استخدام القوة أو السلطة أو كليهما لحسم الصراع. وهذا الأسلوب يكبت الصراع لذا فإنه مشكوك في فعاليته.

2- تلطيف أو تسكين الصراع عن طريق مواساة أطراف الصراع بغية تهدئتهم وذلك عن طريق لغة مؤثرة لإعادة العلاقات السليمة بين أطراف الصراع.

3- التجنب والانسحاب. وهنا يعمد أحد الأطراف أو أكثر في أن يبعد تركيزه عن الصراع أو ينسحب من مجابهة الصراع.

4- التوفيق بين أطراف الصراع. وذلك عن طريق استخدام المهارات الإنسانية للتأثير على أطراف الصراع للتحرك نحو حلول وسط مقبولة من الأطراف المعنية.

5- المجابهة، وهنا يتم معالجة الصراع مع أسبابه وذلك عن طريق طرح الحقائق بين أطراف الصراع وتحليلها.

وقد قدمت Mary Parker Follet عرضاً لأساليب معالجة الصراع تتمثل فيما يلي:

1- سيادة أو تغلب طرف في الصراع على الطرف الآخر.

2- التفاوض وذلك في محاولة لإيجاد حلول وسط يحصل فيها أطراف الصراع على بعض الأشياء ولكن لا يحصل أي طرف على كل ما يريد.

3- التكامل وذلك بالبحث عن حل يرضي الأطراف المعنية.

وتعتبر فوليت أن الأسلوب الثالث أفضل الأساليب رغم أنه أصعبها فهو الذي يقدم حلاً حقيقياً للصراع.

أما Kelly فيعرض الأساليب التالية لحل الصراع :

1- التفاوض : وهي العملية التي يتم بموجبها جمع أطراف الصراع بهدف الوصول إلى حل تتفق عليه الأطراف المعنية.

2- التوسط : وهي عملية اللجوء إلى طرف محايد للمساعدة في حل الصراع يقوم بدور الوسيط بين الأطراف المعنية.

3- التحكيم : وهناك نوعان من التحكيم : التحكيم الاختياري والتحكيم الإجباري. فالتحكيم الاختياري يتم اللجوء إليه بموافقة أطراف الصراع. في حين أن التحكيم الإجباري يفرض بموجب القوانين والأنظمة.

استخدم ثوماس وكلمان (Thomas & Kilmann) مخططاً له بُعدان يحددان سلوك الفرد، حيث يمكن تصنيف هذا السلوك على طول هذين البعدين وهما :

1- بُعد التعاون (Cooperativeness) ويمتد من درجة غير متعاون إلى درجة متعاون، ويُحدد هذا البعد الدرجة التي يصلها الفرد في إشباع حاجات الطرف الآخر.

2- بُعد الحزم (Assertiveness) ويمتد من درجة غير حازم إلى درجة حازم، ويُحدد هذا البُعد الدرجة التي يصل إليها الفرد في إشباع حاجاته، وينتج من توحيد هذين البُعدين خمسة أساليب لإدارة الصراع كما هو موضح في الشكل رقم (1).

شكل رقم (1)

نموذج ثوماس وكلمان

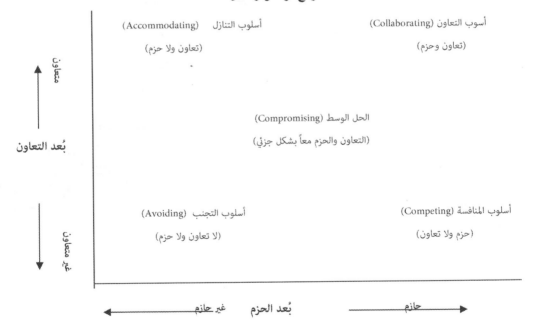

يتفق كثير من العلماء على أن أسلوب التعاون أو ما يسمى بالأسلوب التكاملي، أو أسلوب حل المشكلات هو أكثر الأساليب ملائمة لإدارة الصراع، بينما يرى آخرون أن الأسلوب الأفضل هو ما يلائم الموقف، فأسلوب التعاون يمكن أن يكون ملائماً للقضايا والموضوعات الاستراتيجية ذات الصلة بالأهداف والسياسات طويلة المدى، وأسلوب التنازل يمكن اللجوء إليه عندما يكون أحد الأطراف مستعداً للتخلي عن شيء على أمل الحصول في المقابل على شيء آخر من الطرف الآخر مستقبلاً. وأسلوب التنافس يمكن استخدامه عندما تكون موضوعات الصراع قليلة الأهمية، وأن الأمر يتطلب اتخاذ قرارات سريعة، وأسلوب التجنب عندما تكون مسائل الصراع ثانوية، وأسلوب الحل الوسط يستخدم في المسائل الاستراتيجية.

أما أداة قياس توماس وكلمان فهي تتكون من (30) زوجاً من الجمل التي تصف أساليب إدارة الصراع ويطلب إلى المفحوصين أن يختار جملة واحدة من كل زوج من الجمل التي تصف سلوكه في الموقف الصراعي الذي عليه أن يتصور وجوده، ويُعرف أسلوب إدارة الصراع من خلال حاصل جمع كل أسلوب من هذه الجمل التي يصادق عليها المفحوص.

والشخص يوصف على أساس بُعدين هما : بُعد التعاون، وبُعد الحزم وعلى طول هذين البعدين تقع أساليب إدارة الصراع الخمسة وهي : التعاون والتجنب والتنازل والتنافس والحل الوسط.

وبشكل عام فإن أغلب الحلول التي عرضها الباحثون لإدارة الصراع تركز على ضرورة توفر المهارات الإنسانية واستخدام العقلانية والمنطق والتأثير السلوكي للأفراد والجماعات وفتح الحوار بين الأطراف المتصارعة عوضاً عن كبت الصراع في محاولة للوصول إلى حلول مرضية لأطراف الصراع المعنية.

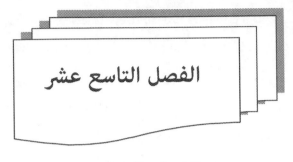

الفصل التاسع عشر

الإبداع التنظيمي

Innovation In Organization

- تعريف الإبداع
- مصادر الإبداع
- مجالات الإبداع
- مستويات الإبداع
- مبادئ الإبداع
- استراتيجيات الإبداع التنظيمي
- معوقات الإبداع

تعريف الإبداع :

يعتبر الإبداع من الأمور الهامة بالنسبة لجميع المنظمات التي تواجه بيئة تنافسية متغيرة وقد أصبح تشجيع الإبداع والحث عليه في مقدمة الأهداف التي تسعى العديد من المنظمات إلى تحقيقها. وقد ازدادت أهمية الإبداع في ظل ازدياد حدة المنافسة بين المنظمات وخاصة المنافسة الدولية والتي زادت من حاجة المنظمة إلى الإبداع تجنباً لخطر التقهقر والزوال.

لقد قام بعض المؤلفين بتعريف الإبداع على إنه إيجاد وتقبل وتنفيذ الأفكار والعمليات والمنتجات والخدمات الجديدة. ومنهم من يعرفه على أنه الاستخدام الأول أو المبكر لإحدى الأفكار من قبل واحده من المنظمات التي تنتمي لمجموعة المنظمات ذات الأهداف المتشابهة. ويعرفه آخرون بانه الاستخدام الناجح لعمليات أو برامج أو منتجات جديدة تظهر كنتيجة لقرارات داخل المنظمة[1].

هذا ويمكن التمييز بين الإبداع التنظيمي والتغيير التنظيمي وفقاً لمعيار الجده، حيث يعتبر التغيير تبنياً لفكرة جديدة أو سلوك جديد بالنسبة للمنظمة، في حين أن الإبداع عبارة عن تبني فكرة أو سلوك جديد على قطاع العمل أو سوق المنظمة أو بيئتها العامة[2].

(1) Lloyd A. Rowe, and William B. Boise, Organizational Innovation: Current Research and Evolving Concepts, Public Administration Review, Vol. 34 (May / June 1974) pp. 284-293.

(2) Richard L. Daft, Organization Theory and Design, West Publishing Company, 1992, p.254.

حاجة المنظمات إلى الإبداع :

لقد أوجدت التغيرات في عناصر البيئة التنافسية التي تواجهها المنظمات الحاجة لدى تلك المنظمات إلى الإبداع، فقامت بالاستجابة لهذه الحاجة بتبني سياسات للإبداع على مستوى المنظمة، وإنشاء وحدات إدارية كدوائر البحث والتطوير ووحدات التطوير التنظيمي، تستهدف رعاية الإبداع وتنميته في المنظمة وتوجيهه نحو تحقيق أهدافها. كما أن العديد من المنظمات عملت على تدريب العاملين فيها على السلوك الإبداعي أو دفع رسوم للمبدعين من خارج المنظمة أو المجتمع[1].

وتظهر الحاجة إلى الإبداع عندما يدرك متخذو القرار في المنظمة أن هناك تفاوتاً بين أداء المنظمة الفعلي والأداء المرغوب. وهذا التفاوت يحث إدارة المنظمة على دراسة تبني أسلوب جديد. وعادة فإن الظروف التي تخلق الحاجة إلى الإبداع تفرضها التغيرات في بيئة المنظمة مثل التغيرات التكنولوجية وتغير أذواق المستهلكين أو توفر معلومات حول ظهور أسلوب أفضل للعمل. فإذا شعرت المنظمات أن هناك فجوة بين السلوك الحالي والسلوك المرغوب فإنها ستحاول سد أو تقليص الفجوه، ويكون ذلك من خلال الإبداع. ولكن المنظمات العقلانية لا تتصرف فقط كاستجابة للتفاوت بين الإنجاز والطموح، فهي قد تكتشف وتتبنى طرقاً وأساليب جديدة من خلال عمليات البحث، ولكي تحسن أداءها، يجب علىالمنظمات العقلانية أن تراقب بيئتها من أجل التنبؤ بالمطالب الجديدة والاحتياط لمواجهتها[2]، وهذا ما يعرف بالإبداع المنظم الذي يتضمن عمليات بحث وتقصٍ

---

(1) أميمة الدهان ، نظريات منظمات الأعمال، مطبعة الصفدي ، 1992، ص 178 .

(2) Richard L. Daft, and Selwyn W. Becker, Innovation In Organizations , New York : Elsevier, 1978, p. 9-10 .

مقصودة ومنظمة عن التغييرات والتحليل المنطقي لفرص الإبداع التي يمكن أن تفرزها تلك التغييرات.

مصادر الإبداع:

إن الإبداع المنظم يعني مراقبة سبعة مصادر لفرص الإبداع وهذه المصادر هي [1]:

1- النجاح غير المتوقع، الفشل غير المتوقع، والأحداث الخارجية غير المتوقعة.

2- عدم انسجام الواقع الفعلي مع ما هو مفترض أو ما يجب أن يكون عليه الحال.

3- الإبداع الناجم عن الحاجة إلى تغيير في العملية (Process) .

4- التغير في بنية قطاع العمل (Industry Structure) أو بنية السوق (Market Structure) .

5- التغير في العوامل الديموغرافية.

6- التغير في الإدراك، الأمزجة، والمعاني.

7- المعرفة الجديدة.

---

(1) Peter F. Drucker, Innovations and Entrepreneurship, Pan, Harper & Row Publishers,1985, p. 35.

مجالات الإبداع :

تتضمن الانجازات الإبداعية المجالات الأساسية التالية [1] :

1- تفعيل سياسة جديدة، أي إحداث تغيير في التوجه مثل إقرار سياسة تحديد سعر جديد .

2- ايجاد فرصة جديدة، أي تطوير منتج جديد تماماً أو إيجاد سوق جديدة.

3- استخدام أسلوب جديد، أي تبني عملية تشغيل جديدة أو اجراءات عمل جديدة أو استخدام تكنولوجيا جديدة.

4- تصميم هيكل تنظيمي جديد، أي إحداث تعديل على الهيكل الرسمي، إعادة التنظيم أو تبني هيكل تنظيمي جديد، أو إيجاد روابط جديدة بين وحدات العمل.

مستويات الإبداع:

يمكن التمييز بين ثلاثة مستويات للإبداع [2]:

1 - الإبداع على مستوى الفرد

وهو الإبداع الذي يتم التوصل إليه من قبل أحد الأفراد. ومن السمات التي يتميز بها الشخص المبدع: حب الاستطلاع، المثابرة، الثقة بالنفس، الاستقلالية في الحكم، تأكيد الذات، الذكاء، المرونة، حب المخاطرة، الطموح، والقدرة على التحليل.

وكذلك بينت عدة دراسات بوجود معوقات تحول دون السلوك الإبداعي للعاملين في المنظمة وتتمثل هذه المعوقات بما يلي :

---

(1) John J. Kao, The Entrepreneurial Organization, New York: Prentice-Hall, Inc., 1991, p. 324

(2) أميمة الدهان، مرجع سابق، ص 192-195

- معوقات إدراكية : وتتمثل بعدم إدراك الأفراد العاملين لجوانب المشكلة بالشكل الصحيح وذلك بسبب عزلها عن سياقها، أو تضييق نطاقها، أو صعوبة إدراك العلاقات البعيدة المتضمنة فيها.

- معوقات وجدانية وشخصية : وتتمثل في الخوف من المبادرة والخوف من الوقوع في الخطأ، والجهود في التفكير، والرغبة في تحقيق النجاح السريع.

- معوقات ثقافية أو اجتماعية : وتعود إلى الضغوط الاجتماعية المختلفة التي تتدخل في تشكيل حياة الأفراد وتصرفاتهم وتؤدي بهم إلى تبني اتجاهات المجاراة لما هو شائع .

2 - الإبداع على مستوى الجماعه

وهو الإبداع الذي يتم تقديمه أو التوصل إليه من قبل الجماعة، وإبداع الجماعه أكبر من المجموع الفردي لإبداع أفرادها. وقد توصلت الدراسات إلى النتائج التالية فيما يتعلق بإبداع الجماعة :

- ان الجماعة المختلفة من حيث الجنس تنتج حلولاً أحسن جوده من الجماعة أحادية الجنس .

- ان الجماعة شديدة التنوع تنتج حلولاً أفضل، وان الحل الإبداعي للجماعه يتطلب أن تتكون من أشخاص لهم شخصيات مختلفة.

- ان الجماعة المتماسكة أكثر استعداداً أو حماساً ونشاطاً للعمل من الجماعة الأقل تماسكاً .

- ان أفراد الجماعة المنسجمة أكثر ميلاً للإبداع من الجماعة التي ليس بين افرادها انسجام.

- ان الجماعة حديثة التكوين تميل إلى الإبداع أكثر من الجماعة القديمة.

- ان الإبداع يزداد مع ازدياد عدد أعضاء الجماعة حيث تتوسع القدرات والمعرفة والمهارات.

3 - الإبداع على مستوى المنظمة

وهو الإبداع الذي يتم التوصل إليه عـن طريـق الجهـد التعـاوني لجميـع أعضاء المنظمة. وقـد أشارت الدراسات والأبحاث حول الإبداع على مستوى المنظمـة، إلى أن المنظمات المبدعة تتميـز بالصفات التالية :

- الاتجاه الميداني والميل نحو الممارسة والتجريب المستمرين رغم الفشل.

- الاتصال القوي مع حاجات ورغبات المستهلكين.

- وجود أنصار ومؤيدين للإبداع يقومون بتشجيع المبدعين وتوجيههم.

- الإنتاجية من خلال مشاركة العاملين في تقديم مقترحات وبدائل للعمل.

- تطوير مبادئ وقيم وأخلاقيات للعمل يعرفها الجميع ويعملون على احترامها وتطبيقها.

- الالتزام بالمهارة الأصلية للمنظمة المبدعة وعدم التحول إلى مجالات عمل ليس للمنظمـة مهارة متأصلة فيها.

- البساطة وعدم التعقيد في الهيكل التنظيمي من حيث عدد المستويات والوحدات الإدارية.

- الشدة واللين معاً .

البيئة التنظيمية للمنظمات المبدعه :

إن المحور الجوهري للمنظمات المبدعه يقوم على تطويرها لبيئة تنظيمية تعمل على بلورة الاتجاهات الإبداعية في منهج فكري وعملي، يقوم على قيم ومعايير وممارسات وظيفية تعمل على ترسيخ الإبداع كهدف تنظيمي متجدد ومطلوب، وايجاد النظم والأساليب التي تجعل العملية الإبداعية ذات قيمة وظيفية تمثل قاسماً مشتركاً بين العاملين على مختلف درجاتهم الوظيفية[1].

فبيئة المنظمة الداخلية – التي تتصف بوجود الإمكانات المادية وتوفر المعلومات والخبرة المتاحة لأعضاء المنظمة ، والنظام الإداري المرن الذي لا يتصف بالتعقيد أو الجمود، والمناخ الذي تسوده الثقة بين الأفراد والتي هي أساس تنمية الاتصال المفتوح الذي يساعد بدوره على تدفق المعلومات وحل المشكلات- من شأنها أن تؤثر على السلوك الإبداعي في المنظمة عن طريق تشجيع التعبير عن الأفكار الجديدة وتطويرها وحمايتها وتقديرها. فالإبداع يتم من قبل الأفراد والجماعات التي تعمل داخل بيئة معينة، ولهذه البيئة تأثيرها على سلوكهم الإبداعي بما توفره لهم من دعم وإمكانات وقدوة ونماذج للسلوك الإبداعي.[2]

وهناك بعض القيم والفلسفات الضمنية التي تميز بيئة أو ثقافة المنظمة المبدعه، ومن هذه القيم :

-   أن النجاح في السوق يأتي من المعرفة التامة بالمستخدم النهائي، فقبول الإبداع من قبل العميل هو الذي يحدد نجاح الإبداع.

---

(1) محمود أبو فارس، الإبداع الإداري لدى العاملين في قطاع المؤسسات العامة الأردنية، رسالة ماجستير غير منشورة، الجامعة الأردنية، عمان، 1990، ص 32 .

(2) أميمة الدهان ، مرجع سابق ، ص 190-191 .

- ان وجود الفكرة بحد ذاتها هو الشيء المهم وليس سلطة ونفوذ الشخص الذي يقدم الفكرة. فالقرارات حول الإبداع يجب أن تستند على المعلومات والبيانات وليس الممارسات السياسية داخل المنظمة.

- ان الأفراد المبدعين يحتاجون إلى الرعاية والمساندة والالتزام من قبل المنظمة. فمهما كانت قدرات الشخص الإبداعية فإنه لا يستطيع تدعيم الجهد اللازم لتقديم ابداع ناجح إذا ترك وحيداً دون مساندة من قبل الآخرين.

- ان القرارات يجب أن تتخذ على خطوات أو مراحل بحيث لا يتم الانتقال إلى الخطوة اللاحقة قبل التأكد من نجاح الخطوة السابقة[1].

وكذلك فقد بينت الدراسات أن الممارسات التالية في المنظمات تساعد على تنمية الإبداع التنظيمي[2] :

- تشجيع العاملين على طرح الأفكار والنقاش الحر والعمل على الاهتمام بآراء الآخرين والاعتراف بمساهماتهم في الإنجاز .

- ايجاد قنوات اتصال فعالة تسمح بتبادل المعلومات بين الأفراد والتعبير عن الأفكار ومناقشتها.

- التركيز على الأهداف العامة للتنظيم وعدم إعطاء الأمور الاجرائية اهتماماً أكثر مما تستحقه.

- الاهتمام بالتكيف مع التغيير واعتباره أمراً ضرورياً وطبيعياً.

- تشجيع التنافس بين العاملين لدفعهم نحو التوصل إلى أفكار إبداعية جديدة.

- تقديم الدعم المادي والمعنوي للمبدعين ومشاريعهم الإبداعية.

(1) Benjamin Schneider, and Sarah Gunnarsin, Organizational Climate and Culture: the Psychology of the Workplace In Applying Pschology in Business, New York: Lexington Books, 1991, p. 547.

(2) أيمن المعاني ، أثر الولاء التنظيمي على الإبداع الإداري، رسالة ماجستير غير منشورة، الجامعة الأردنية، عمان: 1990 ، ص55 .

- دراسة الأفكار الجديدة دراسة جادة وإبداء الاهتمام بها وتطبيق الجيد منها.

مبادئ الإبداع:

قام بيتر دراكر بوضع مبادئ للإبداع التنظيمي وهي عبارة عن أعمال أو ممارسات يجب على المنظمات التي تسعى إلى الإبداع القيام بها، وأطلق على هذه المجموعة من الممارسات (The Do's)، كما حدد أيضاً مجموعة من الممارسات يجب على المنظمة تجنبها وأطلق عليها (The Dont's) . والأشياء التي يجب على المنظمات القيام بها هي [1] :

1- إن الإبداع الهدفي المنظم يبدأ بتحليل الفرص، فهو يبدأ بالتفكير بمصادر الفرص الإبداعية آنفة الذكر. وعلى الرغم من أن أهمية كل مصدر من هذه المصادر تختلف من مجال لآخر ومن وقت لآخر إلا أنه يجب دراسة وتحليل جميع هذه المصادر بشكل نظامي.

2- يجب عدم الاكتفاء بالتفكير في المشكلة، وإنما أيضاً مقابلة الناس والاستفسار منهم والاستماع إليهم. فللإبداع جانبان: جانب مفاهيمي وآخر إدراكي حسي. فالمبدعون يجدون بطريقة تحليلية ما يجب أن يكون عليه الإبداع للاستفادة من الفرصة، ثم يقومون بمقابلة العملاء أو المستخدمين للتعرف على توقعاتهم والقيم والحاجات الموجودة لديهم.

3- لكي يكون الإبداع فعالاً يجب أن يكون بسيطاً ومركزاً نحو حاجة محددة.

4- الإبداع الفعال عادة يبدأ صغيراً بحيث لا يتطلب الكثير من الأموال والأفراد وغيرها من المصادر.

---

(1) Peter F. Drucker, op.cit, pp 133-137 .

أما الأعمال التي يجب تجنبها فهي :

1- المغالاة في التفكير وإظهار الذكاء ومحاولة الوصول إلى إبداع يصعب على الأشخاص العاديين التعامل معه.

2- التنويع ومحاولة عمل عدة أشياء في نفس الوقت.

3- محاولة الإبداع للمستقبل البعيد وليس الحاضر.

مراحل العملية الإبداعية [1]:

هناك العديد من النماذج التي تم اقتراحها لوصف مراحل العملية الإبداعية. فقد صنف بعض الباحثين مراحل عملية الإبداع إلى :

1- مرحلة الإعداد ويحصل فيها الفرد على المعرفة والمهارات ومكونات الخبرة التي تمكنه من وضع المشكلة أمامه والإحساس بها.

2- مرحلة الاختبار والاحتضان وهي مرحلة تتميز بالجهد الشديد الذي يبذله المبدع في سبيل حل المشكلة.

3- مرحلة الاشراف وهي تتضمن انبثاق ومضة الإبداع، أي اللحظة التي تولد فيها الفكرة الجديدة التي تؤدي إلى حل المشكلة.

4- مرحلة التحقيق وتتضمن الاختبار التجريبي للفكرة المبتكرة.

ومن المحاولات ايضاً في اتجاه المراحل تقسيم هاريس (Harris) الذي يتكون من ست خطوات لعملية الإبداع هي :

1- وجود الحاجة إلى حل مشكلة ما .

2- جمع المعلومات.

3- التفكير في المشكلة.

---

(1) أميمة الدهان ، مرجع سابق ،ص 187-188 .

4- تصور الحلول.

5- تحقيق الحلول ، أي اثباتها تجريبياً .

6- تنفيذ الأفكار.

أما شتاين (Stien) فيرى أن مراحل العملية الإبداعية لا تحدث بطريقة منظمة ومرتبه فهي تتداخل وتمتزج معاً خلال فترة زمنية معينة، لذا فهو يقترح ثلاث مراحل هي :

1- تكوين الفرض : وتبدأ بالإعداد وتنتهي بتكوين فكرة مختارة من عدد كبير من الأفكار.

2- اختبار الفرض : وذلك لتحديد صلاحية الفكرة ة وعدم صلاحيتها.

3- الاتصال بالآخرين لتقديم الانتاج الابداعي.

استراتيجيات الإبداع التنظيمي :

هنالك العديد من استراتيجيات الإبداع التي يمكن أن تتبناها المنظمة. ويقصد باستراتيجيات الإبداع السياسات التنظيمية التي تصمم للترويج للعملية الإبداعية وإيجاد المناخ الإبداعي داخل المنظمة. ومن هذه الاستراتجيات [1]:

أولاً: التطوير التنظيمي Organizational Development

والتطوير التنظيمي عبارة عن مجموعة من الأساليب أو الطرق المستوحاه بشكل عام من العلوم السلوكية والتي تصمم لتزيد من قدرة المنظمة على تقبل التغيير وزيادة فاعليتها. ومن الأمثلة على هذه الطرق جمع البيانات، تشخيص المنظمة، تدريب الحساسية، تطوير الفريق، واستخدام وكلاء التغيير. وهي بشكل

(1) Lloyal A. Rowe, and William B. Boise, op.cit, pp. 284-293 .

عام موجهة نحو المحددات السلوكية كقيم الأفراد، ومعايير الجماعة، والعلاقات بين الأفراد. وهناك تركيز كبير ليس فقط على إزالة معوقات التغيير، ولكن أيضاً على تسهيل التغيير كعملية مستمرة.

إن التطوير التنظيمي بتركيزه على الأفراد والعلاقات والتغيير يعتبر استراتيجية ملائمة لترويج الإبداع التنظيمي، فهو يساعد على تدريب أفراد المنظمة على تقبل الإبداع كمعيار تنظيمي أساسي، وعلى ترويج صفات تنظيمية تساعد على الإبداع. ويجب أن يُرسّخ التطوير التنظيمي في المنظمة لضمان الالتزام المستمر والقدرة على تقبل وترويج الإبداع. ويمكن أن يستخدم التطوير التنظيمي لزيادة الوعي بالاهتمامات والمصالح ولصياغة أهداف عامة شاملة.

ثانياً: التخصص الوظيفي Functional Specialization

وهو قيام المنظمة بتصميم وحدات للقيام بالنشاطات المتخصصة. فلترويج الإبداع التنظيمي تصمم وحدات تنظيمية ذات بيئة تشغيلية ملائمة للمراحل المختلفة من العملية الإبداعية، مثل إنشاء وحدات البحث والتطوير أو جماعات التخطيط.

ويمكن أن تكون هذه الاستراتيجية هي الأكثر قابلية للاستخدام من قبل المنظمات التي تسعى إلى إيجاد أعمال إبداعية تغطي مساحات تنظيمية صغيرة نسبياً ولا تكون جذرية. ويعتبر التخصص الوظيفي الاستراتيجية الأكثر شيوعاً من بين استراتيجيات الإبداع التنظيمي.

ثالثاً: الدورية Periodicity

ويقصد بها القدرة على استخدام أشكال تنظيمية غير ثابته أو متغيرة. ومن الأمثلة على هذه الاستراتيجية استخدام نموذج المصفوفة الذي يتم وفقاً له تجميع مجموعة من المختصينوالعاملين لتنفيذ مشروع معين وإنشاء بناء تنظيمي مؤقت

يحل عند الانتهاء من المشروع ومن ثم يتم تحريك الأفراد للعمل في مشاريع أخرى.

ومن الأمثلة الأخرى على هذه الاستراتيجية نقل أفراد الإدارة العليا للعمل في بيئات تشغيلية مشابهة ولكنها ذات مسؤوليات وظيفية مختلفة، التعيين الدوري لموظفين جدد ذوي خبرات مختلفة وخاصة بالنسبة للمناصب التي تمتلك إمكانية إبداعية غير عادية، والتطوير المتوازي للجماعات التي تعمل على حل نفس المشكلة أو المشكلات المتشابهة.

معوقات الإبداع:

هناك مجموعة من العوامل التي تحد من الإبداع وتحول دون تنميته وتمنع استفادة المنظمات المختلفة منه، ومن هذه المعوقات ما يلي [1]:

1- الخوف من التغيير ومقاومة المنظمات له، وتفضيل حالة الاستقرار وقبول الوضع الراهن.

2- انشغال المديرين بالأعمال اليومية الروتينية ، ورفض الأفكار الجديدة واعتبارها مضيعة للوقت.

3- الالتزام بحرفية القوانين والتعليمات والتشدد في التركيز على الشكليات دون المضمون.

4- مركزية الإدارة، وعدم الايمان بتفويض الأعمال الروتينية البسيطة إلى العاملين.

5- عدم الإيمان بأهمية المشاركة من قبل العاملين.

---

(1) أيمن المعاني ، الولاء التنظيمي : سلوك منضبط وإنجاز مبدع ، عمان: مركز أحمد ياسين الفني، 1996، ص 91-93 .

6- نبذ الزملاء.

إن الإنجاز والتفوق الزائد الذي يتجاوز قدرات الزملاء في مجال العمل، يشعرهم بالخطر والتهديد مما يحفزهم على النيل من الفرد المبدع بالسخرية منه، والتهكم على آرائه والكيد له أو الابتعاد عنه وعزله.

7- قلة الحوافز المادية والمعنوية، وخاصة المادية منها مما تجعل العاملين منشغلين بتدبير أمورهم الحياتية ومصادر رزقهم وتجنبهم للعمل الإبداعي الذي سيجلب لهم مزيداً من النبذ والمحاربة والعوز.

8- القيادات الإدارية غير الكفؤه .

ان الإدارة تعتبر صاحبة الدور الأساسي في تحفيز العاملين وتوجيههم واشراكهم في وضع وتنفيذ الأهداف التنظيمية، وخلق التعاون، وايجاد البيئة المناسبة داخل المنظمة، فإذا ضعفت كفاءة هذه الإدارة، كانت مثبطاً في وجه الإبداع لدى العاملين.

9- الفواصل الرئاسية، أو عدم سهولة الاتصال بين العاملين والمسؤولين في الإدارة العليا حتى يوصلون أفكارهم ومقترحاتهم ويناقشونها معهم.

10- معوقات تنظيمية.

وتتمثل في تحديد سلوك العاملين بأمور متوقعة وفق الأدوار الرسمية، أي أن الإدارة ترى أن الأدوار والسلوك يجب أن لا تناقض التوقعات الرسمية في المنظمة، وعليه فكلما زادت هذه الأدوار تحديداً قل مجال الإبداع، وصغرت دائرته، فعندما يحدد الرئيس للموظف أو العامل كل خطوات العمل وتفاصيله فإنه لا يترك له مجالاً للإبداع أو طرح الأفكار الجديدة.

11- معوقات مالية للحيلوله دون بذل تكاليف محتملة كتكاليف تغيير الآلات أو تبديل الأنظمة الموجودة أو النماذج أو غير ذلك.

12- ضعف الولاء التنظيمي.

يؤدي ضعف ولاء وانتماء الفرد للمنظمة التي يعمل فيها إلى الاكتفاء بإنجاز الحد الأدنى من المهمات الموكولة إليه، ويعمل بشكل متقاعس وغير مبالي وبالتالي عدم التوقع منه الإبداع.

13- التفكير غير المتعمق.

كثيراً ما تشكل العادات في التفكير عائقاً أمام الإبداع أو نشوء أية أفكار جديدة، إذ أن التعامل مع الأفكار دون تعمق واعتبار الأفكار والأحداث على أنها مسلمات غير خاضعة للبحث والنقاش يشكل حاجزاً كبيراً في وجه الإبداع.

الفصل العشرون

مستقبل السلوك التنظيمي

Organizational Behavior In The Future

مستقبل السلوك التنظيمي:

هناك اتجاهات تبدو جوهرية في الوقت الحالي بحيث يتوقع استمرار تأثيرها على المنظمات والسلوك التنظيمي في المستقبل. لذلك يتعين على الإداريين الانتباه لها، فهي تشكل تحديات وفرصاً في نفس الوقت للمنظمة. ومن أهمها[1]:

1- ضخامة حجم المنظمات.

يتوقع أن يصبح الحجم الكبير هو النمط العام السائد في المستقبل.

2- اللامركزية.

إن ازدياد حجم المنظمات وانتشارها جغرافياً سيؤدي إلى التوسع في تطبيق مبدأ اللامركزية وتراجع المركزية وذلك سعياً لتسهيل أداء الوظائف والأعمال. إن اعتماد المركزية في حالة المنظمة الضخمة يؤدي إلى جمود وإعاقة تحقيق الأهداف، ومن هنا تبرز أهمية اللامركزية وتصبح وسيلة التكيف مع ظاهرة تعقد حجم المنظمات.

3- الإدارة الجماعية وفقدان المبادأة الفردية.

نتيجة لتعقد المنظمات فإن القرارات المطلوب اتخاذها ستكون في غاية التعقيد بحيث لا يستطيع فرد واحد أو حتى مجموعة صغيرة من المتخصصين أن يكونوا قادرين على اتخاذها. وهذا يعني أنه سيصبح من الصعب أن يكون شخص واحد قادراً على إدارة المنظمة مما يحتم التحول من الإدارة الفردية إلى الإدارة الجماعية. إضافة إلى ذلك فإن هناك الكثير من الكتاب أبدوا تخوفاً من أن حجم المنظمة سيلحق ضرراً بالمبادأة الفردية المتمثلة بالخلق والابتكار والإبداع.

---

(1) جون فيفر، وفرانك شيروود، التنظيم الإداري، القاهرة: مكتبة النهضة المصرية، 1965، ص 509-525. (ترجمة محمد رمزي وخير الدين عبد القوي).

4- المنظمة المستطيلة.

يتوقع الاتجاه نحو التفلطح في الهياكل التنظيمية Flat organization وتراجع الهرمية ووجود مـا يسمى بالمستطيل في المنظمات نتيجة لازدياد عدد الأفراد الموجودين في قمة الهرم التنظيمي مـن تنفيـذيين ومستشارين.

5- تغيرات في طبيعة القوى العاملة.

من المتوقع زيادة الطلب على العمالة الماهرة وعلى المـوارد البشرـية التـي تمتلـك مهـارات فنيـة عالية، وما يرافق ذلك من تغيرات على طرق العمل وزيادة في التخصص الوظيفي.

6- مصادر الطاقة.

من المشاكل الرئيسية التي ستواجه المنظمات في المستقبل المنافسة الحادة عـلى المصـادر والمـواد الخام بسبب ندرتها، مما سيؤدي إلى احتدام الصراع بين المنظمات للحصول على أكبر نصيب مـن المصـادر. ويمكن القول بأن المصادر الحالية للطاقة في نفاد مستمر؛ وإن السعي لاستغلال الطاقة الشمسية والنوويـة وغيرها من مصادر الطاقة هو دليل على وجود "أزمة الطاقة".

7- ثورة المعلومات.

إن تكنولوجيا المعلومات من أعظم التغيرات الحديثة أثراً في الإدارة والتنظيم. ويعـزى ذلـك إلى التطور في أسـاليب وطرق تجهيـز البيانـات وإعدادها. وكـذلك إلى الكفـاءة المتـوفرة في تجميـع الحقـائق وتفسيرها وتخزين البيانات ونقلها إلى مراكز القرارات ممـا سـيكون لـه أكبر الأثر عـلى نوعيـة القـرارات المتخذة. إضافة إلى ذلك، فإن توفر المعلومات كما ونوعاً سيؤدي إلى اتساع نطاق الرقابة وسهولة الإشراف.

8- التقدم التكنولوجي (1)

يشهد العالم حالياً تطوراً متسارعاً وكبيراً في التكنولوجيا بحيث يصعب ضبطه عند حد معين، ويتوقع استمرار الاكتشافات التكنولوجية والفنية. ويتعين على المنظمات ملاحقة تلك الاكتشافات والتطورات والعمل على احتوائها والتكيف معها لما لها من تأثير في مجال المنافسة وجودة الإنتاج وطرقه، وعلى الوظائف والأعمال وسلوك العاملين.

9- البيئة الاجتماعية.

تتمثل البيئة الاجتماعية بالعوامل الخارجية المؤثرة على المنظمة من قيم وعادات وتقاليد وأعراف واتجاهات نحو العمل ...الخ. ومن أهداف المنظمة أن تحظى بالقبول من المجتمع الذي تعيش فيه.

10- تزايد عدد السكان.

يشهد العالم حالياً انفجاراً سكانياً هائلاً. وهذا يتطلب ضرورة تلبية مطاليب السكان وإشباع حاجات الأفراد مما يشكل ضغطاً كبيراً على المنظمات وخاصة المنظمات الخدمية من مؤسسات تعليمية ورعاية صحية واجتماعية....الخ.

11- النقابات العمالية.

يتوقع ازدياد قوة تأثير النقابات العمالية في مجال العمل والعمالة. وبالتالي سوف تشكل هذه النقابات أحد مظاهر القوة الضاغطة الرئيسية على المنظمات. لذلك يتعين على المنظمات التعامل مع النقابات ومحاولة تفادي النزاعات العمالية وتجنب الدخول معها في صراع مما قد يؤثر سلباً على تحقيق الأهداف التنظيمية.

---

(1) Richavol Hodgetts and Steven Altman, organizational Behavior. Philadephia: W.b. Sounders company, 1979, pp. 389-397.

12- التدخل الحكومي.

تمارس الدولة سلطة داخل حدودها وذلك بمقتضى "مبدأ السيادة". فالدولة مسؤولة من حيث المبدأ عن كل ما يدور داخل نطاق سيادتها بما في ذلك المنظمات والأفراد العاملون. إن درجة التدخل الحكومي في شؤون المجتمع تعتمد بشكل رئيسي- على الأيدلوجية السياسية للدولة من رأسمالية أو اشتراكية أو مختلطة. ويمكن القول بأن جميع الدول قد تدخلت في فعاليات المجتمع ويتوقع استمرار هذا التدخل في المستقبل. فالدولة تراقب سلوك المنظمات وتعمل على حماية الفرد العامل فيها وتلعب دور حماية المستهلك لمن يتعامل معها. وتمارس الدولة تدخلها في المنظمات من خلال إلزام تلك المنظمات بالتقيد بنصوص الدستور، ومراعاة السياسة العامة للدولة وتطبيق التشريعات الحكومية من أنظمة وقوانين. لذلك يتعين على المنظمات أن تعي دور الدولة وإدراك حقيقة مفادها بأن تحقيق الأهداف التنظيمية يعتمد إلى حد بعيد على درجة الوئام وليس الخصام مع الدولة.

المراجع

أولا : المراجع العربية

أ. الكتب

1- إبراهيم الغمري، **السلوك الإنساني** ،القاهرة :مكتبة الأنجلو المصرية ،1983.

2- إبراهيم الغمري ، **السلوك الإنساني والإدارة الحديثة**،الإسكندرية: دار الجامعات المصرية،1986.

3- أبو بكر سليمان، **التضارب التنظيمي والولاء في الشركات الصناعية السودانية**، رسالة ماجستير غير منشورة ، الجامعة الأردنية ،عمان 1995 .

4- أحمد إبراهيم أبوسن ، **الإدارة في الإسلام**، جامعة الإمارات العربية ،دبي المطبعة العصرية 1981

5- أحمد زكي بدوي، **معجم مصطلحات العلوم الاجتماعية**، بيروت :مكتبة لبنان،1977.

6- أحمد عاشور، **إدارة القوى العاملة: الأسس السلوكية وأدوات البحث التطبيقي**، القاهرة :دار المعرفة الجامعية ،1985 .

7- احمد ماهر ، **السلوك التنظيمي: مدخل بناء المهارات**،الإسكندرية :المكتب العربي الحديث،1986.

8- ألفت حقي ، **الاضطراب النفسي**، الإسكندرية :دار الفكر الجامعي ،1993.

9- أ.م.كونز، **مدخل إلى علم النفس المرضي الاكلينيكي**، الإسكندرية :دار المعرفة الجامعية،1992.(ترجمة عبد الغفار ألدماطي وأخرون).

10- أميمة الدهان، **نظريات منظمات الأعمال**، الطبعة الأولى ،عمان:مطبعة الصفدي،1992.

11- أيمن المعاني ، **الولاء التنظيمي : سلوك منضبط وإنجاز مبدع**، عمان: مركز أحمد ياسين الفني، 1996 .

12- أيمن المعاني، **اثر الولاء التنظيمي على الإبداع الإداري**، رسالة ماجستير غير منشورة ، الجامعة الأردنية ، عمان،1990 .

13- **أيمن حمدي أبو حمدية، اتجاهات العاملين نحو التغيير التنظيمي في الشركات الصناعية المساهمة العامة في الأردن**، رسالة ماجستير غير منشورة، الجامعة الأردنية، عمان، 1994.

14- اندرو دي سيزلاقي ،مارك جي والاس، **السلوك التنظيمي والأداء**، الرياض:معهد الاداره العامة،1991.(ترجمة جعفر أبو القاسم).

15- بشير الخضرا وأخرون، **السلوك التنظيمي**، الطبعة الأولى، منشورات جامعة القدس المفتوحة ، 1995 .

16- **تميم عبابنة ، أساليب أدارة الصراع: دراسة مقارنة بين مديري القطاعين العام والخاص في الأردن :دراسة تطبيقية على محافظة اربد**،رسالة ماجستير غير منشورة ، الجامعة الأردنية ، عمان،1995

17- جابر عبد الحميد جابر، **مدخل لدراسة السلوك الإنساني**، الطبعة الثالثة، القاهرة : دار النهضة العربية، 1983.

18- جون فيفر،وفرانك شيروود، **التنظيم الإداري** ، القاهرة :مكتبة النهضة المصرية، 1995. (ترجمة محمد رمزي وخير الدين عبد القوي)

19- حامد أحمد رمضان، **إدارة المنظمات**:اتجاه شريطي،الكويت:دار القلم للنشر والتوزيع،1982

20- حسـن الحكاك ، **نظريـة المنظمة: دراسة عمليـة وعلميـة في المنظمة والتنظيم**،الطبعه الأولى ، بغداد:مطبعة الأديب البغدادية ،1971 .

21- حسن الحكاك، **نظرية المنظمة :دراسة علميـة في المنظمـة والتنظيـم**، بيـروت:دار النهضـة العربيـة للطباعة والنشر ،1975.

22- حسين حريم، **السلوك التنظيمي: سلوك الأفراد في المنظمات**،عمان: دار زهران للنشر والتوزيع، 1997 .

23- حنا نصر الله وأخرون، **مبادئ في العلوم الإدارية : الأصول والمفاهيم المعاصرة** ، عمان:دار زهران للنشر والتوزيع، 1999.

24- رفاعي محمد رفاعي، **السلوك التنظيمي**، القاهرة :المطبعة الكمالية، 1988.

25- سعود النمر، **السلوك الإداري**، الطبعة الأولى ،الرياض : جامعة الملك سعود ،1990.

26- سيد الهواري، **الادارة : الاصول والاسس العلمية**، القاهرة :مكتبة عين شمس،1982.

27- عاصم ألاعرجي، **دراسات معاصرة في التطوير الاداري**، عمان: دار الفكر للطباعة والنشر والتوزيع، 1995.

28- عبد الرحمن بن أحمد بن محمد هيجان ، **ضغوط العمل ؛ مصادرها ونتائجها وكيفية أدارتها**، الرياض:معهد الإدارة العامة، 1998.

29- عبد الرحمن محمد العيسوي ، **تصميم البحوث الفنية والاجتماعية والتربوية: دراسات في السلوك الإنساني** ،الطبعة الأولى ،الإسكندرية: دارالرقب الجامعية ،1999.

30- عبد المعطي محمد عساف، **السلوك الإداري (التنظيمي) في المنظمات المعاصرة**،1994.

31- علي السلمي، **ادارة السلوك الإنساني** ، الطبعة الأولى ، القاهرة :دار غريب للطباعة والنشر- والتوزيع، 1997.

32- علي السلمي، **السلوك التنظيمي**، القاهرة : مطبعة جامعة القاهرة ،1980.

33- علي السلمي، **تطور الفكر التنظيمي**، الكويت :وكالة المطبوعات ، 1975.

34- علي حسين وآخرون، **الإدارة الحديثة لمنظمات الأعمال: البيئة، الوظائف، والاستراتيجيات**، الطبعة الأولى، عمان: دار ومكتبة الحامد للنشر والتوزيع، 1999.

35- علي كمال، **باب العبث بالعقل**، الطبعة الاولى،بيروت: المؤسسة العربية للدراسات والنشر ، 1994.

36- عمر محمد جبرين ، **مقدمه في العلوم السلوكية**، دمشق :الاتحاد البريدي العربي ، 1984 .

37- عمر وصفي العقيلي وأخرون ،**وظائف منظمات الأعمال** ،عمان :دار زهران للنشر والتوزيع،1996.

38- فوزي سالم عفيفي ،**السلوك الاجتماعي بين علم النفس والدين**، الكويت: وكالة المطبوعات، 1983.

39- فوزية دياب ،**القيم والعادات الاجتماعية**، بيروت: النهضة العربية للطباعة والنشر،1980 .

40- كامل المغربي ، **السلوك التنظيمي : مفاهيم وأسس سلوك الفرد والجماعة في التنظيم** ،الطبعة الثانية ،عمان :دار الفكر للنشر والتوزيع،1994.

41- لطفي راشد محمد ، **الاتصالات الإدارية**، الرياض :مطابع الفرزدق، 1983.

42- مؤيد السالم ، **نظرية المنظمة :مداخل وعمليات** ،بغداد : مطبعة شفيق،1988.

43- مؤيد السالم، **نظرية المنظمة :الهيكل والتصميم**،عمان: دار وائل للنشر والتوزيع،2000.

44- محسن الخضيري، **إدارة التغيير**، القاهرة :الدار الفنية للنشر والتوزيع،1993.

45- محسن مخامرة وأخرون، **المفاهيم الإدارية الحديثة**، الطبعة السادسة. عمان: مركز الكتب الأردني،2000.

46- محمد ابراهيم عبيدات ،**سلوك المستهلك :مدخل استراتيجي** ،عمان :دار وائل للنشر،2001 .

47- محمد الزعبي ، **ضغوط العمل لدى المديرين في جهاز الخدمة المدنية في عمان الكبرى**، رسالة ماجستير غير منشورة ، الجامعة الأردنية ، عمان، 1997.

48- محمد حربي ،علم **المنظمة** ،جامعة الموصل، العراق ،1989.

49- محمد شفيق . **العلوم السلوكية : تطبيقات في السلوك الاجتماعي والشخصية ومهارات التعامل**
، الإسكندرية : المكتب الجامعي الحديث، 1999.

50- محمد شهيب وأخرون ،**العلاقات الإنسانية (مدخل سلوكي)**،القاهرة: الشركة العربية للنشر
والتوزيع، 1994 .

51- محمد عبد الغني، **أخلاقيات المهنة** ،الطبعة الأولى، عمان :مكتب الرسالة الحديثة، 1986 .

52- محمد عبد الله ،**السلوك الإنساني في المنظمات** ،الطبعه الثالثة ،القاهرة: الشركة العربية للنشر
والتوزيع، 1994.

53- محمد قاسم القريوتي ، **السلوك التنظيمي : دراسة للسلوك الإنساني الفردي والجماعي في المنظمات**
الإدارية، الطبعة الأولى ، عمان : مكتب دار الشروق ،1989 .

54- محمد مهنا العلي، **الادارة في الإسلام** ،الطبعة الأولى ، الرياض :الدار السعودية للنشر والتوزيع
،1985.

55- محمود ابو فارس ،**الإبداع الإداري لدى العاملين في قطاع المؤسسات العامة الأردنية**، رسالة
ماجستير غير منشورة الجامعة الأردنية،عمان،1990.

56- مدني عبد القادر علاقي ، **الإدارة: دراسة تحليلية للوظائف والقرارات الإدارية** ،جدة : جامعة الملك
عبد العزيز،1981 .

57- مهدي زويلف،علم النفس الإداري ومحددات السلوك الإداري ،عمان: المنظمـة العربيـة للعلـوم الإدارية، 1982 .

58- موسى اللوزي ، التطوير التنظيمي :أساسيات ومفاهيم حديثة، الطبعـة الأولى،عمان:دار وائـل للنشر والتوزيع1999 .

59- موسى اللوزي ، التنمية الإدارية :المفاهيم والأسس والتطبيقات،الطبعة الأولى،عـمان:دار وائـل للنشر والتوزيع،2000 .

60- موسى المدهون وابراهيم الجزراوي، تحليل السـلوك التنظيمـي ،الطبعـة الأولى، عمان:المركـز العربـي للخدمات الطلابية ،1995.

61- ميخائيل اسعد، السيكولوجيا المعاصرة ،الطبعة الأولى ،بيروت: دار الجيل،1986.

62- ناجي معلا، التفاوض: الاستراتيجية والأساليب (مدخل في الحوار الإقناعي)، الطبعـة الثانيـة، عـمان: مطابع الفنار، 2000.

63- ناصر محمد العديلي ،السلوك الأنساني والتنظيمي :منظور كلي مقارن، الرياض:معهد الإدارة العامة، 1995.

64- هاني عبد الرحمن الطويل، الإدارة التربوية والسلوك المنظمي: سلوك الأفـراد والجماعـات في النظم، الطبعة الأولى، عمان: الجامعة الأردنية، 1986، ص 155-157.

ب.الدوريات والمجلات

1- ابـو بكـر مصـطفى بعـيرة ،"القيـادة الإداريـة :الأسـس والنظريـات"،**المجلـة العربيـة لـلإدارة**، المجلد:8،العدد:1،1984 .

2- جمال الدين الخازنـدار ،"تـأثير القـيم الثقافيـة عـلى الكفـاءة الإداريـة في كوريـا واليابـان والولايـات المتحدة :دراسة مقارنة ."**الإداري** ،مسقط: معهد الإدارة العامة ،العدد:56،1994 .

3- جمال الدين الخازندار،"خصائص الإدارة في الشركات الكورية الجنوبية"،**الإداري**، مسقط:معهد الإدارة العامة ،العدد:40،1990.

4- ربحي الحسن ،"التغيير للتخطيط: مدخل للتنمية الإدارية "**مجلة الإدارة العامة**، 1989 .

5- زهير الصباغ، "التغيير التنظيمي وتنمية المنظمة ." **مجلة العلوم الاقتصادية**، العدد :1،1981.

6- سمير عسكر ،" متغيرات ضغط العمل "،**مجلة الإدارة العامة**، المجلد: 28،العـدد : 60،1988 .

7- عبـد البـاري الـدره ،"التغيـير في المـنظمات"،**مجلـة البحـوث الاقتصـادية والإداريـة**، المجلد:9،العدد:4،1981.

8- عبد الله عبد القادر نصير،"تجربة الإدارة اليابانية وقابلية التحويل إلى المؤسسات السعودية"، **الإداري** ،مسقط: معهد الادارة العامة، العدد:40، 1990.

ثانياً : المراجع الأجنبية

A: *Books*

1. Agarwal, R., **Organization and Management**, New Delhi: McGraw- Hill,1982.

2. Blake, R. and Mouton, J., **The Managerial Grid**, New York: Houston-Gulf publishing Company, 1964.

3. Daft, R. and Becker, S., **Innovation In Organization**, New York: Elsevier, 1978.

4. Daft, R., **Organization Theory And Design**, New York : West publishing Company, 1992.

5. Davis, K., **Human Behavior at Work**, New York: McGraw-Hill, 1997.

6. Donald, K., **Some Notes On The Dynamics Of Resistance To Change**, Washington D.c.: National Training Laboratories, 1966.

7. Drucker, P., **Innovations and Entrepreneurship**, Pan. Harper & Row Publishers, 1985.

8. Durban, **Foundation of Organizational Behavior**, New York: the free press, 1978.

9. Fiedler, F., **A Theory Of Leadership Effectiveness** New York: McGraw-Hill, 1961.

10. Ford, R., **Motivation Through Work Itself**, New York: American Management Association, 1969.

11. French, J. and Raven, B. "The Bases of Social Power". In Cortwright and A.Zander (ed.), **Group Dynamic Theory Research.**, New York: Harper and Row, 1968.

12. Gibson, J. et al. **Organization: Behavior, Structure, Processes**, Boston: Irwin, 1994.

13. Goodwin, W., **Resistance to Change**, New York: Holt, 1972.

14. Grove, A., **High Output Management**, New York: Random House, 1973.

15. Herzberq, F. et al., **The Motivation at Work**, New York: john wily and sons Inc. 1959.

16. Hellriegal, D. et al., **Organizational Behavior**, Fourth Edition, New York: West Publishing company 1995.

17.	Hodgetts, R .and Altman, S. ,**Organizational Behavior**, Philadelphia: W.b. Sounders Company, 1979.

18.	James, H. and Dressner, H., **Business Writing** Second Edition, New York: Barnes Nobale Books. 1972.

19.	Kan, J., **The Entrepreneurial Organization**, New York: prentice- Hall, 1991.

20.	Killy, J., **The Executive Time And Stress**, New Jersey: Alexander Hamilton Institute Inc., 1994.

21.	Kreitner, R. and Kinicki, A., **Organizational Behavior**, Second Edition, Homewood: Irwin, 1992.

22.	Likert, R., **New Patterns Of Management**, New York: McGraw – hill, 1961.

23.	Likert, R., **The Human Organization: Its Management And Values**, New York: McGraw – Hill, 1967.

24.	McClelland, D., **The Achieving Society**, New York: van nestvand Reinholt Company, 1961.

25.	Moorhead, G. and Griffin, R., **Organizational Behavior**, Second Edition, Boston : Mifflin company, 1989.

26. Ouchi, w., **Theory Z: How American Business Can Meet The Japanese Challenge** Boston: Addison Wesley,   1981.

27. Porter, L. and Lawler, E., **Management Attitudes And Performance**, New York: Irwin, 1986.

28. Robbins, S., **Organizational Behavior: Concepts, Controversies, Applications**, Eighth Edition, New Jersey: prentice – Hall, 1998.

29. Schiffman, L., and Kanuk, L., **Consumer Behavior**, Seventh Edition, New Jersey: prentice – Hill, 2000.

30. Schneirder, B. and Gunnarsin, S., **Organizational Climate And Culture**, New York: Lexington Books, 19991.

31. Thieranf, R. et al., **Principles And Practices**. First Education, New York: John Wiley and Sons, 1979.

32. Vroom, V., **Work And Motivation**, New York: John Wiley and Sons , 1964.

33. Walker, c. and Guest, R., **The Man On The Assembly Line,** Cambridge: Harvard university press, 1952.

B: Periodicals

1. Al-Faleh, M. "The Japanese Management: Lessons For Arab Business Managers", **Dirasat** Vol. 17 A. No. 3, 1990.

2. Al-Faleh, M. and Haydel, B., " Islamic Management and Western Management Thought: A Comparative Study". **Business Research yearbook**, International Academy of Business Disciplines (U.S.A) , Vol. 1,1994.

3. Haire, M., et al. "cultural Patterns in the Role of the Manager". **Industrial Relations.** February, 1973.

4. House, R. " A path- Goal Theory of Leader Effectiveness", **Administrative Science Quarterly**, Vol. 16,1971.

5. Kerr, W. et al. "Absenteeism, Turnover, and Morale in a Metals Febrication Factory". **Occupational Psychology**. Vol. 25, 1951.

6. Maslow, A. "Dynamic Theory of Motivation". **Psychological Review,** Vol. 50, 1943.

7. Paul, W. et al. " Job Enrichment Pays Off". **Harvard Business Review**. Vol. 47, 1969.

8. Robitt, H. and Behling, O. "Defense Mechanisms as an Alternate Explanation of Herzberg's Motivator-Hygiene Reults". **Journal of Applied Psychology**, Vol. 56, No. 1, 1972.

9. Rowe L. and Boise, W. " Organizational Innovation: Current Research and Evolving Concepts". **Public Administration Review**, Vol. 34 (May – June), 1994.

10. Slocum, J. et al. "A Cross-Cultural Study of Need Satisfaction and Need Importance for Operation Employees." **Personnel Psychology**, Vol. 24, No. 3, 1971.

11. Stogdill, R. "Personal Factors Associated With Leadership: A Survey of Literature". **Journal of Psychology**". Vol. 25, 1948.

12. Tannenbaum, R. and Schmidth, W. "Retrospective Commentary". In: "How to choose a Leadership Patterns". **Harvard Business Review**. Vol. 51, No. 3, 1973.